Baiser

Publiés par la même auteure :

Histoires à faire rougir (t. 1), 1994, format poche, 2000
Stories to Make you Blush, 2000
Nouvelle Édition (Rougir 1 : *Histoires à faire rougir*), 2011

Nouvelles histoires à faire rougir (t. 2), 1996, format poche, 2001
More Stories to Make You Blush, 2001
Nouvelle édition (Rougir 2 : *Nouvelles histoires à faire rougir*), 2012

Histoires à faire rougir davantage (t. 3), 1998, format poche, 2002
Stories to Make You Blush, volume 3, 2004
Nouvelle édition (Rougir 3 : *Histoires à faire rougir davantage)*, 2013

Rougir de plus belle (t. 4), 2001, format poche, 2004
Nouvelle édition (Rougir 4 : *Rougir de plus belle),* 2013

Rougir un peu, beaucoup, passionnément (t. 5), 2003, format poche, 2006

Coups de cœur à faire rougir, 2006
(le meilleur des *Histoires à faire rougir*)

Publiés dans la collection *Oseras-tu ?*
Pour les jeunes de 14 ans et plus :
La Première Fois de Sarah-Jeanne, 2009
Le cœur perdu d'Élysabeth, 2009
Le roman de Cassandra, 2010
Le vertige de Gabrielle, 2010
Le miroir de Carolanne, 2011
L'existence de Mélodie, 2012

Publié dans la collection *Dans ta face*
Pour les jeunes de 14 ans et plus :
Frédérick, 2013

MARIE GRAY

Baiser

Les dérapages de Cupidon

roman

Guy Saint-Jean Éditeur
3440, boul. Industriel
Laval (Québec) Canada H7L 4R9
450 663-1777
info@saint-jeanediteur.com
www.saint-jeanediteur.com

....

Catalogage avant publication de Bibliothèque et Archives nationales du Québec et Bibliothèque et Archives Canada

Gray, Marie, 1963-
Baiser
Sommaire : t. 1. Les dérapages de Cupidon.
ISBN 978-2-89455-890-4 (vol. 1)
I. Gray, Marie, 1963- . Dérapages de Cupidon. II. Titre.
PS8563.R414B34 2015 C843'.54 C2014-942585-6
PS9563.R414B34 2015

....

Nous reconnaissons l'aide financière du gouvernement du Canada par l'entremise du Fonds du livre du Canada (FLC) ainsi que celle de la SODEC pour nos activités d'édition. Nous remercions le Conseil des Arts du Canada de l'aide accordée à notre programme de publication.

Gouvernement du Québec — Programme de crédit d'impôt pour l'édition de livres — Gestion SODEC

Édition : Isabelle Longpré
Révision : Marie Desjardins
Correction d'épreuves : Lydia Dufresne
Conception graphique de la page couverture et mise en pages : Christiane Séguin
Photo de la page couverture : Lyudmyla Kharlamova/Shutterstock.com

Dépôt légal — Bibliothèque et Archives nationales du Québec, Bibliothèque et Archives Canada, 2014
ISBN : 978-2-89455-890-4
ISBN ePub : 978-2-89455-891-1
ISBN PDF : 978-2-89455-892-8

Imprimé et relié au Canada
1re impression, décembre 2014

Guy Saint-Jean Éditeur est membre de
l'Association nationale des éditeurs de livres (ANEL).

À mes enfants adorés,
bien que vos yeux soient
nettement encore trop purs et
innocents pour lire ce roman.

Ouain… Les hommes, finalement, c'est un peu comme les souliers. Les beaux, les sexy, *les irrésistibles, ceux qui nous font sentir belle, féminine et avec lesquels on aime se pavaner, finissent toujours par nous faire souffrir.*

Les moins beaux, ceux qui sont confortables et plus sécuritaires, ben eux, ils sont commodes, fiables et on risque rien. Zéro danger. On les montre pas trop, on les sort pas pour les occasions spéciales parce qu'ils sont trop… plates. Pis souvent pas vraiment cutes.

Trouver le bon gars, ce serait comme dénicher LA *paire de chaussures idéales, la seule dont on aurait besoin pour le reste de ses jours :* hot *mais pas dangereuse, qui nous mettrait en valeur sans nous blesser, parfaite pour sortir, séduire (et baiser, à la verticale autant qu'à l'horizontale, pourquoi pas…) autant que pour cuisiner, aller au ciné ou marcher.*

Ben oui. Pfff ! Tout le monde sait que c'est impossible. De là l'impulsivité toute féminine de posséder beaucoup trop de souliers, j'imagine. On compense comme on peut, faut croire !

Arghhh ! J'crois bien que j'vais me déboucher une autre bouteille…

Julie (alias Jujube)

Ceci est un ouvrage de fiction.
Toute ressemblance avec l'auteure ou avec des personnages réels n'est (la plupart du temps) qu'une pure coïncidence. Par contre, certaines situations (souvent les plus improbables), elles, ne le sont pas. Ce n'est pas ma faute si la réalité dépasse parfois, et de loin, la fiction... ☺

Merci à toutes les femmes et à tous les hommes qui m'ont permis de m'inspirer de leurs témoignages et m'ont régalée de leurs anecdotes.

1

Cher journal,

Cher journal ? Vraiment ? Beurk ! On recommence.

C'est intime, un journal, alors go, personne ne lira jamais ça, et j'ai pas besoin de m'adresser à lui comme s'il s'agissait d'une personne. Je ne suis plus une ado rêveuse.

Donc, go.

Voilà. Je donnerais tout pour avoir un homme nu près de moi, là, maintenant. Manque d'amour, manque de tendresse, blablabla, bien sûr, on dit ça, mais honnêtement, c'est rien à côté du manque de sexe.

En fermant les yeux, j'imagine des mains sur mes seins, qui palpent, caressent, une bouche qui mordille et lèche. J'écarte les cuisses et j'attends un toucher, un vrai, en chair et en os, en trépignant d'impatience. C'est comment, déjà, une vraie queue bien bandée, vivante, qui plonge, qui s'enfonce, qui fouille mon ventre ou tressaute entre mes lèvres, s'enfouit au fond de ma gorge ? Quelle tristesse que ce ne soit qu'un vague souvenir… Quelle horreur de penser que je ne revivrai peut-être jamais ça.

Au secours !!!

Danny ne me manque pas vraiment, il appartient désormais à mon passé. Je rêve d'un corps encore inconnu, d'un membre à la rigidité appétissante, à la taille imposante. Immense, tant qu'à y être. Je veux perdre la tête et me faire posséder dans tous les sens et de tous les côtés par un amant fougueux qui me fera gémir, hurler, même, un plaisir trop longtemps refoulé. Pendant des heures, encore et encore. Il me faut pouvoir penser qu'un jour, avant qu'il soit trop tard, je pourrai me laisser aller à tous ces fantasmes qui me rendent folle.

Arghhh !!!

C'est censé soulager, d'écrire ses pensées secrètes et intimes ? C'est du moins pour ça que j'ai décidé de le faire. Chaque jour ? Chaque semaine ? Seulement lorsque j'aurai quelque chose de particulier à évacuer ? Sais pas. On verra.

Me soulager, vraiment ?

Bullshit.

Ça ne me soulage pas plus que mon fidèle compagnon à piles.

Y'en a marre, là…

Mon quarante-sixième anniversaire, qui sema la pagaille dans ma vie, ne se passa pas très bien. Je déprimais depuis un bon moment, mais je n'arrivais pas à en déterminer la cause. Quelques semaines plus tôt, un matin pourtant ordinaire, je me réveillai avec la très désagréable et soudaine impression que ma vie me glissait sous les pieds. Depuis ce jour, ce fut comme si je vivais en dehors de moi-même, témoin impuissant des minutes qui s'égrènent sans que je puisse en contrôler l'inexorable fuite. Je trouvais pénible de me lever pour aller travailler. Je me traînais au bureau, distraite et lasse, comptant les heures jusqu'au soir en rêvant de m'écraser devant la télé avec un verre de vin ou deux, jusqu'à ce que le sommeil me gagne. Puis, le lendemain, tout recommençait.

Une de mes collègues, remarquant mon état, s'inquiéta. Je lui expliquai vaguement que je ne savais pas trop ce qui m'arrivait, que ça allait sûrement passer. C'est elle qui eut l'idée du journal. Elle m'avait confié que de noircir des pages et des pages de tout ce qui lui passait par la tête, comme le lui avait suggéré son psy, avait été concluant. Je n'avais rien à perdre et, même si je trouvai l'exercice fastidieux les premières fois, j'en pris vite l'habitude. Je n'étais pas très assidue, mais ça me faisait un bien énorme de consigner ainsi mes pensées les plus intimes, surtout celles qui n'étaient pas « politiquement correctes ». On se défoule comme on peut…

En septembre, le soir de mon anniversaire, je ne pus éviter l'incontournable souper chez mes parents. Ma mère avait invité mes meilleures amies, Maryse et Valérie, ainsi que ma jeune sœur et son mari avec leur fils, mon neveu de neuf ans, un petit monstre nommé Adrien. Super. Je savais que ça faisait plaisir à ma mère, mais je n'avais pas la tête à fêter. Je me serais plutôt gavée de poutine en buvant trop de vin. Seule.

La déprime s'était totalement installée ce matin-là, et je compris enfin ce qui l'avait provoquée. Dans seulement quatre petites années, ce serait la cinquantaine. La mi-quarantaine était bel et bien dépassée, et j'avais franchi le cap qui me menait implacablement vers l'autre décennie. Je n'en avais pas fait grand cas jusqu'alors, mais, tout à coup, l'échéance me paraissait beaucoup trop rapprochée. La date de péremption ultime ; là où toutes les chances de m'amuser, de profiter de mon corps et du peu de *sex-appeal* qu'il me restait disparaîtraient pour ne jamais revenir. Mille quatre cent soixante jours avant que ma relative jeunesse se dissolve pour être remplacée par l'inévitable déchéance : bouffées de chaleur, sécheresse vaginale, tour de taille qui épaissit malgré le supplice infligé au gym, affaissement généralisé et anéantissement de la libido. Ça paraît beaucoup, dit comme ça, mais à la vitesse avec laquelle les dernières années avaient passé, il y avait de quoi paniquer. J'entrevoyais avec terreur le moment où les seuls hommes qui s'intéresseraient à moi seraient des vieux dans la soixantaine pour qui je serais encore une poulette relativement fraîche. Ils seraient bedonnants, chauves, flasques, et moi, à leur contact, je me ratatinerais comme une vieille sacoche. Hourra !

J'ai toujours trouvé que ma mère avait vieilli avant son temps, et je me voyais devenir comme elle, lui ressemblant de plus en plus chaque jour. Rien contre ma mère, mais... Je l'avais trop longtemps vue nostalgique, passive auprès de mon père qui semblait l'exaspérer plus qu'autre chose. Je les avais pourtant toujours connus ainsi, indifférents l'un envers l'autre (au mieux), soupirant d'impatience et échangeant des remarques acerbes (au pire). C'était ça, le fameux « pour le meilleur et pour le pire » dans leur cas. Pas d'éclats, jamais, mais leur amertume palpable me paraissait encore plus effroyable. Comme s'ils avaient renoncé à arranger les choses ou à affronter leur désarroi pour éventuellement s'épanouir, ensemble ou séparément. Était-ce ce qui m'attendait ? Non, car moi, j'étais seule. Parti, le compagnon avec qui j'avais eu l'intention de passer mes vieux jours. Je ne serais donc pas acculée à ce purgatoire. Non, moi, c'était la solitude qui m'attendait. Vieille, périmée, sèche et seule.

Pendant un moment, je jouai le jeu de la fille qui s'estime choyée d'avoir ses proches autour d'elle. Je discutais avec Maryse, Valérie et ma sœur, tandis que ma mère nous écoutait en nous observant. Avec un clin d'œil, elle passa un commentaire qui me fit sourire :

— C'est fou comment Maryse, Valérie et toi parlez toutes pareil, comme si vous étiez des sœurs ! On a de la misère à vous différencier. C'est *cute*, quand même…

— Ouais, c'est vrai. Comme si elles étaient des sœurs, plus encore qu'avec de la vraie parenté… ajouta Nathalie, ma cadette.

Elles avaient raison. Je passai outre l'amertume contenue dans la réplique de ma chère sœurette. C'était typique. Mes amies et moi avions passé tellement de soirées ensemble, de voyages, de discussions, que nos intonations, nos expressions et nos exclamations se calquaient les unes sur les autres. Souvent, nous n'avions même pas besoin de dire quoi que ce soit, un regard suffisait…

Ma mère ajouta :

— C'est vrai que depuis le temps que vous vous connaissez, c'est un peu normal…

Mon père lui coupa la parole :

— Peut-être, mais veux-tu bien me dire ce que vous avez encore à vous raconter, depuis le temps ?

Ma mère regarda mon père, en soupirant d'impatience. Puis, elle lui dit :

— Ça peut être difficile à croire, mais que veux-tu, contrairement à toi, y'en a qui aiment ça parler pis qui trouvent toujours ça intéressant ce que les autres ont à dire…

Ça y était. Impossible de passer quelques heures avec mes parents sans qu'ils ne se mettent à se critiquer à la première occasion. Mon fragile masque de bonne humeur se fendilla. Puis, après avoir soufflé les bougies du magnifique gâteau préparé par ma mère, je me mis à pleurer. Malaise. Mes parents étaient inquiets, ma sœur exaspérée, mes amies, adorables de sollicitude, m'entourèrent et me cuisinèrent, si bien que je finis par leur révéler la cause de mes sanglots.

Maryse, la première, me traita de folle. À quarante-neuf ans, elle prenait son rôle d'aînée au sérieux et sentait que c'était à elle que revenait la mission de me remonter le moral. Bon départ. Folle, donc. Elle renchérit :

— Ju, on te donnerait à peine quarante ans, et tu le sais !

Elle l'avait dit gentiment, mais je sentis tout de même dans sa voix une pointe de jalousie et de frustration. Je savais qu'elle avait raison, et même si j'avais voulu lui rendre le compliment, je n'aurais pas pu. Puis, j'étais beaucoup trop accablée par mon propre malheur.

Maryse, notre mère à toutes, la plus maternelle de notre trio, n'hésitait pas à déverser son trop-plein de « maternage » sur nous. Je savais bien que la cinquantaine ne représentait pas la fin du monde, Maryse en était d'ailleurs la preuve vivante, elle qui l'atteindrait dans seulement quelques mois. C'était une très belle femme et j'aurais dû la prendre en exemple ; c'était aussi une femme mariée, heureuse et épanouie dans une union parfaite, avec deux beaux enfants pratiquement adultes tout aussi parfaits. Voir autant de bonheur et de perfection me faisait presque enrager. Elle n'était pas réellement ronde, mon amie, plutôt pulpeuse, et elle l'avait toujours été, ce qui n'avait donc rien à voir avec la préménopause. Saine, elle se nourrissait d'aliments bio, se guérissait à l'aide de plantes et de granules homéopathiques. Elle faisait du yoga et occupait sa semi-retraite de fonctionnaire à préparer de bons petits plats, à jardiner, à peindre et à faire du vélo. Bref, elle était sereine. Nous étions tellement différentes ! Elle me traitait gentiment de « poupoune » et c'était vrai qu'en comparaison, je pouvais facilement sembler superficielle, vaniteuse et irréfléchie. Mes intérêts étaient plus frivoles que les siens si on songe au soin que j'apporte à mon apparence, à mon intérêt pour le magasinage et à mon penchant pour les hommes et le sexe. J'imaginais trop facilement que, ayant toujours son mari à portée de la main, c'était chose courante pour Maryse de s'offrir de folles nuits d'amour, au moins de temps à autre. De ce côté, en tout cas, elle semblait satisfaite, du moins selon les rares commentaires qu'elle se permettait quand il était question de ça entre nous.

Moi ? Pfff. Mon célibat m'imposait une tout autre réalité que la sienne, et ça ne faisait qu'ajouter une épaisse couche de désarroi à la perspective de mon avenir. Le sexe me manquait. *Horny.* Même avec mes compétences de traductrice professionnelle, je n'avais jamais réussi à trouver un équivalent juste à ce mot. Et j'étais inépuisable sur le sujet du sexe, quoique Maryse et même Valérie, la douce, l'effacée, se prêtaient volontiers au jeu. Mais ça, c'était une autre histoire.

Je n'avais pas prévu que le spectre de la cinquantaine me déprimerait autant. La solitude me pesait de plus en plus, et j'avais beau repousser autant que je le pouvais l'impression qu'il en serait ainsi pour le reste de mes jours, je n'y échappais pas. Comment Maryse aurait-elle pu savoir que sa propre vie, que j'avais sous les yeux à longueur d'année, ne faisait qu'empirer mon état ? Et même si elle avait su, malgré l'amitié qui nous liait depuis plus de vingt-deux ans, qu'aurait-elle pu faire ? Rien. J'étais jalouse d'une de mes meilleures amies et j'en avais honte. Beurk.

Pour arranger les choses, ma sœur en rajouta :

— C'est vrai, Julie. J'aimerais bien te ressembler, moi, quand j'aurai ton âge !

Je supposai que ça se voulait gentil ça aussi, mais je ne le pris que comme un affront de plus. Elle pouvait bien parler, elle. Une autre qui avait tout : un conjoint qui la dorlotait, une belle carrière en médecine, un enfant qui, même si j'avais envie de l'égorger la plupart du temps, pouvait par moments se montrer attachant. Nathalie avait passé le cap de la quarantaine un an plus tôt avec une sérénité enrageante, sans se douter que c'était vraiment à partir de là que tout dégringolait. J'aurais pu le lui dire pour lui épargner le choc, elle se la serait peut-être fermée, mais je préférais la laisser découvrir cela elle-même, elle s'en rendrait compte bien assez vite. Elle était celle qui avait toujours eu toutes les permissions avant moi, le bébé gâté chouchou de mes parents – malgré leurs véhémentes dénégations –, celle à qui ils ne pouvaient rien refuser alors que moi, la grande sœur responsable qui servait toujours d'exemple, bon ou mauvais, je ne perdais rien pour attendre. Notre relation était complexe, composée d'un mélange d'amour, d'envie, de jalousie et de complicité. Elle m'accusait d'avoir toujours agi comme si je lui étais supérieure, et moi je lui reprochais de manipuler exagérément nos parents. Nous n'avions jamais été vraiment proches, bien qu'elle ait tenté à plusieurs reprises de changer le cours des choses sans que je comprenne bien pourquoi. Je n'avais jamais réussi à créer un lien de qualité avec son fils, non plus. Je le trouvais gâté, et la simple idée de passer du temps avec lui me remplissait d'effroi. C'était une véritable terreur quand il n'obtenait pas ce qu'il voulait, et j'avais toujours cru que ses parents en étaient responsables. Ma sœur était un cas classique de la mère qui travaille trop, et qui, pour se faire pardonner du peu de temps passé avec son fils, lui achète des cadeaux plus inutiles les uns que les autres. Quoi qu'il en soit, j'étais plus que satisfaite de ne voir ma sœur que quelques fois par an, à l'occasion des fêtes et des anniversaires. Le côté dysfonctionnel de notre famille avait beau être léger et sans doute comparable à bien d'autres, je préférais garder une certaine distance devant les frustrations de mes géniteurs et celles de ma sœur.

Comme toujours ou presque, Valérie ne dit rien, se contentant de me serrer dans ses bras. Val vivait sa toute nouvelle quarantaine comme elle avait vécu ses autres années, passant d'une relation insatisfaisante à une autre environ tous les trois ans, se disant chaque fois que c'était l'homme de sa vie. Elle était comme un caméléon, se fondant dans la peau d'un nouveau personnage au gré des idéaux de sa flamme du moment. Monsieur jouait au golf ? Elle se précipitait dans la première école de golf pour pouvoir partager cette activité avec lui. Il aimait la musique country et la danse en ligne alors qu'elle n'avait toujours écouté que les hits populaires ? Qu'à cela ne tienne, elle se procurait tous les disques dans le genre et les écoutait en boucle, bottes et chapeau de cow-boy à l'appui. Valérie travaillait comme secrétaire juridique dans un bureau d'avocats et portait des vêtements plutôt classiques. Cependant, elle était capable de se transformer en fille sportive, en Miss Plein Air ou même en poupoune le temps d'une soirée pour plaire à celui qui faisait battre son cœur. J'avais tant de mal à la comprendre ! Je n'avais jamais trouvé le moindre charme à ses amoureux; ils étaient toujours quelconques, et très souvent ennuyeux. Sa fille Sabrina, une adolescente boudeuse, semblait du même avis puisqu'elle désapprouvait toujours les choix de sa mère et avait donné du fil à retordre à chacun des candidats. C'était probablement elle, jolie princesse trop adulée par une mère tentant de compenser l'abandon du père depuis sa naissance, qui avait provoqué toutes les ruptures. Malgré mon affection pour Valérie, je l'avais toujours trouvée secrètement pathétique. Cependant, je ne le lui dirai jamais, car notre amitié est plus importante. Saurai-je un jour qui elle est au fond ?

Ces réflexions rendirent son commentaire d'autant plus surprenant :

— Pauvre chouette. Ça doit faire drôle, hein ? Danny t'emmenait toujours passer une fin de semaine quelque part pour ton anniversaire, ça te manque ?

Je n'avais pas envie de répondre et je lui en voulais d'enfoncer ce couteau dans une plaie encore trop fraîche. Dans sa grande naïveté, elle ne comprit que trop tard qu'elle venait de dire tout haut ce que tout le monde taisait depuis le début de la soirée. Ce souper était une erreur. J'aurais dû être plus ferme envers ma mère qui, en toute gentillesse, avait voulu me faire plaisir et m'offrir cette distraction festive. Elle avait lamentablement échoué, comme en témoignait le nouveau malaise provoqué par Val. Ces escapades avec Danny me manquaient-elles ? Entre les Laurentides, l'Estrie et la Nouvelle-Angleterre, nous en avions visité des auberges... Oui. Nous en avions eu du plaisir. Mais ce n'était pas mon conjoint, autant que ce qu'il représentait, qui me manquait ; c'était plutôt la présence de quelqu'un, dans ma vie et dans mon lit, qui pourrait me procurer réconfort et tendresse.

Et moi ? Qui étais-je, au fait ? J'avais dû tenter de me découvrir, moi aussi, à la suite de ma rupture avec Danny, au printemps précédent. Après l'hébétude du début, une énergie nouvelle s'était emparée de moi. J'avais fait repeindre le condo ; j'avais acheté des toiles, des accessoires décoratifs et des bibelots qui me plaisaient pour me réapproprier cet espace qui était désormais le mien, exclusivement. Je m'étais inscrite au gym et m'y rendais avec assez d'assiduité pour créer des liens amicaux avec quelques clientes sensiblement plus jeunes que moi, dont l'humour et le dynamisme me faisaient du bien. Finalement, il m'avait été donné de constater, avec un mélange de soulagement et de désarroi, dans certains cas, lesquels de nos amis communs s'étaient rangés de mon côté plutôt que de celui de mon ex. J'avais gardé contact par Facebook avec certains d'entre eux ainsi qu'avec la sœur de Danny que j'aimais bien, mais sans grande conviction. Maryse et Val, de même que quelques autres collègues et copines, me suffisaient amplement.

J'avais essayé une tonne de nouvelles recettes, m'étais habituée à tous ces petits détails anodins qui révélaient mon nouveau statut, dont la poubelle dans laquelle je remplaçais le sac après l'avoir vidée, ce que Danny oubliait systématiquement. Jamais plus de rouleau de papier vide dans le dévidoir de la salle de bains. Le lit beaucoup plus facile à faire maintenant que les longues jambes de Danny n'en arrachaient plus les draps. Toujours du lait pour mon café du matin car, lorsqu'il n'y en avait plus, j'en achetais. Si j'ouvrais une bouteille de vin le vendredi, il m'en restait le lendemain, du moins, parfois. Et surtout, plus personne ne ronflait, me réveillant plusieurs fois par nuit, m'obligeant à porter des bouchons. Enfin, il y avait les regards appuyés de certains hommes qui, me sachant maintenant célibataire, multipliaient les petites attentions à mon égard. Le nettoyeur, par exemple, avait remarqué que je n'y apportais plus que mes vêtements et me complimentait de façon moins subtile à chaque visite; le boucher du supermarché de notre quartier me réservait maintenant les plus belles pièces, en précisant que ce serait bien meilleur en bonne compagnie que pour moi seule. Mignon. Toutes ces petites choses... comme autant de soulagements. D'autres, par contre, m'accablaient, parfois. Des photos de notre premier voyage à Paris. Le collier que Danny m'avait offert lors de notre premier Noël ensemble. Une chemise oubliée au fond du placard, ou l'odeur de son eau de toilette dans un tiroir. Et lorsque survenaient de telles preuves tangibles de mon échec, tous les bons souvenirs me tombaient dessus, écrasant les mauvais d'un seul coup et je pleurais en silence.

Oui, en définitive, cette rupture n'était certainement pas étrangère à mon état. Ou alors, mon état n'était sûrement pas étranger à ma rupture avec Danny. Je ne savais plus trop.

Je sortis de la lune lorsque ma mère, pour ne pas être en reste, formula le commentaire qu'elle aurait dû retenir :

— C'est vrai que ça doit faire drôle. Si au moins vous aviez eu des enfants, Danny et toi, les choses auraient sûrement été différentes... Il me manque, le beau Danny !

Voilà. C'était ça, en fait, la plus grande déception de ma mère. Elle l'avait bien aimé, Danny. Pour elle, il représentait enfin le calme et la stabilité dont j'avais eu grand besoin. Il était celui qui m'apaiserait, me ferait penser à autre chose qu'à la fête, avec qui je fonderais une famille et vivrais enfin une vie « normale ». Elle n'avait jamais accepté le fait que je ne voulais pas d'enfants; c'était, selon elle, une aberration.

Elle ne voyait même pas que c'était sans doute sa propension à tout diriger, à mener nos vies qui avait tué dans l'œuf tout désir de progéniture en moi. C'était pour échapper à son contrôle que je m'étais jetée corps et âme dans ma « rébellion », refusant de me conformer à son idée de vie rangée, de peur de reproduire ce que j'avais sous les yeux à la maison. À vingt-neuf ans, quand j'avais rencontré Danny, l'intention de me « ranger » ne m'avait même pas traversé l'esprit. Nous étions jeunes, sa carrière en publicité prenait de l'essor, la mienne s'installait tout doucement. Nous sortions, faisions des voyages, vivions au-dessus de nos moyens, mais pour vivre, pas pour élever une marmaille ingrate au détriment de notre liberté. Quoique… si elle avait su… Je soupirai bruyamment et répliquai :

— Maman, reviens-en ! Moi aussi, il me manque, des fois. Mais j'ai aucun regret de ne pas avoir eu d'enfants, même si ça te déçoit. Je vais bien, très bien, même. Si tu veux, je te donnerai son nouveau numéro de téléphone, il te présentera ses enfants quand il va en avoir.

Ma mère se renfrogna, je l'avais blessée. Ça n'avait pas été entièrement involontaire, mais je m'en voulus tout de même. Mon père, égal à lui-même, me regarda sans rien dire ; sa désapprobation silencieuse était plus éloquente que tout ce qu'il aurait pu dire. Il aurait pu réconforter ma mère, la soutenir, mais là encore, il fit comme toujours et se retira.

La soirée se termina de façon quelque peu prévisible. Ma mère avait son petit air triste, mon père, lui, était écrasé devant la télé en soupirant d'impatience. Nathalie m'en voulait, elle me reprocherait sûrement mes humeurs, m'accuserait d'avoir gâché tous les efforts de notre mère ; Valérie en profita pour se sauver, prétextant devoir rentrer tôt, et

Maryse tenta de redonner le sourire à ma mère en discutant de jardinage avec elle dans la cuisine. Alors que nous débarrassions la table, Nathalie m'apostropha :

— Bon, t'es fière, j'espère ? Maman va encore pouvoir se morfondre d'inquiétude pour toi, comme elle le fait toujours.

— De quoi tu parles ?

— Fais pas l'innocente ! Tu sais bien qu'elle s'en fait pour toi depuis que t'es plus avec Danny. Elle a peur que tu déprimes.

— Que je déprime ? Ben voyons donc, n'importe quoi ! Oui, faut que je m'habitue à vivre seule, mais c'est pas la fin du monde ! C'était pour le mieux, c'était juste une question de temps.

— Tu le sais que maman comprend pas. Elle trouve que vous auriez dû essayer d'arranger ça...

— Ben oui, comme elle et papa, peut-être ? Je vais pas finir comme eux, Nath, ça, je te le jure. Et ça regarde pas maman, de toute manière, c'est ma vie. J'ai quarante-six ans, elle pourrait au moins essayer d'arrêter de se mêler de mes affaires !

— T'es méchante ! Elle essaie juste de t'aider !

— J'ai pas besoin d'aide, pas de la sienne en tout cas. Elle a toujours voulu « m'aider ». Elle aurait dû essayer de s'aider elle-même ! Tu peux pas comprendre, toi, t'as toujours été parfaite.

— Euh, non, c'est toujours toi, la parfaite ! « Julie, elle, était super tranquille à ton âge ! », « Julie pensait pas à avoir des chums, elle, au secondaire. » « Julie ci, Julie ça ! »

Je savais que c'était la vérité même si j'avais toujours perçu de la déception de la part de mes parents. J'obtenais 98 % ? J'aurais pu avoir 100 %. Je terminais troisième au concours d'épellation ? Il aurait fallu que je sois première. J'avais essayé. Fort. Et, effectivement, j'avais été trèèèèès tranquille, adolescente. Ce n'était qu'une fois arrivée au cégep que j'avais eu mon premier « vrai » copain et, même là, je n'en avais parlé à personne. Mes parents n'auraient pas compris, encore moins accepté que je tombe amoureuse d'un gars de cinq ans mon aîné, surtout que mon parcours avait toujours été irréprochable. Pas d'alcool, pas de drogue, j'étais studieuse, gentille, j'obtenais des notes parfaites, je ne faisais pas de vague. Ça s'était gâché un peu plus tard, et Nathalie ne me permettait pas de l'oublier.

— J'avais pas le droit de sortir, d'aller à des partys, d'avoir des chums. « Ta sœur en a même pas encore, tu peux certainement attendre, t'as juste treize ans ! » Quand tu t'es finalement déniaisée, j'avais presque seize ans, mais toi tu t'es mise à faire des conneries. Fallait que tu reprennes le temps perdu à vingt ans passés, à fumer du pot et à changer de chum tous les trois, quatre mois, faque maman en a profité pour, encore une fois, me casser les oreilles avec toi : « Julie a des problèmes, une c'est assez ! » « On te laissera pas faire les mêmes erreurs que Julie ! » Julie, encore Julie. Tu penses qu'elle va changer parce que t'as quarante-six ans ?

— Justement, c'est pour ça que je garde mes distances. C'est pas ma faute…

Ce discours, remâché maintes et maintes fois, m'ennuyait. Nathalie me le servait depuis des années. Je ne doutais pas que ça avait été pénible pour elle, mais je n'étais pas responsable de l'attitude de mes parents. À l'époque de mes pires frasques, au cégep et à l'université, je me foutais éperdument de ce qu'ils pensaient et des possibles répercussions sur la vie de ma sœur. J'avais une jeunesse à vivre, des expériences à faire. Et je ne m'étais pas gênée. Mais le présent n'avait rien à voir avec tout ça. Il me faudrait encore une fois m'éloigner de ma mère, et ça la blesserait. Mais si je la laissais faire, elle essaierait de diriger ma vie, et ça, il n'en était pas question. Elle avait besoin de distractions, cherchait à s'occuper de quelqu'un pour échapper à son quotidien qui ne voulait plus rien dire ? Elle allait devoir chercher ailleurs.

J'avais donné.

2

Quelle soirée merdique ! J'aurais dû trouver un prétexte pour refuser, quand ma mère me l'a proposée. J'ai encore du mal à lui tenir tête, c'est tellement con ! Bref. C'est vrai que l'absence de Danny m'a fait drôle. Ça ne fait que quatre mois, après tout. Ce n'est que dernièrement que son corps s'est mis à me manquer. Avant, c'était son cœur, sa tête, mais maintenant, c'est son odeur, le goût de ses lèvres. J'ai commencé à le voir au lit avec sa nouvelle flamme. J'imagine trop bien les caresses qu'il lui fait, celles qui n'appartiennent qu'à moi. Je me demande bien quand ils ont commencé à coucher ensemble. Est-ce que c'était avant qu'il me quitte ? Sans doute. Je ne le saurai jamais avec certitude, mais ça m'enrage. Je l'imagine, la salope, en train de le chevaucher. C'est ce qu'il préfère, mais je sais que je le comblais mieux qu'elle ne le pourra jamais. Elle ne doit certainement pas le sucer aussi bien que je savais le faire, engouffrant dans ma bouche sa (très grosse) queue au point d'étouffer. Je vois son corps, j'entends ses murmures pendant l'amour, ceux qui m'excitaient tant quand nous nous sommes connus. Il est le premier à m'avoir fait jouir plusieurs fois de suite, il y a de ça si longtemps. J'avais constaté, avec mes nombreux partenaires précédents, combien le sexe peut faire perdre la tête aux hommes. J'en ai abusé, sans doute, mais cette façon qu'ils avaient, après une baise torride, de me faire sentir irrésistible, éperdument amoureuse, même, est vite devenue comme une drogue. Je donnais, imaginative, audacieuse et entière, et eux prenaient. En redemandaient. Devenaient fous. Moi, je tombais d'abord amoureuse, au moins de l'adulation que je suscitais. C'est d'ailleurs pour ça que j'ai toujours détesté l'expression « baiser ». Moi, je faisais l'amour, tant que ça durait. Car invariablement, je me lassais, puis j'allais chercher chez un autre cette admiration qui m'incitait à repousser chaque fois mes limites, à oser davantage. Mais avec Danny, les rôles étaient inversés. Il donnait et moi, je fondais. Et j'en voulais encore et encore. À jouir sous ses doigts et sa langue comme jamais auparavant, j'en ai perdu la tête. Est-ce qu'elle perd la tête, elle aussi, ou c'est lui qui a perdu la sienne?

Qui de nous deux s'est lassé le premier?

Le tremblement de terre se produisit un soir de mai. Danny rentra du travail et me dit: « Je ne t'aime plus. Je te quitte. » Tout simplement. Huit mots pour conclure ma plus longue relation à vie: seize ans, six mois et trois jours. J'avais d'abord cru qu'il me faisait une très, très mauvaise blague, mais ce n'était pas du tout son genre. Quand je compris qu'il était sérieux, je fus d'abord assommée. Je n'y comprenais rien. Ou plutôt, je comprenais trop bien mais je refusais de l'admettre. Puis, je fus prise d'une colère incroyable. Pas parce que c'était un affront, et pas non plus parce que je tenais réellement à lui. Je songeais moi-même à cette séparation depuis au moins un an, peut-être plus, à un point tel que j'avais même entamé, sans trop le savoir, le processus de deuil. Je me disais que, lorsque je serais prête, lorsque j'accepterais totalement le fait que je ne passerais pas le reste de ma vie avec lui comme je l'avais longtemps cru, je le préparerais tout doucement. Je ne le détestais pas, loin de là, mais je ne l'aimais plus. Lorsque nous sortions avec des amis, je l'observais de loin, de plus en plus détachée. C'est alors que ça me frappait le plus. J'étais indifférente. Je l'écoutais parler et ce qu'il disait ne m'intéressait plus, ne me faisait plus sourire. Les soirées avec Maryse et Gilles se raréfiaient, plus encore celles avec Val, avec qui mon ex n'avait aucune affinité. Danny respectait mon amitié avec elle, mais ne l'avait jamais tout à fait comprise. Il acceptait de bonne grâce de fréquenter mes amies à l'occasion, mais préférait, et de loin, que je passe du temps avec elles « entre filles ». Le conjoint de Maryse semblait penser à peu près la même chose, d'ailleurs, et ça me convenait parfaitement. Je ne lui en voulais pas, mais j'en vins à délaisser également ses amis et à le laisser passer autant de temps « entre gars » qu'il en avait envie. C'était bien, mais au fil des ans, j'imagine que ça a contribué à creuser le fossé entre nous. Et c'est au nom de toutes ces années ensemble qu'il me semblait lui devoir au moins la délicatesse de faire les choses en douceur. Mais voilà qu'il avait le culot de me faire ça, à moi, aussi brutalement.

J'en étouffais de rage et d'orgueil blessé. Je savais que ce n'était qu'une question de temps, mais moi, je lui témoignais suffisamment de respect pour bien mûrir cette grosse, très grosse décision. Après tout, je n'avais pas de véritable raison de vouloir le quitter ; il était correct, m'avait toujours traitée avec courtoisie et gentillesse, il était bel homme, gagnait bien sa vie. C'était un « bon parti » alors je voulais être bien certaine. Mais lui agissait comme si ce n'était qu'un mauvais moment à passer. Ses raisons étaient les mêmes que les miennes, je le savais : nous nous étions installés dans notre relation comme dans une paire de pantoufles. Celle-ci était devenue trop confortable, sécurisante, et le sexe, lui, avait pris une tournure monotone, prévisible. D'un ennui mortel. Personnellement, je me sentais comme un des meubles de notre tout aussi confortable condo, le fauteuil dans lequel on s'installe sans se demander ce qu'on ferait s'il n'était plus là, parce qu'on ne le voit tout simplement plus.

Je n'étais pas malheureuse avec Danny. Mais je n'étais pas heureuse, non plus. Loin de là, et c'était aussi son cas, apparemment. J'avais toutefois essayé, moi, de rendre notre vie plus excitante. Mais malgré mes achats de dessous suggestifs, mes propositions d'escapades romantiques ou coquines, mes nombreuses attentions et tous mes efforts pour mettre du piquant dans notre vie et, surtout, ramener dans notre lit l'ardeur de nos premières années, aux yeux de Danny, j'étais devenue invisible. Acquise. La mort.

Comme le sexe nous avait unis, son déclin sonna le glas de notre vie commune. Quand le sexe va, tout va, n'est-ce pas ? Justement, rien n'allait plus. Je n'en pouvais plus de ces longs épisodes sans passion qui se terminaient en queue de poisson – mauvais jeu de mots tout à fait intentionnel – et qui me laissaient totalement insatisfaite. Oh, j'avais bien des orgasmes « mécaniques » ; après tant d'années, il savait comment s'y prendre pour faire réagir certaines parties de mon corps, mais ça ne me suffisait plus. Pas après ce que nous avions connu. Le plus souvent, il me faisait l'amour pendant de longs moments, sans émotion, et sans atteindre l'orgasme. Il prétendait que ça n'était pas important, mais moi, ça me dérangeait. Si je ne l'excitais même plus assez pour qu'il jouisse, il y avait assurément un problème ! Je percevais cette incapacité à jouir de nos étreintes comme un affront, comme si j'étais devenue inadéquate. Pourtant, il me répétait que ça n'avait rien à voir, que je devais être heureuse qu'il reste dur aussi longtemps alors qu'à son âge, c'était plutôt le ramollissement qui menaçait. Je ne le voyais pas comme ça ; je me mis en tête que si je n'étais pas en cause, alors il devait y avoir une raison « clinique ». J'exigeai qu'il investigue. Mais en vrai homme, Danny était incapable d'ignorer son ego de mâle et de consulter un médecin pour ça. Dès lors, je ne pus que me languir des « petites vites » d'autrefois, intenses, de la passion, du désir qui rend fou. Tout ça était devenu aussi rare et improbable qu'une bouteille de rouge qui ne se vide pas, une fois débouchée.

Je fis d'autres essais, faisant preuve d'une audace exemplaire. À coup de jeux de rôles, de lectures coquines, d'accessoires divers et de fantasmes mis en scène avec imagination et fantaisie, je tentai le tout pour le tout. Son enthousiasme du début s'effrita rapidement et je compris que c'était peine perdue. Je me donnais donc le temps qu'il fallait pour l'accepter avant de rompre. Et voilà qu'il me larguait avant que j'aie la chance de le faire.

Je réagis comme une vraie fille blessée. Je pleurai, exigeai des explications, je le suppliai même de réfléchir encore un peu. Quoi ? Venant de celle qui s'apprêtait à tourner la page, ce n'était pas très reluisant. Je me trouvais ridicule. Je ne voulais plus de lui et voilà que je m'abaissais à quémander son amour comme une idiote ? Je ne me comprenais plus. Ce n'était que mon amour-propre qui était meurtri, mais je n'allais tout de même pas laisser Danny s'en tirer à bon compte. Je voulais qu'il se méprise de me faire ça à moi qui avais tant fait pour faire durer notre couple. À moi qui n'avais jamais subi un tel affront, puisque c'était toujours moi qui avais rompu avec mes copains. Je le traitai de lâche parce qu'il ne voulait même pas essayer d'arranger les choses, de proposer une solution. Je l'engueulai, lui disant qu'il ne se rendait pas compte de sa chance de m'avoir, lui remettant sous le nez toutes les belles promesses d'amour d'antan. Je me rendais complètement grotesque juste parce que cette rupture ne s'était pas passée de la façon dont je l'avais prévue. Enfin, devant mon attitude déraisonnable et irrationnelle, il fut obligé de m'avouer qu'il avait rencontré une femme plus jeune que moi, avec qui il voulait fonder une famille.

J'explosai. Il était vrai que je n'avais jamais voulu avoir d'enfants, mais il avait prétendu la même chose pendant toutes ces années. Les hésitations du début avaient fait place à un consentement mutuel de préserver notre style de vie, la liberté à laquelle nous tenions tous les deux. Et là, il me disait qu'il avait l'impression d'être en train de passer à côté d'un élément primordial dans sa vie, qu'à son âge c'était sa dernière chance, blablabla. Lui, un père ? Je ris méchamment. J'étais hors de moi. Pas parce que j'avais le moindre regret devant mon manque de désir de maternité, mais bien parce qu'une femme plus jeune prenait ma place et lui donnerait ce qu'il n'avait jamais voulu de moi. Quelque chose que j'avais été bien près de lui donner, même si ça n'avait pas été planifié. J'agis comme une vraie de vraie fille, princesse gâtée qui se fait enlever un jouet dont elle ne voulait plus de toute manière.

Après d'autres cris et larmes bien involontaires, quelques paroles blessantes et d'une méchanceté dont je ne me serais jamais crue capable, il partit. Il était tellement rongé par la culpabilité qu'il fit d'énormes concessions pour le rachat de sa part du condo et me laissa tous les meubles. J'estimais que c'était la moindre des choses : sa nouvelle conjointe, fille d'un riche propriétaire de magazines et de journaux, possédait une maison confortable, il n'avait qu'à s'installer chez elle. Tout ce qui devait être réglé le fut de manière très froide et légale, et Danny sortit de ma vie aussi discrètement qu'il en avait fait partie depuis des années.

Je n'étais pas réellement en peine d'amour ; après tout, j'avais cheminé bien longtemps avant qu'il prenne la décision. Je ressentais toutefois un vague à l'âme, une tristesse certaine. J'aurais bien voulu me satisfaire de notre routine, et qu'il s'en satisfasse aussi. Nous avions été des amis, autant que des amants, et avions, longtemps, partagé ce rêve de couler des jours heureux ensemble jusqu'à la fin des temps. J'étais enragée que Danny ait pu tourner la page aussi vite, que seize années de vie commune aient pu devenir aussi insignifiantes que si nous n'avions passé qu'une fin de semaine ensemble. Mais plus que tout, je souffrais de voir de nouveau, dans ses yeux, le pétillement que j'avais connu lors de nos premières années et qui était disparu depuis trop longtemps.

D'un seul coup, je me sentis moche, rejetée, vieille. Je n'étais plus assez intéressante ni attirante, même pour lui. Alors que nous avions partagé les plus belles années de notre vie à tenter de nous bâtir un avenir, alors que nous nous étions vu changer tout doucement en nous acceptant l'un et l'autre, comment pourrais-je à nouveau plaire à quelqu'un maintenant que le temps et l'amertume avaient laissé leurs traces ? Si lui, avec qui j'avais cheminé aussi longtemps, pouvait me rejeter du revers de la main, comment un homme que je ne connaissais pas encore allait-il s'intéresser à moi maintenant que le déclin s'installait et que le monde était rempli de femmes plus jeunes, plus fraîches, plus *sexy,* plus... tout ?

Quelque temps après le départ de Danny, et devant cet élan de pessimisme inhabituel chez moi, mes amies Maryse et Valérie prirent les grands moyens : elles m'offrirent une soirée de débauche avec fondue au fromage, fondue au chocolat et une beaucoup trop grande quantité de mon fidèle Cabernet-Sauvignon. Ce rituel plus ou moins régulier faisait partie de nos vies depuis le début de notre amitié, alors que nous travaillions toutes les trois dans le même restaurant. Nous en avions accumulé, des souvenirs ! Ces dernières années, cependant, Valérie était un peu moins présente, sa fille ayant sauté allègrement dans une adolescence mouvementée. Mais ça ne changeait rien au fait qu'elle était une partie vitale de notre trio. Le hasard nous avait réunies : Valérie toute innocente à dix-huit ans, Maryse de neuf ans son aînée et déjà gérante du resto, et moi, qui, à vingt-quatre ans, n'arrivais pas à trouver de boulot en traduction au sortir de l'université. Nous étions aussi différentes que nous le sommes restées depuis. Mais c'était un événement, qui aurait pu être tragique, qui avait forgé cette amitié, l'indéfectible loyauté qui nous était précieuse et que nous avions entretenue malgré nos contraintes respectives et nos cheminements divers.

Fidèles à elles-mêmes, donc, Val et Maryse m'écoutèrent me lamenter toute la soirée, s'abstenant du moindre commentaire ou reproche sauf lorsqu'il était question de « l'autre ». À cet égard, elles étaient aussi méchantes que moi. Surtout Valérie, ce qui ne ressemblait pas à son habituelle réserve :

— Je parie que c'est le genre de fille à papa qui vit à Saint-Lambert, s'achète des gougounes à quarante dollars dans les boutiques de la rue Laurier et qui va s'offrir une cure de Botox pour ses quarante ans !

Maryse, beaucoup plus terre-à-terre, ajouta :

— Elle va se faire faire deux p'tits par Danny, après elle va être complexée parce que son corps va avoir changé. Elle va continuer à grossir, à bitcher contre Danny parce que ça va être de sa faute, et lui, il va la tromper. À un moment donné, il va la laisser et être obligé de lui payer une pension pour le reste de ses jours. Il va essayer de revenir, j'te gage. Il va tellement regretter d'être parti, Julie ! Et là, toi, tu vas pouvoir l'envoyer promener.

Leur loyauté, leur indulgence et leur soutien agissaient comme un baume. Je ne leur avais pas révélé que j'épiais le compte Facebook de cette chipie. Je l'avais déjà rencontrée, c'était une « collègue » de Danny. Jasmine. Pfff. Je ne voulais pas savoir s'ils étaient amants depuis qu'elle faisait partie de leur agence, l'automne précédent, mais je me doutais que, lorsqu'il me l'avait présentée au dernier party du bureau, à Noël, il se passait déjà quelque chose. Ce type de femme ne perdait généralement pas son temps pour mettre le grappin sur sa proie. Elle était belle, la garce, d'une beauté classique très différente de la mienne. Aussi menue que j'étais athlétique, elle était tout le contraire de moi. Brune. Élégante. C'était facile quand on pouvait se permettre des vêtements griffés et des accessoires hors de prix. Elle avait cette classe qui ne s'obtient qu'avec un pedigree irréprochable, du genre à porter un rang de perles en maillot de bain. Qu'est-ce qui l'avait séduite, chez mon publicitaire de conjoint ? Son intelligence ? Son corps élancé, son côté rêveur ? Son insatiable curiosité ? Il était séduisant, mon Danny. Peut-être que ça avait suffi. Je n'arrivais toutefois pas à concevoir qu'il soit heureux avec une femme à l'allure aussi froide. Il me semblait qu'elle devait être un véritable bloc de glace entre les draps, et ça me consolait tant bien que mal.

Mes amies continuèrent à déblatérer, me décrivant les vergetures qui ne tarderaient pas à orner le ventre bientôt distendu de la belle, la cellulite que même les bas les plus soyeux n'arriveraient pas à camoufler et, surtout, le double menton et les flétrissures. Même elle, malgré son compte en banque et les largesses de son père, ne pourrait échapper à toutes ces calamités. Comme de vraies amies, et même si elles l'avaient bien connu et apprécié, elles rejetèrent tout le blâme sur ce salaud de Danny et sa jeune idiote alors qu'une bonne part aurait pu, aurait dû, m'être attribuée. Ça fit des miracles. Le lendemain, au réveil, je me sentais en bonne voie de guérison.

Mais tout ça avait resurgi quelques mois plus tard, alors que planait l'anniversaire que je redoutais tant.

Dès le lendemain de ma soirée de fête ratée, Maryse décida de « m'entreprendre ». Elle s'était donné la mission de me convaincre qu'il devait bien exister quelque part un homme qui saurait apprécier cette belle ardeur que je possédais encore, et ces plaisirs que j'avais très envie d'offrir autant que de recevoir. Selon elle, je n'aurais que l'embarras du choix, il fallait seulement que je me secoue un peu. Après tout, si j'étais redevenue « disponible », il allait de soi que beaucoup d'hommes se trouvaient dans la même situation que moi.

— Ça te ressemble pas, ça, Julie. T'es pas du genre à te laisser abattre de même, pas toi. T'es la fille la plus positive que je connaisse, tu vas pas changer maintenant !

Maryse la bienveillante avait raison. N'empêche, je n'étais pas tout à fait convaincue. Je lui confiai ce que je craignais le plus :

— Mais tout à coup qu'il ne reste que le genre de « mononcles » plates que Valérie nous présente ? Je peux pas me contenter de ça, tu le sais !

— Arrête. D'abord Val, c'est Val, et toi, c'est toi. Vous êtes aussi différentes qu'on l'est toutes les deux, c'est pour ça qu'on est aussi proches, je pense. Val est tellement timide, elle est pas sûre d'elle, elle sait pas s'affirmer. Je pense qu'elle ne sait pas ce qu'elle veut et qu'elle essaie juste de trouver quelqu'un de correct pour pas être seule.

— Ben là… moi j'aime mieux avoir mon vibrateur que n'importe lequel des épais avec qui elle a été au cours des vingt dernières années ! C'est pas fin, je sais, mais…

— Encore une fois, Val, c'est Val, et toi, c'est autre chose. Tu peux pas la critiquer, elle a pas les mêmes besoins que toi. Toi, tu veux de la passion, des papillons pis du sexe excitant. Elle, elle a besoin de sécurité, de quelqu'un pour s'occuper d'elle… c'est pas mieux, pas pire, juste différent…

— Ouain. T'as raison. Mais comment on peut ne pas vouloir de sexe et de passion ?

— Tu sais aussi bien que moi que ça peut pas durer toute une vie, ça. C'est juste dans les films ou les romans que ça se passe de même… Et les femmes sont pas toutes aussi affamées que toi !

Je lui fis un sourire en coin.

— Facile à dire quand t'as un homme dans ton lit tous

les soirs ! Oui, je suis affamée. Mais je veux vivre, triper. Pas juste exister comme mes parents, t'sais ?

— Oui, je sais. Mais tout est question d'équilibre et de compromis, non ? Ça peut pas être les papillons tout le temps. Avec des enfants, crois-moi, les papillons prennent le bord ! Après, c'est autre chose. Pas aussi excitant, mais satisfaisant quand même.

— Je sais. Maryse-la-sage a encore raison. Mais mettons que, pour le moment, j'ai encore envie d'y croire. Y'a rien de mal à ça, non ?

— Non, rien du tout. Je te le souhaite. Et je peux pas croire qu'il y a pas quelqu'un, quelque part, qui t'attend. On va te la trouver, la perle rare ! Mais avant, faudrait que tu te fasses une idée de ce que tu veux, hein ?

Oui, c'était juste, et ça me semblait relativement simple. Je n'avais qu'à établir certains critères de base. Pour ce faire, avant toute chose, il me fallait d'abord faire un petit ménage intérieur. Qui étais-je et qu'est-ce que je voulais, au fond ? Je devais penser à moi comme n'étant plus la conjointe de quelqu'un, ce qui était déjà étrange. Ensuite, il me fallait découvrir ce qui me plaisait, à moi, et pas en fonction de l'autre. Tout un travail ! Je doutais que Valérie ait déjà pris la peine d'effectuer un tel exercice, et c'était sans doute ce qui nous distinguait l'une de l'autre et qui ferait en sorte que moi, j'atteindrais des objectifs différents des siens.

Je n'avais pas compris à quel point la personnalité de Danny s'était insidieusement gravée à la mienne. Pas au point de me changer comme Valérie le faisait avec ses petits amis, mais suffisamment pour que je me rende compte que je n'étais plus obligée de regarder le moindre match de hockey, que je pourrais porter des talons aussi hauts qu'il me plaisait sans que Danny ne se sente diminué, que je n'aurais plus besoin d'acheter sa marque de céréales préférée. Une foule de petits détails qui, rassemblés, avaient une importance certaine.

Il en allait de même pour tenter de découvrir le genre d'homme qui me plaisait réellement. Durant certaines soirées où j'étais encore avec Danny, mais où ma solitude était tout de même palpable tant le fossé entre nous s'était creusé, j'avais tenté d'imaginer le prince charmant dont je rêvais. Je n'en avais toujours qu'une vague idée. Il ne s'agissait pas de trouver l'opposé de Danny comme lui avait fait, mais de retenir ce qui me plaisait le plus chez lui et d'y greffer des qualités qu'il ne possédait pas. Maryse m'aida à établir les caractéristiques les plus importantes. Je n'étais pas pressée de revivre une vraie situation de couple, mais il me tardait de vivre l'excitation de la découverte, de la chasse, de la conquête. Ce n'était pas compliqué, après tout. Tout ce que je voulais, c'était un homme au moins aussi séduisant que Danny mais pas au point où toutes les femmes voudraient me le piquer ; cultivé sans être snob ; à l'aise financièrement. Je ne cherchais pas un homme riche pour subvenir à mes besoins, mais quelqu'un qui pourrait me gâter un peu et qui ne lésinerait pas sur nos sorties. Aussi, je souhaitais un compagnon plus indépendant que ne l'avait été mon ex pour ne pas avoir à lui rendre des comptes chaque jour, sans toutefois avoir l'impression de le déranger. Un homme, aussi, assez sensible pour comprendre l'importance des petites attentions comme, par exemple, me faire livrer des fleurs aux occasions spéciales, mais tout de même viril. Un vrai mâle au bon moment. Surtout, quelqu'un qui saurait me séduire, tant au lit qu'ailleurs, chaque jour, comme si c'était le premier, et tout comme Danny avait su le faire au début de notre relation. Facile.

La perspective de trouver quelqu'un qui réponde au moins en grande partie à ces attentes me redonna instantanément le sourire. Le temps passait trop vite, je ne voulais plus gaspiller les belles années qui me restaient à soupirer de nostalgie, d'ennui et d'insatisfaction. Quelles bonnes amies ! Elles me firent voir que ce qu'il y avait devant moi était nettement plus excitant que ce qui se trouvait désormais derrière ; je n'avais qu'à saisir les occasions qui se présenteraient. Maryse se délectait à l'avance de tout ce qui m'attendait. Elle me promit de devenir mon ange gardien. J'étais intriguée qu'elle soit aussi emballée… Valérie, elle, se fit beaucoup plus discrète, promettant tout de même de garder l'œil ouvert et de me faire part de tout « prospect » intéressant qui se pointerait dans son entourage.

Depuis quelque temps, cette dernière faisait parfois allusion au fait que tout n'était pas particulièrement paisible avec Pierre, qu'elle fréquentait depuis près d'un an. Secrètement, je m'en réjouissais. Sa fille le détestait, ce qui n'était pas exceptionnel, et faisait preuve d'ingéniosité pour éloigner sa mère de cet individu qu'elle qualifiait de profiteur. Le peu que j'en savais lui donnait raison. Valérie s'acharnait à inviter systématiquement ses compagnons à vivre chez elle, les imposant à sa fille sans lui demander son avis. Ça ne me regardait pas, mais je ne pouvais que sympathiser avec Sabrina. Val plaidait une situation financière fragile, mais je la savais pourtant assez confortable pour subvenir amplement à ses besoins et à ceux de sa fille. Souffrait-elle à ce point d'insécurité ? Maryse la questionnait plus que moi, elle savait s'y prendre, mais les réponses de Val nous laissaient insatisfaites. Nous avions beau être amies depuis longtemps, nous ne pouvions insister et nous immiscer dans sa vie privée. À quarante ans, c'était une grande fille et, au besoin, elle savait qu'elle pouvait compter sur nous. Je ne pus m'empêcher d'espérer qu'elle redevienne célibataire. Comme ça, nous pourrions faire équipe dans la grande quête de l'Amour. Cette perspective me plaisait, mais seul l'avenir nous le dirait.

Du temps de Danny, j'enviais les célibataires de mon entourage, des collègues, surtout. Moi aussi j'allais enfin goûter aux innombrables possibilités qui s'offriraient à moi. Contrairement à Valérie, je n'allais pas me contenter d'un homme gentil et courtois. Je prendrais le temps qu'il fallait pour dénicher celui qui me ferait chavirer les sens autant que le cœur.

Depuis mon premier copain, j'avais alors dix-huit ans et lui presque vingt-quatre, c'était incontournable : je n'avais jamais été intéressée par les garçons de mon âge, sans comprendre pourquoi. Ce premier amour, Mathieu, avait déclenché quelque chose chez moi, comme si un barrage avait cédé. Dans ses bras, j'avais découvert la passion, le désir incandescent. J'étais novice, prude et évidemment vierge, mais bonne élève et avide d'apprendre. En seulement quelques mois, il me dévoila une partie de moi que je ne soupçonnais pas ; je maîtrisai tant de caresses, de manœuvres et de positions que j'aurais pu enseigner aux putes du Red Light ! Mathieu était insatiable, amoureux fou et subjugué ; moi, de provoquer un tel délire, j'étais flattée. Aux yeux de mon amoureux, contrairement à ma mère, j'obtenais toujours la note parfaite. Je n'avais plus besoin d'être la fille sage, responsable, le bon exemple. Avec lui, je me débarrassais enfin du spectre envahissant de ma mère. C'était fantastique et ça le demeura pendant presque deux ans. Depuis cette histoire, les amants et les explorations s'étaient succédé. D'aventures de quelques semaines à quelques années, j'avais cherché et trouvé à combler cette faim qui me tenaillait. Dès que la passion s'étiolait, je pliais bagage. Toujours moi. Ensuite, le vase clos avec Danny.

Nous nous étions rencontrés lors d'un gala récompensant les campagnes publicitaires les plus avant-gardistes et originales. J'y assistais en tant que traductrice du site Web pour l'un des clients en lice, une chaîne de boutiques de vêtements de luxe. Ce mandat passionnant et prestigieux m'avait permis de m'éloigner des contrats ennuyeux de traductions légales ou même, comme j'avais dû le faire en début de carrière, de pubs de dentifrice ou de nourriture pour animaux. Ça avait été le coup de foudre, ou presque. Danny s'était approché de moi, m'avait félicité pour mon travail, et, dès cet instant, nous avions été attirés l'un vers l'autre par un magnétisme irrésistible. Je m'étais retrouvée dans son lit et y étais restée toute la fin de semaine. Au bout d'un mois, nous avions emménagé ensemble sans la moindre hésitation. C'était seize ans plus tôt. Depuis, sans m'en rendre compte, j'étais passée de la jeune professionnelle branchée, aventureuse et pleine d'ambition à la femme mûre, routinière et complaisante.

Il me tardait de me lancer dans cette nouvelle aventure qui, j'en ronronnais déjà d'aise, me ferait vivre toutes sortes de doux frissons.

Évidemment, je fermais les yeux et bouchais mes oreilles sur d'autres connaissances célibataires qui, elles, semblaient plutôt découragées, cyniques ou les deux. J'étais convaincue qu'avec mon charme, mon appétit pour la vie, le sexe qu'il me tardait de goûter et tout le reste, j'aurais beaucoup plus de chance qu'elles. Honnêtement, je savais qu'elles ne m'arrivaient pas à la cheville, avec leur allure quelconque, leur vie trop rangée et leurs attentes du prince charmant alors qu'elles-mêmes s'apparentaient plus aux vilaines belles-sœurs de Cendrillon qu'à la fameuse princesse en devenir. À moi, le rôle de l'héroïne de conte de fées. Le monde était rempli d'hommes intéressants, attirants, virils et sensuels; j'allais l'explorer pour trouver celui auprès de qui je me sentirais enfin comblée. C'était d'une incroyable simplicité.

Sauf que…

3

Quand j'ai rencontré Fernando, et surtout après la première fois qu'il m'a fait l'amour, j'ai su que c'était ça que je cherchais. Quelle chance tout de même, en si peu de temps ! La passion, les corps nus qui glissent l'un sur l'autre, transportés par un désir si puissant que j'en tremblais. Malgré moi, je n'ai pas pu m'empêcher de le comparer à Danny, le Danny des premiers temps. C'était étrange, un nouveau corps, une nouvelle peau, une nouvelle queue, presque aussi imposante que celle de mon ex, mais si différente.

Je suis... déchaînée. Une vraie chatte en chaleur ! Avec lui, chaque fois est une explosion de jouissance à l'état brut, j'ai juste envie qu'il me saute dessus dès qu'il pose les yeux sur moi. Voyons, qu'est-ce que je raconte ? N'importe quand ! Je voudrais qu'il me saute dessus, qu'il apparaisse à tout moment du jour ou de la nuit et je le laisserais faire ce qu'il veut sans la moindre protestation. Il fait ressortir la cochonne en moi, celle qui a été trop longtemps refoulée. Ben coudon. Il était temps, faut croire !

Malgré mon bel optimisme et celui de mes amies et complices, je me rendis vite compte que la vie d'une femme célibataire à la fin de la quarantaine n'était pas aussi simple et surtout pas aussi féerique que je l'avais d'abord cru. C'était probablement le cas pour les autres groupes d'âge également, mais j'eus l'étrange impression de me réveiller d'un songe beaucoup trop long, comme la Belle au bois dormant, tant qu'à conserver l'imagerie des contes de fées. D'abord, qu'était-il arrivé aux hommes pendant mes années avec Danny ? Que se passait-il chez l'*homo sapiens* mâle au cours de la quarantaine ? Je trouvais qu'ils avaient tous l'air beaucoup plus vieux que leur âge. Il est vrai qu'un homme qui se teindrait les cheveux, s'il lui en restait, n'aurait pas nécessairement la cote… et que si je ne le faisais pas moi-même, le résultat ne serait pas très différent. Mais j'avais décidé depuis longtemps que la meilleure façon d'accepter de blanchir était le déni. Avec une visite mensuelle chez ma coiffeuse, je pouvais me faire croire que j'avais toujours ma couleur de cheveux de jeune fille. Ou presque. En tout cas, c'était réglé et sans l'ombre d'un scrupule. Complaisance toute féminine dont je n'hésitais pas à me prévaloir.

Les premiers temps de ma quête, j'eus tout de même quelques propositions dignes de considération, du moins à première vue. J'eus droit à la bonne volonté empreinte de bienveillance de Maryse, de Valérie et même, étonnamment, de ma sœur Nathalie. Bonne volonté de femmes en couple. Elles tentaient de me présenter des célibataires de leur entourage, des hommes « adorables, charmants, qui avaient été malchanceux en amour ». Je n'ai pas tardé à constater que mes connaissances célibataires, quant à elles, me percevant plutôt comme une compétitrice, se mirent soudainement à m'éviter. De « fille casée », j'étais devenue une menace, celle qui allait peut-être leur piquer le gars qu'elles convoitaient. Tant pis.

Commencèrent alors les *blind dates.* Cinq en deux semaines avant que je ne puisse tirer certaines conclusions et des leçons valables.

LEÇON NUMÉRO 1 : « Nos proches sont peut-être pleines de bonnes intentions mais ne sont pas toujours très douées pour matcher. » Et quand on doit rejeter l'ami-d'une-amie, même si c'est une perte de temps, c'est nettement plus délicat que lorsqu'il s'agit d'un parfait inconnu qu'on a rencontré dans la rue.

LEÇON NUMÉRO 2 : « Quand on rejette plusieurs suggestions de suite, on devient vite " la difficile ". » Nathalie, par exemple, ne pouvait pas concevoir que son ami Mario, même s'il était bien gentil et avait toutes les qualités que je disais rechercher, ne m'attirait tout simplement pas, et pas seulement à cause de ses dents de travers ni de ses poils aux oreilles. Insultées de voir que leurs efforts pour nous « sauver » ne sont pas appréciés, les amies cessent d'essayer après quelques tentatives. Ma sœur et moi étions d'ailleurs en froid depuis sa dernière proposition rejetée. En fait, j'avais l'impression que nous étions en froid depuis sa naissance, mais bon. Je la laissais bouder.

LEÇON NUMÉRO 3 : « Si on pénètre dans le territoire de chasse de nos collègues, l'atmosphère de travail peut vite se dégrader. » Je l'ai vécu en tentant de m'approcher de Philippe, un séduisant quinquagénaire et seul célibataire potable de la boîte de traduction pour laquelle je travaillais. En voyant que je lui tournais autour, ma patronne et deux autres filles de mon service se sont mises à commérer comme savent si bien le faire des femmes en mal de potins. Il est vrai que je ne les côtoyais pas tellement, du temps de Danny, et je n'avais pas deviné que ma patronne « travaillait » sur le cas Philippe depuis plusieurs mois sans succès. Le manque d'intérêt du beau brun envers elle ne changeait rien au fait que ma supérieure me considérait désormais comme une entrave, la raison de son échec. J'aimais trop mon travail pour me la mettre à dos. On sous-estime trop souvent la perfidie des femmes et leur expertise pour empoisonner l'existence d'une de leurs semblables. Solidarité féminine ? Je n'avais plus d'illusions à ce sujet.

Les *blind dates* ont aussi un aspect très gênant et pas seulement parce qu'on ne sait pas de quoi l'autre a l'air. En fait, on ne sait pas ce que notre « entremetteuse » a réellement dit au gars à notre sujet, ni si ce qu'elle nous en a dit est tout à fait exact ou seulement son impression à elle. Ensuite, on sait tous les deux qu'on n'est là que pour une seule raison, *one-on-one*, et ça met une pression énorme. En ce sens, Maryse m'avait donné un petit truc :

— T'sais, les gens timides qui doivent parler devant plusieurs personnes, on leur dit, pour enlever un peu de cette pression, de les imaginer nus. Tu pourrais faire la même chose ? Imagine le gars tout nu. Tu vas savoir tout de suite si ça te tente d'aller plus loin ou pas. Et si c'est vraiment repoussant, au moins ça risque de te faire rire et de te détendre. Ça pourrait marcher, non ?

— C'est pas bête, ton affaire ! Je vais faire ça, un petit exercice de visualisation. Ça risque d'être drôle !

À la première de ces rencontres, je ne fis pas d'effort particulier, ne sachant vraiment pas à quoi m'attendre et choisissant d'être naturelle. Après tout, je voulais plaire pour qui j'étais réellement, autant le montrer dès le départ. Le gars arriva en habit. Je portais des jeans. Il ne me plut pas et je n'étais visiblement pas son genre. Je savais que je ne le reverrais probablement jamais de ma vie et ça s'annonçait vraiment pénible. Faire la conversation s'avéra ardu. Je me concentrai, l'imaginant nu, comme me l'avait suggéré Maryse et dus retenir un éclat de rire. Je ne pouvais faire autrement que l'imaginer sans autre vêtement que sa cravate, des chaussettes et ses souliers. Il me demanda ce qui me faisait sourire ainsi et je dis simplement :

— Oh, rien ! Je pense juste qu'on est vraiment mal assortis, tu trouves pas ?

— Euh... tu vas un peu vite...

Je terminai mon verre en bavardant péniblement.

— Écoute, si tu veux, on peut laisser faire le souper, hein ? lui dis-je, pleine d'espoir.

— Ah... Oui, je pense que ça serait mieux.

Il était aussi soulagé que moi, il était temps de couper ça court. Pour les autres, j'insistai pour qu'on s'en tienne à un café ou à l'apéro, quitte à poursuivre. Se succéda ainsi un certain nombre de candidats. Ce fut d'abord un homme d'une timidité exagérée qui se disait impressionné par ma beauté et mon assurance. L'image que j'avais de lui nu était un long corps sec, pâle, maigre avec un membre pendouillant, aussi timide que l'était son propriétaire.

Ensuite, un maniaque de vélo de route se présenta en sueur malgré la fraîcheur automnale, maillot moulant et kit complet du parfait cycliste sur son vélo rutilant. Son regard condescendant, lorsque je lui avouai mon manque d'intérêt pour ce sport, me le fit imaginer nu avec son casque, ses gants et ses lunettes. Vint plus tard un Monsieur Plein Air qui ne jurait que par le camping sauvage, la simplicité volontaire, la chasse et la pêche alors que les moustiques me rendaient folle et que je détestais le camping. Lui, nu, m'apparaissait tout à fait convenable, mais ça n'était pas suffisant pour me donner envie de poursuivre notre conversation. Le dernier, enfin, avait une impressionnante musculature qui lui procurait de toute évidence une trop grande fierté. Tout au long de notre conversation, il gonfla la poitrine, banda les muscles de ses bras au moindre prétexte, prit la pose. Exaspérant. Je me demandais s'il était comme ça au lit et je l'imaginai facilement en train de me faire un spectacle de Monsieur Muscle tandis que, pâmée, je l'aurais admiré en battant des cils. Cette pensée me permit de passer le reste du temps dans une hilarité contenue mais nettement plus agréable que sa conversation.

Je demandai gentiment à mes copines, à ma sœur et même à ma mère, d'abandonner. Je me mis alors à sortir dans les bars. Il y avait beaucoup trop longtemps que je n'avais fait ce genre de choses que Danny détestait. J'avais bien essayé d'attirer Maryse et Valérie, mais en vain. Quelques-unes de mes copines de gym me donnèrent des adresses, certaines habituées me proposèrent de les accompagner. Avec elles, je me mis à explorer plusieurs discothèques et clubs du centre-ville.

Un autre choc. Je constatai encore une fois que le temps avait passé plus vite dans la vraie vie que dans ma tête, et que les filles qui m'accompagnaient étaient nettement moins âgées que moi. J'étais entourée de jeunes dans la vingtaine ou la trentaine, ce qui faisait en sorte que les spécimens mâles ne m'accordaient pas la moindre attention. C'était normal, mais assez déstabilisant. Que s'était-il passé pendant que je me prélassais dans ma petite vie tranquille avec Danny ? J'avais vieilli plus vite que je l'avais ressenti, et n'avais rien vu se produire. Toutes ces années me rattrapaient d'un coup, et je prenais brutalement conscience que j'aurais pu être la mère de toutes ces belles et fraîches jeunes femmes qui m'entouraient. Dans ces boîtes de nuit populaires et bondées, je me sentais comme la « matante » de service, pas très digne représentante d'un groupe d'âge nettement hors de son territoire. Troublant, et pas du tout agréable.

Après quelques essais et erreurs, et sans mes « guides », je trouvai quelques endroits plus favorables à une clientèle de mon âge ou, disons, plus « mûre ». La première fois, je réussis à entraîner Valérie. Je fus enchantée. Je me fis draguer par plusieurs hommes bien mis et parfumés ; Valérie aussi, mais elle les rejeta systématiquement. Elle était de toute évidence mal à l'aise et regrettait d'être venue alors qu'elle était toujours, officiellement du moins, en couple. Je la trouvais idiote. Elle ne faisait rien de mal ! Je me sentis obligée de lui tenir compagnie au bar mais, après un moment, je partis danser. Ce soir-là, je n'eus pas à payer une seule consommation. En dansant, je sentais des regards de convoitise se poser sur moi et j'adorais ça. Mais plus l'heure avançait, plus il était clair que les minutes étaient comptées et que la course effrénée au partenaire de nuit coûte que coûte tirait à sa fin. Plusieurs hommes me semblaient bien et auraient même pu représenter des conquêtes potentielles, mais je n'aimais pas comment les choses se précipitaient. J'aurais aimé avoir un minimum de conversation avant d'envisager de me retrouver dans une chambre quelque part ! Le manque de sexe se faisait cruellement sentir, mais je n'étais pas prête à suivre un étranger, comme ça, pour une baise sans lendemain. Et on entendait tellement d'histoires d'horreur ! J'étais tout de même prudente. Était-ce un manque d'audace ? Je devenais frileuse ? Moi ? Je me dis que je pouvais être audacieuse sans être impulsive ou inconsciente… Il faudrait bien que je brise la glace à un moment ou un autre.

En fait, je me trouvais complètement déconnectée de constater ce qui se passait dans un monde qui, pourtant, évoluait de la même manière depuis la nuit des temps. À fréquenter ces endroits de plus en plus régulièrement, je compris que le jeudi était la soirée où les approches étaient les plus subtiles. Plusieurs, hommes autant que femmes, en profitaient pour examiner la marchandise, se contentant d'œillades et de quelques danses ici et là pour jauger de l'intérêt d'une telle ou d'un autre. Le vendredi, le mâle devenait plus hardi, espérant conclure une quelconque aventure avant la fin de la nuit. Le samedi, c'était l'échéance ultime. Comme s'il fallait absolument que quelque chose se concrétise ce soir-là sous peine de devenir celui ou celle dont personne ne voulait. Les décolletés des femmes se faisaient moins discrets, les méthodes d'approche plus directes.

Les personnages de cette sexo-comédie étaient souvent les mêmes, mais les partenaires eux, interchangeables. J'en vins à trouver ridicules ces femmes qui, comme moi, se paraient de leur tenue la plus avantageuse, s'accrochant à l'illusion qu'elles plaisaient pour une autre raison que leur seule apparence. Et que dire de ces hommes dont le masque de galanterie s'estompait à mesure que l'heure avançait pour disparaître un peu avant le *last call* alors que, désespérés, ils déballaient des tentatives plus vulgaires les unes que les autres ? Fini le lustre de la séduction, envolées les belles paroles et marques d'intérêt. J'avais envie d'un corps chaud, moi aussi, mais cette fébrilité, ce désespoir presque palpable devant la perspective d'un lit vide me déprimait et je me jurai de ne pas en arriver là. Cette mascarade était vraiment trop déprimante.

Finalement, sur le conseil d'une collègue qui y avait déjà rencontré un de ses ex, je me retrouvai dans un bar latin où des danseurs, tous plus ragoûtants les uns que les autres, rivalisaient de prouesses sur la piste de danse devant un public – très majoritairement féminin – captivé. Cette fille, Josée, m'avait aidée à retomber dans les bonnes grâces de ma patronne après mon faux pas involontaire. L'atmosphère s'était quelque peu détendue au bureau, grâce à elle, et je lui en étais reconnaissante. Val avait catégoriquement refusé de m'accompagner, cette fois. Elle prétextait son manque de talent pour les danses latines mais, selon moi, elle préférait plutôt ne pas s'exposer à de nouvelles tentations. À la différence des autres discothèques que j'avais fréquentées, les hommes qui s'y trouvaient ne jouaient pas de rôle. Ils séduisaient sans la moindre subtilité, et l'assumaient avec une assurance déconcertante pour toute Québécoise n'ayant fréquenté que des hommes blancs reconnus pour leurs lacunes à chanter la pomme.

C'étaient des Latins de toutes origines dont la présence semblait uniquement destinée à captiver. Des femmes, surtout blanches, se laissaient envoûter par leurs corps de dieux, leurs déhanchements des plus langoureux, leurs yeux de braise. Elles se croyaient reines, princesses, courtisanes, irrésistibles. En un clin d'œil, je saisis dans toute son ampleur l'attrait que ça pouvait représenter.

Les danses latines avaient fait partie de mon répertoire durant mes folles années d'université, mais j'avais sérieusement besoin de me rafraîchir la mémoire. Après avoir observé les danseurs pendant un bon moment et noyé mes réserves dans plusieurs onces de tequila, je me laissai entraîner sur la piste par un magnifique jeune homme à la peau couleur de sirop d'érable qui me tournait autour depuis un bon moment.

Fernando était un danseur formidable. Grand, élancé, à la carrure parfaite, il me guida de son mieux dans un merengue moins élégant, par ma faute, que je l'aurais voulu. Il ralentit la cadence, faisant abstraction du rythme du morceau en cours et me montra les pas lentement, me permettant de le suivre. Puis, me saisissant les hanches avec la bonne pression, il leur imprima le mouvement qui me permit de retrouver mes pas. C'était comme faire du vélo, vraiment. Tout me revenait comme par enchantement.

Après trois danses, même si je n'en avais pas envie, je demandai grâce. J'avais soif, j'étais en sueur, mais, surtout, je me sentais comme électrisée et j'avais besoin de reprendre mes esprits. Je commandai une autre double margarita et en bus la moitié d'un trait. Une femme à ma gauche m'accosta:

— Il donne soif, le beau Fernando, hein ?

Elle appuya sa remarque d'un clin d'œil presque caricatural et je lui répondis, en souriant:

— Chaud, surtout…

— La manière dont il te regarde, il pourrait te donner *vraiment* chaud, si tu vois ce que je veux dire ! Et crois-moi… En fait, crois-*nous*, il en vaut la peine !

Je ne savais pas trop comment réagir. Le « nous » en question désignait elle-même et l'autre femme assise à ses côtés. Deux amies, de toute évidence, des femmes pétillantes dans la jeune cinquantaine qui se faisaient du bien dans cet endroit torride. Elles étaient jolies, dans le genre un peu voyant, et dégageaient une insouciance que je leur enviai. Des habituées, apparemment. J'étais curieuse:

— On dirait que vous connaissez mieux l'endroit que moi !

— On vient tous les samedis. Les autres soirs, y'a trop de p'tites jeunes, on est pas de taille. Mais le samedi, on les a tous à nous !

Sa copine gloussa, désignant du regard un autre jeune danseur tout aussi attirant que mon Fernando. *Mon* Fernando. Je me trouvai un peu idiote de le désigner ainsi, mais disons qu'il avait réveillé certaines pulsions… L'image que je me faisais de lui, nu comme au jour de sa naissance, était des plus émoustillantes. *Sexy* ? Oh, que oui !

La femme qui se présenta comme étant Suzie poursuivit, son élocution quelque peu laborieuse, en s'approchant de moi pour ne pas avoir à hurler :

— Je sais pas ce que tu cherches, ma belle, mais si tu veux t'offrir un jeune mâle bien bâti qui te posera pas de questions et qui va t'offrir une baise de rêve, t'es à la bonne place…

— Euh… j'sais pas trop. Sont pas un peu jeunes ?

— Ouain, et puis ? Si t'aimes mieux un bonhomme qui bande mou, vas-y fort, mais tu trouveras pas ça ici. Ma chum Manon et moi, on se gêne pas et ils en redemandent ! La plupart sont mariés *anyway*, et ils aiment ça, les femmes « mûres ». Pourquoi les priver ?

Nouveau clin d'œil salace qui en disait long sur la véracité de son affirmation. Je venais de rencontrer mes premières vraies de vraies « cougars ». Je ne les jugeais pas, loin de là. Je doutais de l'intérêt qu'elles pouvaient représenter pour ces hommes jeunes et beaux, à part leur générosité au bar, mais je n'en étais pas à un cliché près, et si elles y trouvaient leur compte, pourquoi pas ? Mais moi, était-ce bien ce que je voulais ? Étrangement, même si nous n'avions que quelques petites années de différence, j'avais l'impression qu'un monde nous séparait. Je n'étais pas aussi plissée et défraîchie qu'elles, n'est-ce pas ? Non, certainement pas. Comment étais-je perçue, moi, avec mon fond de teint soigneusement appliqué et la petite robe moulant mon corps de quadragénaire ? Je n'en avais pas la moindre idée. Regardant autour de moi, je déduisis que je n'étais ni mieux, ni pire que les autres femmes. Cependant, je dansais mieux que la plupart d'entre elles. Mais qu'est-ce que j'espérais d'une rencontre dans un tel endroit ? Un *rebound*, peut-être ? Une relation de transition pour me faire oublier Danny ? C'était pratique comme concept mais, en vérité, je n'avais pas besoin de l'oublier, il me semblait que c'était déjà fait. Toutefois, après tant d'années avec le même homme, et me trouvant dans la quarantaine plutôt que la trentaine, l'idée de faire l'amour avec un autre m'excitait et me terrorisait à la fois. Pourtant, cette idée se faisait urgente. J'avais bien essayé de m'imaginer en train de faire l'amour avec un homme de chair et d'os, pas un simple fantasme, mais aucune de mes récentes rencontres n'avait été assez concluante. Je commençais à en avoir sérieusement assez de l'autosatisfaction, ce n'était qu'une bien trop mince compensation. Briser la glace, oui, il était peut-être temps. Je n'avais vraiment aucun mal à me projeter en pensée dans les bras de Fernando, ne serait-ce que pour me rassasier et me prouver que mon corps réagissait toujours aux caresses d'un homme le moindrement habile. Comme l'avait dit Suzie : « Pourquoi les priver ? » Pourquoi *me* priver, en effet ?

Fernando s'approcha. Il salua mes voisines, les embrassant à tour de rôle, *très* chaleureusement. Il commanda un verre que Suzie s'empressa de payer avec un troisième clin d'œil. Puis, il me tendit la main, m'invitant à danser. Je regardai Suzie, un point d'interrogation au visage. Elle pouffa de rire et me dit :

— Vas-y, on te le laisse ! Amuse-toi bien, tu le regretteras pas. Nous, on a d'autres jolis petits chats à fouetter !

Son sourire en était un de prédateur. Elle s'en léchait littéralement les lèvres. Ouf ! Ce ne sont pas que les hommes qui traitent l'autre sexe comme de vulgaires morceaux de viande… Je souris à mon prétendant et m'élançai avec lui sur la piste de danse. Oui, je pouvais très facilement m'imaginer en position compromettante avec lui. Trop facilement.

Le reste de la soirée se passa comme dans un rêve. Plus l'heure avançait, plus mon partenaire de danse se faisait entreprenant. Son corps se frottait contre le mien plus étroitement, au point où je pouvais sentir son érection contre mon ventre. Je me demandais bien dans quelle galère je m'étais embarquée, mais mes scrupules s'évanouirent après trois autres margaritas. Fernando me chuchotait plein de jolis mots en espagnol. Je ne comprenais pas très bien, mais je devinais que ses propos étaient de plus en plus suggestifs. J'en rougissais de plaisir. Ses yeux me dévoraient et j'avais envie de sentir sa peau sur la mienne… partout. Je n'arrêtais pas de me répéter, comme pour m'en convaincre, qu'il n'était pas question que je le raccompagne chez lui, encore moins que je l'emmène chez moi. Qu'étais-je censée faire ? Louer une chambre quelque part ? Je me sentais totalement novice, mais, en même temps, un lien s'établissait entre nous sans l'ombre d'un doute. Je lui demandai s'il était marié, lui précisant que c'était Suzie qui m'avait prévenue de ce genre de choses. Il éclata de rire et me dit :

— Marié ? Pour quoi faire ? Non, *bonita*, je n'ai pas encore rencontré celle qui fera battre mon cœur assez fort pour ça. Toi, par contre… tu me fais un de ces effets !

Ahhh… Quel plaisir d'entendre ces mots. Ainsi donc,

mon charme opérait encore. Je me mis à me demander comment ce serait de fréquenter un tel homme. Pourrais-je en toute insouciance m'attacher, espérer davantage qu'une folle nuit ? Non, sans doute pas.

— Tu es si belle, tu dois en briser des cœurs, chaque jour ! Comment est-il possible que tu n'aies pas un homme qui t'attend dans son lit, une femme comme toi ?

Ah, il savait s'y prendre, l'animal !

— Parce que les hommes que j'ai eus dans ma vie ne savaient pas me satisfaire, c'est tout.

— Ils sont idiots. Les hommes, les Blancs surtout, ne comprennent pas la chance qu'ils ont et ne prennent pas le temps de combler leurs femmes. C'est pour ça qu'elles viennent ici. Beaucoup d'entre elles ont un mari à la maison, tu sais. Plusieurs d'entre eux viennent, d'ailleurs. Ils cherchent des sensations fortes. Toi, tu aimes les sensations fortes ?

Si j'aimais les sensations fortes ? Moi ? Il ne savait pas ce que plusieurs mois d'abstinence et plusieurs années de manque de passion pouvaient faire ! Je souris à Fernando et me lovai contre lui. Il me prit la main et m'attira vers un corridor que je n'avais pas remarqué auparavant, tout au fond de la salle.

Ouvrant une porte, il me fit entrer dans une petite pièce faiblement éclairée. Un vieux divan, un fauteuil et un comptoir tout au fond en constituaient l'unique ameublement. Le sol était couvert de caisses de bouteilles d'alcool, et les murs d'affiches de groupes de musiciens latinos.

Fernando referma la porte derrière lui et m'embrassa. Sa langue fougueuse plongea dans ma bouche, faisant accélérer subitement mon rythme cardiaque. Il y avait si longtemps… Ses longues mains parcouraient mon corps, palpaient mes fesses, mes côtes, et quand il s'empara de mes seins comme s'il avait peur de tomber, je sentis mes jambes faiblir. M'agrippant à lui, je me permis de caresser ses fesses si fermes ; je me régalai de la cambrure de son dos, de ses épaules solides, de son torse musclé. Dieu qu'il était tentant !

J'eus bien évidemment un petit doute quant à ce qui était en train de se produire. Tout déboulait trop vite ! Pourtant, j'en mourais d'envie ; l'occasion était trop belle et je ne trouvai aucune raison valable pour m'en priver. Ma tête me criait de ralentir, de vérifier, au moins, s'il avait un condom, mais ce n'était pas nécessaire, il en déballait déjà un d'une main aussi experte qu'impatiente. D'un geste agile, il retira ma culotte et me souleva sur le comptoir. Son visage s'engouffra entre mes cuisses ouvertes et, aussitôt, sa langue s'empara de mon sexe. Je pensais à mille choses à la fois, des pensées fugaces qui s'envolaient aussitôt. « C'est quand, la dernière fois que j'ai été aussi excitée ? » Quand avais-je ressenti autant de désir purement charnel ? Quand m'étais-je sentie aussi totalement soumise et affamée ? Trop longtemps. Depuis les premiers mois avec Danny, et ça remontait à beaucoup trop d'années. Ça n'avait d'ailleurs pas la moindre importance. La langue de Fernando céda la place à ses doigts qui me caressèrent presque rudement. C'était… incroyable. J'étais quelqu'un d'autre, un corps sans cerveau qui se laissait posséder sans la moindre arrière-pensée. Je ruisselais.

— Tu me veux, *querida* ?

Cette question était inutile. Bien sûr que je le voulais. Il enfonça dans mon ventre son membre dûment caoutchouté et je hoquetai. Jamais je n'avais connu d'homme aussi imposant, tant par sa manière de faire que par la taille de son engin. C'était sublimement douloureux et d'une intensité renversante. J'enroulai mes jambes autour de sa taille pour l'attirer plus profondément en moi et il m'envahit tout à fait, sa chair fouillant la mienne jusqu'à me faire hurler.

— Tu es si belle… tu m'excites tellement !

Il se retira brusquement et entreprit de me caresser à nouveau, enfonçant plusieurs doigts en moi là où sa queue m'avait si délicieusement envahie. Du pouce de son autre main, il massa l'entrée de mon sexe, dans une friction qui devint vite intolérable. Je coulais sur sa main et il murmurait son appréciation en me chantant de jolis mots incompréhensibles.

Quand mon ventre cessa de se secouer, il revint me posséder avec une vigueur délectable. Il accélérait en gémissant, je sentais sa jouissance imminente et je l'embrassai, voulant à tout prix sentir sa bouche sur la mienne. La cadence devint démente et il grogna, me torpillant aussi loin et aussi puissamment qu'il le pouvait jusqu'à ce que son corps se secoue comme le mien l'avait fait quelques instants plus tôt.

Nous étions à bout de souffle, je me sentais comblée et vidée à la fois, autant que lui, j'imagine. Il me prit dans ses bras et me transporta jusqu'au divan, comme si je n'étais qu'un tas de plumes. Sachant d'avance que c'était peine perdue, je voulais néanmoins tenter de prolonger ce moment que je devinais éphémère. Malgré l'intensité de ce qui venait de se produire, je me doutais bien que ça n'avait été qu'un bref interlude dans ma vie comme dans la sienne.

Quelques longues minutes plus tard, il m'embrassa ; la fin approchait. J'eus soudainement et inexplicablement envie de pleurer. Trop de magie en si peu de temps, je présume. Tout à coup, je me sentis mal à l'aise, ne sachant trop ce que je devais dire ou faire. Il rompit le silence en se relevant et en réajustant ses vêtements :

— Tu reviens danser, *mi amor* ?

— Je… je ne sais pas. Je crois que je vais partir…

— Tu reviendras ? J'espère que oui et… ne me fais pas attendre trop longtemps, tu me manques déjà.

Il m'embrassa à nouveau et m'aida à me relever. Je ne pouvais pas rester. J'avais l'impression d'avoir un signal lumineux sur le front qui disait quelque chose comme : « JE VIENS DE ME FAIRE BAISER ET C'ÉTAIT INCROYABLE. » Je le suivis le long du corridor et m'arrêtai aux toilettes. Le miroir me renvoya l'image d'une femme sauvage : pommettes rouges, cheveux en bataille, maquillage défait, yeux brillants. Très brillants.

Fernando était au bar et j'allai lui dire au revoir. Il m'embrassa en me disant « à bientôt, belle Julie ». J'adorais la façon dont il prononçait mon nom, en aspirant le J comme s'il voulait l'avaler, comme il avait aspiré certaines parties de mon corps, quelques minutes plus tôt. Je quittai la discothèque aussitôt, la tête ailleurs, ne ressentant rien de la froide pluie de novembre qui me fouettait.

Ce soir-là, je fis des rêves déments dans lesquels Fernando me prenait dans des positions improbables pendant des heures. Je me réveillai moite, les jambes encore flageolantes, mais avec un grand, un très grand sourire aux lèvres. Enfin, du sexe. Et quel sexe… J'avais cru que ça me ferait le plus grand bien, que je serais satisfaite pendant un bon moment. Comme un enfant qui découvrait le goût magique du chocolat, je voulais juste recommencer, et le plus tôt serait le mieux.

4

Je me sens enfin vivre. Il ne se passe pas un instant sans que je pense à son toucher, à sa fougue, au goût de sa bouche et de sa queue. Il était temps. Je savais que j'avais raison d'y croire! Je savais que je revivrais à nouveau ce genre de folie. Oui, je suis folle de lui. Je suis constamment dans la lune, dans la petite pièce du club, plus précisément. Je compte les heures avant notre prochaine rencontre, essayant d'imaginer ce qu'il me fera, comment il me fera jouir, encore et encore. Je pense qu'un seul regard va être suffisant pour que s'écoule de mon ventre mon envie de lui. Un seul toucher va me faire exploser. Parfois, juste à penser à lui, j'ai envie de me toucher, peu importe où je suis et ce que je suis en train de faire. Je le fais, d'ailleurs. Plusieurs fois par jour. Je sais que c'est dangereux, je m'aventure sur un terrain glissant. Mais c'est probablement pour ça que c'est aussi excitant. Encore une fois, pourquoi m'en priver?

Je passai la semaine suivante dans un état lamentable. Je ne dormais pas, mes nuits étaient peuplées de l'odeur de mâle de Fernando, de ses mains partout sur mon corps, de son haleine chaude. Je passais mes journées à essayer de travailler sous l'œil complice de Josée qui se félicitait de m'avoir fait découvrir cette discothèque. Elle voulait connaître tous les détails, mais j'hésitais. La relation que j'entretenais avec elle était ambiguë et je ne lui faisais pas totalement confiance. J'avais des mandats de plus en plus importants, j'étais celle qui traduisait systématiquement tous les documents officiels de plusieurs hauts dirigeants de la métropole. Ce travail, même si je le trouvais monotone, était très bien rémunéré, et plusieurs de mes collègues auraient presque vendu leur âme pour en hériter. J'avais déjà du mal à entretenir des relations amicales au bureau, Josée elle-même m'avait révélé que, pour plusieurs, j'étais en train de devenir la « courailleuse » de la firme ; je craignais d'empirer les choses en lui dévoilant des détails de mes soirées torrides. Il y avait, parmi la quinzaine d'employés, deux cliques distinctes. Je faisais de mon mieux pour éviter les commères et, avec les autres (dont elle et Guillaume, son assistant, faisaient partie), je préférais garder une certaine distance. Ma compétence m'ayant fait obtenir ces beaux contrats, je demeurerais professionnelle, sans plus. Mais ce genre de petit combat quotidien m'agaçait et me fatiguait. Le soir, je tentais par tous les moyens de m'abrutir au gym, d'épuiser mon corps pour qu'il cesse de se languir.

Je dus revivre la scène avec Fernando des centaines de fois, revoyant ses gestes effrénés. Ç'avait été comme un accouplement animal. La rigidité de son corps entier, surtout de l'organe qui me fouillait si impétueusement ; la façon dont il m'avait soulevée dans ses bras à la fois souples et musclés ; sa bouche qui mordait mon cou et mes épaules pendant qu'il me pénétrait presque sauvagement. Le jeudi, je me retins de peine et de misère de me pomponner et de me rendre à la discothèque. Les paroles de Suzie concernant les « p'tites jeunes » finirent par me convaincre d'attendre au samedi. Jamais je ne connus quoi que ce soit d'aussi pénible que cette attente.

Le samedi arriva enfin, et je mis un soin particulier à me préparer pour cette sortie tant attendue. Je voulais que Fernando me trouve belle, qu'il ait envie, dès qu'il m'apercevrait, de me contraindre à le suivre une fois de plus dans la pièce qui avait été le siège de nos premiers ébats. Je ne fus pas déçue.

Nos corps s'appelèrent avec une urgence à laquelle je n'avais vraiment pas envie de résister. Une fois de plus, Fernando orchestra une série d'orgasmes aussi intenses que les premiers; une fois de plus il me posséda alors que, juchée sur le comptoir, je le laissais faire ce qui lui plaisait. Le divan eut aussi sa part. Tandis que j'étais bien appuyée au dossier, il me rendait ses hommages par l'arrière, sa démesure devenant encore plus difficile à tolérer. Une fois de plus, il me murmurait des paroles que je buvais goulûment. Il disait que j'étais différente, partageait avec moi les souvenirs de notre première rencontre. J'étais subjuguée.

Après, seulement, nos corps s'unirent pour danser. Lascivement. Longtemps. Je sentais le sexe à plein nez. Son odeur sur ma peau m'excitait et j'étais encore moite et poisseuse de nos ébats. Peu m'importait. Fernando m'appartenait et j'étais sienne. Je quittai le club le cœur léger, les jambes molles, le cœur chantant.

Mon envie de lui vira rapidement à l'obsession. Rares étaient les moments où je ne pensais pas à une quelconque partie de son corps, à une caresse particulière, à un toucher brûlant ou un autre. J'étais constamment dans la lune, rêvassant à son étreinte, échafaudant des plans pour notre prochaine rencontre. Je mourais d'envie de l'emmener chez moi, de prendre le temps de mieux savourer tous ces délices. C'était bien beau, la passion brutale, mais il me tardait de prendre mon temps, d'étirer les préliminaires pour mieux apprécier ses assauts presque sauvages. Je le voulais une nuit entière, peut-être même deux. Nous pourrions faire l'amour du soir au matin, passer la journée, nus, enveloppés dans de chaudes couvertures, et refaire l'amour. Je lui préparerais un repas délicieux et substantiel, pour que nous puissions tous les deux reprendre nos forces. Nous mangerions au lit, blottis l'un contre l'autre. Je lui ferais boire du vin, nous ferions l'amour, encore et encore.

Il me le fallait. Il était le premier homme avec qui je faisais ce genre de choses depuis Danny. Sauf que jamais je n'avais autant désiré mon ex-conjoint. Fernando me faisait un bien énorme dont il ne soupçonnait même pas la portée. Avec lui, j'avais envie de laisser libre cours à mes fantasmes, de le laisser me prendre comme si je n'étais qu'un jouet soumis à ses moindres envies. C'était ça que je voulais. Ce désir incandescent qui gruge de l'intérieur, que seul le corps de l'autre peut assouvir. Au moins pour un court moment. Car il revient implacablement, ce désir, encore plus intrusif, l'instant suivant la jouissance. J'avais tant rêvé de cette passion corrosive que je m'y jetai les yeux fermés.

Après une autre incartade des plus savoureuses, et donc une autre semaine où je ne me possédais tout simplement plus, je me décidai enfin. Il me fallait l'inviter chez moi, et je le ferais dès notre prochaine rencontre. Ce fantasme de l'avoir bien à moi pendant de longues heures en était venu à me perturber sérieusement. Je dormais peu, je travaillais mal, j'étais dans un état d'excitation perpétuel et je n'en pouvais plus.

En arrivant à la discothèque ce soir-là, bien déterminée à en ressortir avec un Fernando bien gorgé de désir à mon bras, je me sentais resplendissante, dégoulinante de féminité. Je m'étais acheté des dessous neufs, une jolie petite robe qui m'allait à merveille et des sandales vertigineuses qui mettaient mes jambes en valeur et grâce auxquelles il pourrait me prendre par-derrière sans que j'aie à me mettre sur la pointe des pieds. Je ne savais pas si elles me permettraient de danser longtemps, mais c'était secondaire. J'avais l'intention de l'attirer vers notre pièce secrète, de le prendre dans ma bouche sans qu'il ait le temps de faire quoi que ce soit, de le titiller et le rendre fou de désir. Puis, je lui refuserais la suite par un chantage machiavélique. Nous danserions le reste de la soirée, je me frotterais contre lui comme une chatte, il ne pourrait résister à ma proposition. Il viendrait chez moi. Et là, je lui réservais bien des surprises dont un massage spécial avec une huile parfumée, des foulards de soie et d'autres accessoires coquins.

Comme toujours, je ne mis qu'un instant à le repérer dans la foule. Il dansait avec une blonde plantureuse. Ce n'était pas inhabituel ; après tout, il était plus ou moins payé pour « divertir » la clientèle et promouvoir, à coup de sourires et de déhanchements, les cours de danse qu'il offrait au club, ce qui lui rapportait un revenu substantiel. Par contre, ce qui était inhabituel, c'était la façon avec laquelle il se frottait contre elle. Il en mettait un peu trop à mon goût et j'en ressentis un douloureux pincement. Ne voulant pas sauter hâtivement à des conclusions dramatiques, je m'installai au bar, cherchant à retrouver mon sourire fragile à l'aide de quelques cocktails. Suzie et Manon, fidèles à ce rendez-vous non officiel du samedi, me firent signe de m'approcher. Suzie me commanda une margarita et me dit :

— Je t'en ai commandé une double. Ça va peut-être t'aider à remplacer le beau Fernando !

Le remplacer ? Devant mon air interrogateur, Suzie ajouta, sur le ton de la confidence :

— Regarde-le, ma belle. Désolée, mais je pense que c'est avec elle qu'il va aller prendre sa pause, tantôt...

Je fis ce qu'elle me suggérait à contrecœur et je vis Fernando et la fille se donner en spectacle sur la piste de danse. La blonde s'en donnait à cœur joie, glissant sa cuisse entre les jambes de Fernando, levant les bras bien haut au-dessus de sa tête pour permettre à mon mec, oui, *mon* mec, de lui caresser le ventre et remonter en effleurant ses seins de façon bien peu subtile. Mon visage devait très bien exprimer ce que je ressentais puisque Manon s'approcha à son tour et me dit :

— Tu t'es laissée embarquer, hein ? T'as cru, toi aussi, que ça serait différent avec toi ? T'en fais pas, on est toutes passées par là. Ces gars-là sont des champions pour nous le faire croire, mais ils veulent tellement pas se sentir brimés dans leurs ardeurs qu'aussitôt que ça devient trop fréquent avec une fille, aussi différente soit-elle, ils la flushent. Juste pour te faire comprendre qu'au fond, c'était pas plus sérieux avec toi qu'avec les autres. Tu vas t'en remettre, t'as juste à regarder alentour, y'a plein de possibilités...

Ses paroles se voulaient solidaires mais c'était évident, au moins en partie, que Manon se réjouissait de me voir subir le même sort qu'elle, que Suzie, et que tant d'autres. Merde. Oui, j'y avais cru. Je me trouvai tellement stupide ! Je n'arrivais pas à croire que j'avais embarqué aussi sottement dans une pareille comédie. Avec moi, avant Danny, c'était toujours les gars qui s'attachaient les premiers, qui voulaient voir évoluer notre relation. Pas que je me pensais irrésistible, mais… même au cours de toutes les *blind dates*, j'avais senti que c'était moi qui détenais le pouvoir de décision. Pourquoi n'en avait-il pas été de même pour lui ? Ça me faisait l'effet d'une gifle monumentale. La deuxième en trop peu de temps.

Suzie interrompit le cours de mes sombres pensées :

— T'sais, t'as le choix. Ou bien tu brailles sur ton sort en trouvant ça vraiment injuste, ou bien tu reconnais que c'est une expérience de plus, que c'était bien l'*fun* mais que ça n'avait aucune chance d'aller plus loin. Au fond, tu le savais, tu voulais juste pas le voir. Moi, j'te conseille fortement la deuxième option. Avec cinq ou six autres margaritas, tu vas voir, ça va aller beaucoup mieux.

Elle avait raison. Je pris une profonde inspiration, puis une très longue gorgée et affichai mon plus beau sourire avant de commander une tournée à mes consœurs. Puis une autre.

Les filles firent de même.

Cette nuit-là, en rentrant chez moi, seule et passablement soûle, je regardai le flacon d'huile à massage et la panoplie de jouets sur mon lit et je me mis à pleurer.

Là, j'étais en peine d'amour. Pour un homme que je connaissais à peine, mais qui m'avait fait plus d'effet que Danny pendant toutes nos années ensemble, et plus que tous les autres avant lui. Même au début de ma relation avec Danny, jamais les étincelles ne m'avaient aveuglée autant qu'avec Fernando. Bon. Je savais pertinemment que c'était idiot, que j'avais fait une erreur absurde en espérant davantage d'un tel mâle. Je m'étais laissé prendre au jeu. Mais j'avais beau me raisonner, j'étais incapable de faire comprendre à mon corps que c'était aussi simple. J'avais constamment des *flashes* de nos ébats acrobatiques qui me mettaient dans tous mes états. Ri-di-cu-le. Et de savoir que je ne sentirais plus jamais ses mains sur mon corps me broyer les côtes, les seins, me palper les fesses alors qu'il s'enfonçait en moi plus loin que je l'aurais cru possible, me mettait déjà en état de manque sérieux. Allais-je tenter de le remplacer par un autre semblable à lui ? Il y en avait des tas, je le savais, je les avais vus à la discothèque. Ce serait facile. Mais la façon dont je m'étais accrochée à Fernando ne me disait rien de bon sur moi-même et ne faisait certainement pas avancer ma quête. Non, ce ne serait pas avec un gars comme lui que j'allais trouver l'équilibre, l'exaltation des sentiments autant que du corps. Bien beau, le sexe, bien bon, aussi... oh que oui ! Mais il me fallait plus.

Surtout, il me fallait un plan. J'avais jusqu'alors laissé faire le destin et tenté de le provoquer de manière bien peu originale et encore moins efficace. Je devais trouver une nouvelle stratégie et je ne voulais surtout pas me laisser abattre. Maryse m'accusait parfois d'être une *control freak* ; ce que je ne pouvais nier. Mais ce n'est pas en restant passives que les bonnes choses viennent à nous. Il faut les provoquer, et c'était bien ce que j'avais l'intention de faire.

C'est Maryse qui eut l'idée du voyage. Cuba, *si*. Depuis l'année précédente, elle avait décidé de travailler à la pige de chez elle. Informaticienne douée, elle réussissait très bien à trouver des contrats pas trop accaparants qui la gardaient active tout en lui laissant plus de temps. Après tout, comme Gilles gagnait très bien sa vie et que ses placements intelligents avaient rapporté, le couple n'avait pas besoin du revenu de Maryse pour vivre très confortablement. Cependant, elle trouvait parfois difficile de rester chez elle et détestait l'hiver. Je ne pouvais pas la blâmer ! Un peu de soleil sur mon cœur amoché, et ce dès janvier, me ferait le plus grand bien. Gilles partait encore une fois pour un congrès et ce fut d'une véritable voix de chef de famille aguerrie que Maryse nous convainquit, Valérie et moi, de prendre cette pause impromptue. Elle n'eut aucun mal à le faire dans mon cas ; j'allais en profiter pour faire le vide de Fernando et tenter d'analyser ce qui m'avait fait perdre la tête de cette manière. Valérie en avait autant besoin que moi puisque Pierre avait mis fin à leur relation pendant que je me vautrais dans la luxure avec Fernando. Maryse et moi n'avions rencontré Pierre que deux ou trois fois en près de deux ans, mais nous l'avions détesté instantanément. Macho, arrogant, il représentait pour moi le narcissique dans toute sa splendeur et j'étais allergique à ce genre d'homme qui croit tout savoir, se pense important et irremplaçable. Si au moins il avait été beau ! Mais non. Il se voyait comme tel, mais je trouvais que sa grosse moustache et son ventre proéminent lui donnaient l'air d'un vendeur de voitures d'occasion. De banlieue, en plus, ce qui est pire ! Je me réjouissais de cette rupture mais, évidemment, je n'en soufflai mot à Valérie. Elle me semblait plus soulagée qu'accablée, nous confiant même que Sabrina, sa fille chérie, était devenue plus souriante et enjouée. J'avais tout de même laissé Maryse la consoler toute seule et me sentais coupable. Je me reprendrais sous les palmiers.

Je sentais que Maryse cachait quelque chose, elle était trop insistante et son explication de redouter un début d'année polaire ne me satisfaisait pas. J'y verrais aussi là-bas.

Je pris conscience que j'avais cruellement négligé mes amies et je savais que le congé des fêtes ne serait pas propice pour y remédier. Maryse était toujours prise, du vingt-quatre décembre au début du mois de janvier, recevant la famille de Gilles et sa propre parenté. Valérie n'avait pratiquement pas de congé et essayait de divertir sa fille avec des sorties de toutes sortes. Elle commençait généralement la nouvelle année aussi crevée qu'elle l'avait achevée. Moi, j'allais courir la parenté, endurer ma famille le mieux possible et finir de lécher mes plaies. Et, surtout, soigneusement éviter tout ce qui pourrait me faire penser à Danny. Nous avions l'habitude d'arpenter le centre-ville pour nous émerveiller des décorations et de l'ambiance festive. Nous regardions tous les films américains de type « classiques de Noël » et passions au moins quelques jours au ski pendant les vacances. Rien de tout ça n'arriverait cette année. Je me demandais si Danny reproduisait ces rituels avec sa nouvelle compagne ; s'il pensait, lui aussi, à tous ces beaux réveillons où nous échangions nos cadeaux à la lueur d'une tonne de bougies, dans notre confortable salon. Je faisais de mon mieux pour ne pas succomber à la nostalgie qui menaçait, et je décorai le condo beaucoup plus sobrement qu'à l'habitude. Le petit sapin que j'avais acheté, un naturel, enfin, ce que Danny n'avait jamais accepté, avait beau répandre sa douce odeur boisée, je n'arrivais pas à me laisser gagner par la magie de Noël. Je refusais de pleurer, préférant m'accrocher à ce projet de voyage qui tombait à point. De petites vacances entre filles nous donneraient sûrement l'occasion de donner et de recevoir toutes les confidences, le soutien et l'amitié dont nous avions besoin. Me souvenant de leur solidarité lors de ma rupture avec Danny, je me promis de rendre la pareille à Val et d'aller au fond des choses avec

Maryse. L'escapade fut donc réservée, avec une joie teintée de tristesse pour moi ainsi qu'un peu d'anxiété de la part de Valérie qui laissait sa fille seule toute une semaine pour la première fois. Me prenant à part, Maryse me confia :

— Je te trouve bien bonne de rebondir aussi vite et de pas te morfondre parce que c'est ton premier Noël seule. En plus, je sais à quel point tu t'étais entichée de ton Fernando. On avait peur pour toi, même si Val avait ses problèmes, on voyait bien que c'était trop fort, l'affaire, mais on voulait te la laisser vivre jusqu'au bout.

— Oui, entichée. *Infatuated*, comme ils disent en anglais, j'adore ce mot même si j'ai pris ce que je vivais pour autre chose. Et Noël va finir par passer, j'imagine, hein ? Elle va comment, Val ?

— Mieux que j'aurais pensé. Sans le savoir, je pense que tu l'encourages à voir le bon côté des choses.

— Quel bon côté ? Je viens de me faire flusher !

— Oui, mais t'as vécu quelque chose d'intense, tu le regrettes pas, quand même ?

— Non, pas un seul instant. Au contraire.

— C'est ça. Je pense qu'elle commence à avoir envie de goûter à ça, elle aussi. Tu vas voir, on va se payer un beau p'tit voyage qui va nous faire du bien ! Pis on sait jamais, tout d'un coup qu'il y aurait de beaux célibataires qui vous attendent sur la plage ? Au pire, tu vas en profiter pour te remettre les pieds sur terre et revenir comme une neuve, Val va pouvoir faire ce qu'elle a à faire, pis moi, j'vais me changer les idées.

— T'as besoin de te changer les idées, ma belle ? T'sais que tu peux me parler, hein ? J'ai été bien prise dans mes affaires, à me regarder le nombril, mais je suis toujours là si t'as besoin de moi.

— Moi ? Ben non, tout va bien, comme toujours ! Mais t'es fine, quand même. Inquiète-toi pas, c'est sûr que je sais que t'es là. Tout va bien dans le meilleur des mondes !

Son sourire triste démentait ses paroles. Je souhaitais l'interroger davantage, mais je savais que c'était inutile. Quand Maryse le voulait, elle devenait une huître.

Revenir comme une neuve, avait-elle dit ? Oui, cette idée me plaisait. Un beau célibataire sur la plage ? Un pour Val et un pour moi ? À voir ! Sinon, peut-être arriverais-je à convaincre Valérie d'essayer de trouver le bon moyen pour faire tourner notre chance. Je profiterais de ce voyage pour effectuer un nouveau départ, changer de peau comme un serpent pour devenir celle que je voulais être, et attirer celui qui me ferait me sentir femme, désirée, importante sans que mon corps s'emballe comme il venait de le faire. Je reprenais enfin, pour vrai, les rênes de ma destinée et je souhaitais la même chose à Val. Je ne savais pas encore comment la suite se dessinerait, mais j'étais certaine qu'à nous trois, nous trouverions bien quelques idées. J'étais consciente que tout ça était risiblement symbolique et serait sans doute bien à sa place dans les pages d'un livre de développement personnel avec tous les clichés liés à un doucereux épanouissement de soi, mais je m'en foutais. Je n'avais pas grand-chose à perdre.

À moi, plaisirs, émois et zénitude !

5

Celle-là, je ne l'avais pas venue venir. Beaucoup trop de pina coladas et de danseurs d'un peu partout, des Allemands, des Russes, des Canadiens et pas mal de Québécois, avec quelques jolis Cubains pour maintenir l'ambiance. Et surtout, un certain Marc, de Laval, tout à fait charmant. J'aurais aimé que Valérie fasse aussi une rencontre intéressante, mais au moins, elle avait l'air de s'amuser et c'était rafraîchissant de la voir ainsi lâcher son fou, pour une fois. Elle avait l'air heureux, ou en bonne voie de le devenir. Youpi ! J'ai mal à la tête, là, je vais continuer plus tard. Plein d'images, mais juste des flashes. *Des mains sur mes fesses, mes seins, des bras qui m'écrasent, des langues qui s'emmêlent, au goût d'ananas. Je me souviens pas des détails. Mal au cœur.*

À plus tard…

Le soleil plombait. En titubant, j'étais allée sur la plage rejoindre mes amies qui m'observaient d'un air moqueur. De l'ombre, il me fallait absolument de l'ombre, mon bronzage devrait attendre. Un affreux mal de tête de lendemain de veille, comme je n'en avais pas eu depuis longtemps, m'étourdissait. Malgré la très désagréable sensation de nausée, de flotter en dehors de mon corps, de *flashs-back* sur mon comportement pas toujours édifiant de la veille, je ne regrettais rien. J'avais fini la nuit seule et dans mon lit, c'était déjà ça. Éméchés comme nous l'étions, Marc-de-Laval et moi, ça aurait pu tourner autrement, mais sans grande élégance. Il nous était resté suffisamment de présence d'esprit pour reconnaître que l'emmener dans la chambre que je partageais avec mes amies n'était pas plus envisageable que pour moi d'aller dans la sienne où dormaient… ses trois enfants.

Nous aurions sans doute pu satisfaire nos envies hormonales sur la plage, mais je ne crois pas que ça aurait été très réussi, étant donné la quantité d'alcool que nous avions ingurgitée. Je ne sus pas trop quand Valérie regagna sa chambre. Je me souvenais vaguement qu'elle vint m'avertir avec un petit sourire malicieux, mais après ça, plus grand-chose de précis. Quoi qu'il en soit, j'avais du plaisir et je me sentais en sécurité sans mon « chaperon ». Même s'il en avait manifesté le désir, mon nouveau compagnon de beuverie n'aurait pas été en état de retirer la robe beaucoup trop courte dans laquelle je m'étais pavanée devant lui toute la soirée à la discothèque.

Entre une discothèque à Montréal ou une autre à Cuba, les « codes » étaient les mêmes. Les règles de la drague étaient universelles. Je n'étais pas venue sous les Tropiques pour la disco, ni pour me trouver une aventure d'un soir ou d'une semaine. Non. Le but, devais-je me le rappeler, c'était d'abord de me distraire puis, de faire le ménage dans ma vie pour la reprendre avec un nouveau regard. Pas fort comme début.

Nous étions arrivées tôt dans l'après-midi, la veille, et nous avions commencé les festivités sans perdre de temps.

Quand on se trouvait au paradis, il n'y avait pas une seconde à perdre. À la plage, nous nous étions sagement enduites de crème solaire à protection élevée, mais étions moins sagement assoiffées de cocktails exotiques. Après tout, il ne faut pas sous-estimer les dangers de la déshydratation par une telle chaleur… Une petite sieste nous permit d'aller manger dans un état raisonnable, avant de choisir de terminer la soirée, bien tranquilles dans la chambre. Nous venions d'arriver, après tout. Mais, une demi-heure plus tard, j'avais des fourmis dans les jambes. Incapable de résister à l'appel de la fête, je demandai à Valérie et Maryse si elles avaient envie de sortir. Après avoir obtenu la bénédiction de Maryse, j'emboîtai le pas à Val jusqu'à la discothèque tandis que Maryse restait dans la chambre, bien installée avec une bouteille de vin sur notre balcon surplombant la mer. Nous étions déjà pompettes et Val semblait avoir autant envie que moi de célébrer la nouvelle vie qui nous attendait. J'étais heureuse de la voir aussi insouciante, joyeuse et décontractée, c'était de bon augure, il fallait en profiter.

Une joyeuse bande de fêtards s'éclataient sur une musique latine endiablée. Je sautai sur la piste de danse, m'amusant à faire valoir mes talents avec un adorable Cubain devant les couples plus ou moins obèses et brûlés qui nous entouraient. Valérie n'avait pas envie de danser, du moins jusqu'à ce que j'insiste pour que mon cavalier l'entraîne à son tour. Je fis celle qui n'en pouvait plus et pris sa place au bar. Je la regardai danser, maladroite, mais souriant comme je ne l'avais pas vue faire depuis une éternité. Elle se laissait enfin aller.

Je commandais nos boissons quand Marc arriva derrière moi. Il demanda un mojito et conversa avec le barman dans un espagnol qui me semblait impeccable. À tel point que je crus que c'était sa langue maternelle. Dommage, il était bel homme. Mais il s'adressa à moi en français, avec un accent tout ce qu'il y avait de plus québécois :

— Wow ! tu danses vraiment bien. Tu as appris au Québec ou ici ?

Il n'en fallut pas davantage pour que nous entamions une conversation très, très intéressante, et que je l'imagine de façon tout à fait avantageuse et attirante dans sa tenue d'Adam. Je n'avais pas perdu cette bonne habitude.

J'appris que Marc enseignait le français au cégep ; il me parla de son boulot, moi du mien, mais aussi de la vie et de bien d'autres choses. Il avait un sourire magnifique, accentué par le léger bronzage de celui qui venait d'arriver et qui avait l'intelligence, contrairement à plusieurs touristes à la teinte de homard, de se protéger. Je l'aurais écouté parler météo ou cotes en bourse pendant des heures et ça m'aurait semblé tout aussi passionnant. Alors que je dansais avec lui, sa souplesse me surprit agréablement. Puis, après de nombreux cocktails, rires et attouchements de moins en moins subtils, nos lèvres se trouvèrent alors que nous ondulions sur la piste de danse. Je ne voulais pas laisser Valérie de côté, mais elle s'amusait ferme, dansant avec plusieurs hommes, riant aux éclats.

Je ne me souviens plus très bien de la suite, sauf du moment où Valérie est partie. Nos caresses se sont alors multipliées, plus ou moins efficacement à l'extérieur de la discothèque. Après un moment, il devint clair qu'il fallait nous en tenir à ça pour cette première soirée. Je quittai Marc après un dernier baiser et j'eus un peu de mal à m'orienter dans le complexe et à retrouver ma chambre. Mais j'y arrivai et je réussis même, je crois, à ne pas réveiller mes amies. Probablement parce que je m'écroulai dans mon lit tout habillée. Enfin.

Le lendemain de ma presque débauche cubaine, donc, j'émergeai à la plage vers midi, au plus chaud de la journée. Il n'était absolument pas question de bronzette avant quelques heures. J'aurais bien voulu savourer les rayons du soleil sur ma peau, mais le simple fait de trouver une chaise longue avait rendu la chaleur insupportable ; puis, alors que je venais de m'allonger, la lumière intense du soleil ranima ma nausée et mon mal de tête augmenta de façon intolérable. Il me fallait de l'ombre et de l'eau pétillante. La brise était merveilleusement apaisante. J'avais hâte d'écrire davantage dans mon journal de bord. J'y parvins après une petite sieste qui s'apparenta davantage à un état semi-comateux.

Ça me revient par bribes. Je me souviens maintenant de la façon dont Marc me regardait hier soir comme si j'y étais encore. Il me dévore de ses beaux yeux verts. Son sourire, ses belles dents... Miam ! Dangereusement tentant. Sa main sur ma taille lorsque nous dansons me brûle. J'ai trop bu, je le sais bien, mais je me sens d'une légèreté délicieuse, probablement en partie parce que j'ai laissé mon lourd manteau et mes bottes à l'aéroport il y a quelques heures à peine, mais surtout à cause du désir que je lis dans son regard. Ce même désir qui m'a fait me casser la gueule avec Fernando. Carrément trop frais, comme sensation. Been there, done that. *Je n'ai pas envie de tomber dans une spirale folle, une succession d'amants* sexy, *qui, au final, ne m'apporteront qu'un apaisement passager. J'ai appris ma leçon, j'espère. Mais peut-être que Marc est celui qui me donnera envie de faire confiance à la vie? En bout de ligne, je ne suis pas faite en bois... et il me reste encore six nuits! Il me tarde de le revoir, juste pour savoir comment nous nous comporterons. Serons-nous mal à l'aise? Gênés? Là, j'ai quand même vaguement honte de m'être tant soûlée. Comme pendant les partys d'université. Mal au cœur.*

Pour Marc, va falloir qu'il se passe quelque chose, j'en ai juste trop envie.

On verra bien...

Ouf! C'était épuisant d'écrire dans mon état. J'avais le vertige, autant de par ma gueule de bois que par ces pensées qui m'excitaient, malgré toutes mes bonnes intentions. Dans ma tête embuée des excès de la veille, j'imaginais ce qui aurait pu se produire avec Marc si nous n'avions pas été dans un état d'ébriété aussi avancé. À cela s'ajoutaient quelques souvenirs particulièrement savoureux d'avec Fernando. J'en avais des chaleurs et une espèce de bouffée de nostalgie. Une grosse boule se forma dans ma gorge tandis que des larmes salées m'emplissaient les yeux. Quoi? Qui pleurait en ayant des pensées aussi lubriques? Moi, évidemment. Je me tapais royalement sur les nerfs.

Je cherchais à me distraire quand la conversation entre deux couples de Québécois m'assaillit. Une femme rousse aux épaules brûlées se plaignait avec une petite voix nasillarde exaspérante:

— J'ai faim, mais j'veux rien savoir du maudit buffet, c'est pas mangeable!

Un gros homme à lunettes lui répondit, d'une voix tout aussi geignarde:

— C'est vrai, c'est pas fort! Pis essaye pas d'avoir une

bière, ça leur prend une demi-heure avant de l'apporter. Sont pas vites, hein ? Me semble que c'est pas long pogner une cervêssâ pis l'emmener...

Sa compagne, une femme blondasse renchérit :

— Sont pas vites nulle part, ça m'a pris vingt minutes pour avoir du change à la réception pis la fille parlait même pas français... T'aurais dû voir ça, Ginette, y'étaient trois en arrière du comptoir à niaiser pendant que moi j'attendais comme une épaisse !

— Je l'sais, y comprennent rien ! ajouta la femme rousse, Ginette apparemment. Hier soir, au bar, j'ai essayé de me commander un gin *Seven-up* pis j'ai eu de la limonade ! Faut-tu être innocent ! Au moins, à la disco hier soir, c'était mieux. On y retourne ce soir, hein ?

Ils éclatèrent d'un gros rire gras que je trouvai, moi, pas mal innocent. Je me souvins de les avoir vus la veille, se trémoussant sur une salsa comme autant de dindons maladroits. Je soupirai bruyamment, me maudissant de ne pas avoir pensé à apporter mon lecteur MP3 et espérant qu'ils ne me reconnaissent pas ou aient la mauvaise idée d'entamer la conversation. Ils parlaient beaucoup trop fort, continuant à se plaindre de tout et de rien pendant de longues minutes. Le service, la nourriture, le spectacle, les serviettes, tout y passait. Je n'en pouvais plus. Un regard en direction de Maryse et de Valérie me confirma qu'il en était de même pour elles.

Prenant mon courage à deux mains, je les imitai lorsqu'elles déplacèrent leur chaise un peu plus loin, trouvant un petit coin d'ombre pas trop peuplé. Un autre éclat de rire fusa et mes deux amies se redressèrent sur leurs chaises en bougonnant. Maryse, cette fois, ne put se retenir et leva les yeux au ciel :

— Non, mais y'en a-tu qui savent pas vivre ! ! ! J'ai quasiment honte d'être Québécoise !

— Arrête, j'ai dansé avec eux hier soir, c'était drôle !

Valérie prenait la défense de parfaits inconnus ? Wow ! C'était une première. Elle avait raison, c'était drôle, et je me réjouissais qu'elle se soit amusée, mais j'étais trop épuisée pour lui demander si elle avait aimé sa soirée. Je lui adressai un sourire de connivence et je replongeai dans ma bulle. C'était parfait : nous n'entendions plus nos compatriotes, ni la musique, ni les animateurs de plage qui essayaient de nous convaincre de jouer pour gagner une bouteille de rhum et autres prix de présence. La seule pensée du rhum me donnait la nausée, mais je réussis à la combattre et, au fil de l'après-midi, je me sentis mieux.

Quand je repris quelques forces, je suggérai une marche sur la plage. Les filles acceptèrent, trop curieuses de savoir comment ma soirée s'était terminée, évidemment. Maryse répétait sans cesse :

— J'te l'avais dit, Julie, qu'il y aurait des beaux célibataires ici ! Hein ? J'te l'avais donc dit !

— Ben oui, tu me l'avais dit. Mais on se calme, je sais pas grand-chose de lui, je sais même pas si ça va encore cliquer, quand on va se revoir, maintenant qu'on est à jeun…

Juste au moment où je terminais cette phrase, Marc apparut devant nous. Il me sourit, de l'air mignon d'un petit garçon qui se fait prendre la main dans le sac. Je lui présentai Maryse et Valérie qu'il n'avait qu'entrevues la veille. Cette dernière prit le bras de Maryse et dit :

— On se rejoint tantôt, Julie ! On va aller faire les réservations pour le souper.

Je me retournai vers Marc. J'imaginais que j'avais le

même genre de sourire que lui, celui d'une enfant prise en faute. Il brisa la glace :

— Ouf ! C'était dur ce matin. Pas fort, mon affaire. J'avoue que j'étais pas mal parti, hier soir. Je m'excuse si j'ai dit ou fait des conneries, c'est un peu flou…

— Écoute, si c'est le cas, je m'en souviens plus. C'est assez flou pour moi aussi ! Ça fait longtemps que je me suis pas ramassée dans un tel état, je suis pas tellement fière de moi !

— Je sais ce que tu veux dire ! En tout cas, si y'a une chose que je regrette pas, c'est d'avoir passé la soirée avec toi. Est-ce que t'aurais envie qu'on passe un peu de temps ensemble, sobres ou moins soûls, cette fois ?

Je lui souris de toutes mes dents en guise de réponse. Puis, nos pas nous menèrent à l'hôtel alors que nous discutions et convenions de souper ensemble. Curieusement, j'étais maintenant tout à fait rétablie. C'est fou comment un bel homme aux yeux verts peut être plus efficace pour guérir d'une gueule de bois que le bon vieux Tylenol !

Alors que nous approchions de l'hôtel, je vis trois jeunes se diriger vers nous. Les enfants de Marc sans doute. Je me raidis. Je n'avais jamais été très à l'aise avec les enfants, sauf avec ceux de Maryse que je côtoie depuis qu'ils sont tout petits. Même mon neveu représentait une énigme totale que je n'avais aucune envie de percer. Marc, lui, n'avait pas du tout l'air embêté.

— Viens, Julie, je te présente mes enfants ! Voici Naomie, Gabrielle et Victor.

— Euh… salut !

Je ne savais pas quoi dire d'autre. Les enfants me regardaient avec curiosité. L'aînée, une adolescente d'une quinzaine d'années, me fit un salut blasé de la main tandis que

Victor, timide, regardait son père avec un drôle d'air. Gabrielle, la plus jeune, me lança un regard presque mauvais. Marc leur dit :

— Je viens vous rejoindre dans dix minutes, on ira à la piscine, si vous voulez !

Puis, il se tourna vers moi :

— Je les ai amenés ici pour essayer de leur changer les idées. On vient de se séparer, ma femme et moi, mais ça fait des années qu'on savait que ça arriverait. Pour les enfants, ça a été plus dur que pour nous. T'sais, quand y'a plus d'amour…

— Oh oui, je sais ! Seize ans avec le même homme…

— Dix-neuf pour nous. Je pense qu'ils s'amusent, ici, et que ça leur fait au moins penser à autre chose. C'est pour Gabrielle que c'est le plus difficile. Victor, lui, en vrai gars, il montre rien… J'essaie de le faire parler, mais j'y arrive pas. Et à douze ans, il est comme entre deux, plus un petit, mais pas un grand encore. Et Naomie m'en veut. Elle est certaine que tout est de ma faute.

— Mais t'es sûr que c'est OK pour souper ? Les enfants viendraient avec nous ? Ça me dérange pas, tu sais…

En fait oui. Ça m'aurait beaucoup dérangée, mais je voulais avoir l'air aimable. À mon grand soulagement, il me répondit :

— Non, ils viendront pas mais c'est très gentil de le proposer. À quinze ans, Naomie peut rester avec Gab et Vic, comme ça, j'ai du temps à moi, et je lui en laisse aussi. On s'arrange bien.

— Gabrielle a quoi, dix ans ?

— Presque onze. Mais des fois, j'te jure, j'ai l'impression qu'elle en a quatorze, ou même seize. Elle a du mal à accepter la nouvelle réalité. Avec le temps, j'imagine…

— Oui. C'est fou combien ça sonne cliché de dire que le temps arrange tout, mais c'est bien vrai ! En tout cas, je te le souhaite, et à elle aussi.

Marc avait réservé une table au restaurant italien et je convins de l'y rejoindre à huit heures. Les enfants préféraient le buffet.

Les filles m'accueillirent avec des centaines de questions. Elles brûlaient de connaître la suite. Je leur racontai ma conversation avec Marc, la rencontre avec ses enfants, notre rendez-vous pour souper. Maryse avait une drôle de mine que je n'arrivais pas à lire.

— Qu'est-ce qu'il y a, Maryse ? Allez, crache ! Y'a quelque chose qui t'achale, c'est évident.

— Ben… c'est juste que… t'as dit qu'il venait de se séparer ? C'est combien de temps, ça ? Quelques mois ? Quelques semaines ?

— Un mois.

— Ouch ! Et trois enfants. Si je peux te donner juste un p'tit conseil, Julie, c'est vas-y mollo, prends ton temps, OK ? Les pères nouvellement séparés, c'est pas toujours super stable. Surtout après autant d'années… Ouf ! Et il a quoi, une garde partagée ?

— Je sais pas, ils ont pas réglé toutes ces choses-là, encore.

— Ouain. Tu t'embarques dans quelque chose, toi, là !

— Hein ? D'abord, je m'embarque dans rien, j'apprends juste à le connaître. Puis ses enfants sont plus des bébés, et il m'a dit que ça se passait bien avec son ex. S'il a autant d'allure que je le pense, je vais quand même pas attendre qu'une autre lui mette le grappin dessus ! *Anyway*, on en est pas là. On va commencer par souper ensemble, après on verra, qu'est-ce que t'en penses, Maman ?

— Moque-toi tant que tu veux, mais je peux te dire une chose, des enfants dont les parents viennent de se séparer, c'est pas évident.

— Ben là ! On est pas dans un film de Disney où je deviens la méchante belle-mère que les monstrueux enfants vont tout faire pour écœurer, quand même !

— Peut-être pas, mais… t'sais, ça arrive que des couples reviennent ensemble après avoir vécu une séparation. Oublie pas ça. Y'a tout un bagage, et plein de choses pas réglées, ça peut aller dans tous les sens. Pis me semble que c'est un peu vite pour qu'il ait envie de fréquenter quelqu'un, non ? Crois-moi, tu veux pas être son *rebound*, celle qui lui permet d'oublier l'autre mais qu'il flushe après, quand il en a plus besoin parce qu'il se rend compte que t'es pas vraiment son genre !

Valérie l'interrompit :

— Seigneur, Maryse, pourrais-tu être juste un peu plus décourageante ?

— Je suis pas décourageante, je suis réaliste ! J'aime ben ça, des nouvelles histoires d'amour potentielles, mais je veux juste qu'elle soit prudente, c'est tout. Je veux pas qu'elle tombe sur un autre Fernando…

— On parle pas de Fernando, là, on parle d'un Marc-de-Laval ! Peut-être qu'il a été malheureux pendant longtemps et qu'il est prêt pour une relation normale et agréable avec une autre femme, ça se peut ça aussi !

Valérie m'étonnait. En général, elle voyait le mauvais côté des choses ou les embûches possibles. Or, cette fois, c'était tout le contraire. Encourageant ! Je les fis cependant taire toutes les deux d'un ton faussement sévère :

— On se calme ! ! ! *Hey*, les filles, merci, vraiment. Maryse, t'es fine de me faire voir ce que je peux pas deviner et qui est très plausible, et Val, t'es un amour de voir le meilleur côté des choses. C'est cool, et ça fait du bien de te voir de même ! Mais pour l'instant, on parle juste d'un souper. Après, on verra.

— Après, on verra, dit Maryse, pensive. Ça doit vouloir dire que tu y vas vraiment une étape à la fois, alors OK. Je te donne ma permission.

— Merci, mère. Et toi, Val, je pense que j'ai déjà la tienne ?

— Cent pour cent, chère. Paie-toi la traite, chanceuse. Pis si tu changes d'idée, tu me le dis parce que moi, le beau Marc, j'y ferais pas mal !

J'éclatai de rire à ce commentaire si atypique de Valérie, et Maryse en fit autant. Notre petite Val allait-elle enfin se transformer en femme accomplie, chasseresse déterminée plutôt que de se contenter de son rôle habituellement beaucoup trop passif devant des hommes sans éclat ? Il était temps ! Par contre, elle devrait se trouver une autre proie parce que Marc, j'allais m'en occuper moi-même.

Le repas fut délicieux, la compagnie plus délicieuse encore. Marc était drôle, enjoué, intelligent, pouvait discuter d'un nombre incroyable de sujets, et je découvris que nous partagions une foule d'intérêts communs. Ce fut une soirée magique qui s'étira. Alors que nous marchions sur la plage, il m'embrassa. Il embrassait comme un dieu, ses doigts s'emmêlant dans mes cheveux avec une douceur et une lenteur tout à fait opposées à la fougue et à la passion de Fernando. Mais c'était absolument merveilleux. Il montrait une application, une curiosité délectables, comme s'il voulait s'imprégner de moi, lentement mais très, très sûrement. Je me blottis encore plus près, tout contre lui, et ses mains me caressèrent le dos, massant doucement mes épaules et mes côtes, pour enfin effleurer mes seins ce qui provoqua un long et doux frisson tout le long de ma colonne vertébrale.

Ses baisers gagnaient en profondeur, ses bras me serraient plus étroitement, ses mains palpaient mes fesses et tentaient une approche prudente entre mes cuisses. J'avais envie de le déshabiller là, sur la plage, et d'en faire autant pour sentir sa bouche partout sur mon corps. Le vent du large et l'humidité des embruns ajoutaient à l'incroyable sensation de bien-être qui me submergeait. Je me serais étendue sur le sable tiède et je me serais ouverte à lui, entièrement. Mais quelque chose, la voix de Maryse qui s'immisçait dans ma conscience, peut-être, m'empêchait de m'abandonner de la sorte. Je le repoussai doucement.

— Je suis désolée, Marc, c'est pas que je trouve ça désagréable, bien au contraire, mais...

— Je sais, ouf ! T'as raison. Je vais quand même pas te déshabiller ici, sur la plage !

Tiens, il avait pensé à la même chose que moi. Pas étonnant.

— J'aurais vraiment envie de continuer, mais c'est pas simple !

— Non, je sais. On est comme des ados qui doivent se cacher au parc !

L'électricité entre nous était presque palpable.

— Qu'est-ce qu'on fait, alors ?

— Je dois aller voir les enfants. Ça fait deux soirs que Naomie s'occupe des autres, faut que je sois *fair*. Par contre, demain en fin de journée, il y a un concours de sculpture sur sable pour les jeunes, ça devrait bien durer une heure ou deux…

— Tu y vas pas ?

— Pas si j'ai l'occasion de faire quelque chose de beaucoup plus agréable…

Il m'embrassa encore et son baiser fut nettement plus adroit et sensuel que ceux de la veille. Plus intense, aussi, mais ça, c'était une autre histoire.

La pensée que j'allais me retrouver au lit avec lui dans seulement quelques heures me réjouissait. Je voulais demeurer prudente, ne pas m'emballer comme je l'avais promis à Maryse, mais c'était difficile.

Quelques heures. Au lit. Ou ailleurs. J'en avais des bouffées de chaleur qui n'avaient rien à voir avec le climat tropical. Mais sous les Tropiques, justement, les orages arrivent parfois bien soudainement…

6

Plus que trois heures à attendre avant de régler la question primordiale de la compatibilité sexuelle. Si c'est un amant médiocre, autant le savoir dès que possible. Il ne serait pas très brillant de passer le maximum de temps ensemble à apprendre à se connaître et à s'apprécier pour se rendre compte qu'au lit, ça ne marche pas. C'est mon excuse, celle que j'ai servie à Maryse hier soir pour la convaincre, autant que moi-même, du bien-fondé et de l'urgence de franchir cette étape.

Je vais être la première femme avec qui il fait l'amour depuis qu'il est séparé. Ça va être moi, l'Autre, la bitch, du moins pour son ex, et je dois dire que ça me fait du bien. J'en suis pas fière, mais j'y peux rien. Moi aussi je peux faire en sorte qu'une autre femme se demande « qu'est-ce qu'elle a de plus que moi ? » même si je sais que la réponse est toute simple : « Rien du tout. » C'est juste une autre, c'est tout. Marc m'a avoué qu'il est nerveux ; il a peur d'être tellement excité qu'il ne pourra tenir assez longtemps pour se montrer à la hauteur. J'ai tenté de le rassurer en lui disant que le temps qu'il tenait m'importait peu, que ce qui comptait pour moi était la complicité et la façon dont je me sentais avec lui. Jusqu'à présent, je suis tellement bien que je n'ai aucune inquiétude, ou presque. Parce que ce serait quand même dommage qu'il arrive pas à bander ! Mais je le comprends. Je me souviens combien j'appréhendais, autant que j'anticipais, les caresses d'un autre homme, un toucher différent, un corps qui ne m'était pas familier, dont je ne connaissais ni les faiblesses ni les façons de l'exciter. C'est effectivement comme un rite de passage, la première étape vers la guérison, selon moi. J'ai eu Fernando, il aurait Julie. Fernando a été phénoménal. Je ferai tout pour l'être aussi ! Sauf que moi, je ne le laisserais pas pour un autre homme si cette relation se poursuivait... Oh que non !

Je passai la journée avec Val et Maryse, à marcher, placoter et bronzer. J'étais fébrile et j'attendais que les heures passent. Vers trois heures, je faussai compagnie à mes amies pour aller prendre ma douche et me préparer pour mon rendez-vous dans la chambre de Marc, à quatre heures.

Après trois jours au soleil, ma peau avait pris une teinte parfaite, couleur de miel. Je me sentais belle, prête à relever l'admirable défi d'être celle qui serait la première femme de la nouvelle vie de Marc. La dernière, peut-être. Je savais bien que ce genre de remarque était beaucoup trop prématurée, mais je ne n'y pouvais rien. « T'es juste une romantique, au fond, Julie, admets-le donc ! » me répétait souvent Valérie. Elle n'avait pas tort. Cela dit, ses enfants constituaient une ombre à ce tableau presque parfait. Pourrais-je m'intégrer dans leur vie ? Aurais-je ma place parmi eux ? Trop, trop prématuré ça aussi. Mais le fait que j'en avais des frissons me laissait perplexe. « Premières choses en premier », me dis-je en souriant de la traduction boiteuse de l'une de mes expressions anglaises préférées, *first things first*. Je choisis une petite robe soleil toute simple et surtout facile à retirer. J'imaginais déjà le corps de Marc contre le mien, sa bouche chaude dans mon cou, sur mon ventre, entre mes cuisses, et j'étais déjà excitée.

Je frappai un coup discret à la porte de sa chambre et il vint m'ouvrir. Il s'excusa de l'état de la suite en essayant de ramasser le nombre incroyable de vêtements qui jonchaient le sol et les meubles. Il y en avait partout. Sur la télé, sur les commodes, des amoncellements pêle-mêle de serviettes mouillées, de maillots de bain, de sous-vêtements. Il me semblait que ça aurait pu suffire à fournir un Walmart. Mais en plus des vêtements il y avait de tout, des peluches aux jeux de société, des magazines, des lecteurs de musique et autres gadgets électroniques. Visiblement, les enfants de Marc n'avaient pas l'ordre dans le sang et lui non plus. Hum…

Marc s'approcha et m'enlaça. Enfin ! C'était doux mais exaltant à la fois. Nos lèvres se soudèrent et il m'attira vers son lit, le seul miraculeusement libre de tout encombrement. Le trajet se fit tant bien que mal : en contournant les obstacles, en glissant sur un magazine ouvert, en renversant un verre au passage. L'urgence se manifestait et ma petite robe alla rapidement rejoindre les autres vêtements au sol. Marc m'embrassa, et tel que j'en rêvais, glissa sa bouche sur mon corps avec une lenteur qui me rendait folle de désir. Sa langue chaude laissait une trace sur ma peau bronzée, comme si elle me brûlait et me soulageait à la fois. Je frissonnais sous son toucher et quand sa main s'engouffra entre mes jambes et que ses doigts entreprirent de me caresser là, tout en bas, une incroyable anticipation s'empara de mon corps entier. Mais... la façon dont il me touchait ne ressemblait en rien à ce que Fernando m'avait fait subir; c'était moins vorace et certainement moins assuré. Ses caresses étaient sèches, presque douloureuses tant elles manquaient de subtilité. Décevant. Il avait sans doute trop hâte d'en arriver aux choses sérieuses? J'aurais aimé ruisseler, sentir ma chair palpiter et mon ventre s'ouvrir mais c'est le contraire qui se produisit. Je n'y comprenais rien. Il écarta mes lèvres, observa mon corps un moment et me dit:

— Tu es tellement belle, Julie. J'ai envie de toi!

Après quoi sa bouche ne prononça pas d'autres paroles puisque ses lèvres étaient occupées à lécher, laper, sucer mon sexe. Mais il en faisait trop, comme s'il essayait de m'impressionner en faisant tout à la fois. Sa main tenta de compléter le travail mais trop sèchement, son doigt s'enfonçant en moi ne me procurant pas le moindre plaisir. À peine quelques instants plus tard, Marc s'étendit sur moi, son membre semi-croquant tentant de se frayer un chemin entre mes cuisses. C'était trop tôt, je n'étais vraiment pas prête, et lui non plus. Je le sentais maladroit, intimidé sans doute par la situation et par mon corps inconnu qui ne réagissait pas à ses caresses.

Je tentai de le détendre en lui offrant ce que je savais bien faire. Je l'embrassai comme il l'avait fait, mes lèvres et ma langue parcourant lentement son corps, tout à la joie de la découverte. Il avait bronzé, lui aussi, comme en témoignaient les marques de son maillot sur son ventre et le haut de ses cuisses. Doucement, je léchai son ventre, m'approchant de plus en plus de l'objet de ma convoitise. Celui-ci n'avait pas atteint son apogée, mais tressautait d'impatience. J'y posai la langue, tout au bout, comme une petite chatte lapant timidement son lait et fus récompensée d'un soubresaut. Ma langue glissa ensuite tout autour du gland, que j'emprisonnai un moment dans ma bouche en demeurant immobile. Marc haletait. D'un mouvement de la langue et des lèvres, je caressai la chair douce lentement, me réjouissant de la voir raffermir à mon toucher. Puis, plus fermement, je l'engouffrai plus loin, exerçant juste ce qu'il fallait de succion pour le voir atteindre une taille plus que respectable. Ma main se joignit à ma bouche et, ensemble, elles s'amusèrent à voir jusqu'où il serait possible d'aller, à quelle cadence il était le plus sensible, à deviner quels touchers excitaient le plus cet homme qui me plaisait déjà tant.

Marc gémit et je m'enhardis. Il ne lui fallait qu'un peu de temps, c'était tout. Il me caressa les cheveux et m'encouragea mieux que des mots n'auraient pu le faire. En me caressant, je pus me procurer les frissons d'excitation que Marc n'avait pas su provoquer ; il était bien ferme et je m'apprêtais à me glisser sur lui quand des pas précipités dans l'escalier qui menait à la chambre se firent entendre. On entendit ensuite de jeunes voix, des chamailleries : « Je vais y aller, je sais il est où ! » « J'te dis que c'est papa qui l'a, il doit être dans chambre. » Puis des coups à la porte. « Papa, t'es là ? » « Nao, donne-moi la clé ! » Marc paniqua.

Il se releva d'un seul coup, criant « un instant, Gaby, j'arrive ! » me poussant presque hors du lit. Il cherchait frénétiquement ma robe en enfilant son maillot mais, évidemment, dans ce fouillis et la pénombre, il n'y arriva pas. La porte s'ouvrit sur Gabrielle, la plus jeune, me laissant tout juste le temps de me recouvrir du drap. Elle s'arrêta net sur le seuil, comme pétrifiée. Victor entra à son tour et se transforma aussi en statue. Naomie, d'une voix impatiente, cria presque: « Voyons, c'est quoi le problème ? Allez-y donc, qu'on retourne à la plage ! » Elle entra à son tour, regarda son père qui se passait les mains dans les cheveux à se les arracher, puis elle me vit. Après une fraction de seconde où il me sembla que la Terre avait arrêté de tourner, elle dit à son père sur un ton méprisant:

— Wow ! Bravo ! Tu pourrais pas laisser le temps à maman d'arrêter de pleurer pis peut-être te trouver un appart à Laval avant de commencer à coucher avec n'importe qui ? T'es dégueulasse, p'pa.

— Naomie, tu comprends pas. On va s'expliquer tout à l'heure, OK ?

— Y'a rien à expliquer, j'suis pas conne ! C'est assez clair, en fait.

Puis, s'adressant à son frère et sa sœur, elle ajouta: « Venez, on dérange, j'pense. On reviendra plus tard. »

Ouch ! Marc s'affala sur le lit, la tête entre les mains, en répétant:

— Je suis tellement con ! Merde, je suis vraiment con !

Je ne savais pas quoi dire ni où me mettre. J'avais été trop étonnée pour réagir et Marc semblait être dans le même état. Je retrouvai ma robe et m'habillai en silence. Je m'assis près de lui pour essayer de le calmer, mais ma main sur son épaule sembla le brûler et il eut, peut-être sans s'en rendre compte, un geste de recul. La meilleure chose à faire était sûrement de disparaître et de le laisser s'expliquer avec ses enfants. Je l'embrassai sur l'épaule et lui dis:

— Tu sais où me trouver, si t'en as envie…

— Je suis désolée, Julie, pour tout.

— C'est pas ta faute. À plus tard…

Je sortis. Les enfants étaient toujours là; Gabrielle

pleurait dans les bras de Naomie et Victor se tenait à l'écart, le regard perdu vers la mer. Ils se tournèrent vers moi et me jetèrent des yeux mauvais qui me glacèrent le sang. Il y avait plus de méchanceté dans ces regards que dans celui du pire des monstres d'un film d'horreur.

Maryse fut la première à réagir :

— J'te l'avais dit, hein, qu'il y avait pas mal de bagages pis d'affaires pas réglées, hein ? Je te l'avais dit !

— Oui ! T'as aussi été la première à m'encourager et à te féliciter de m'avoir dit qu'il y aurait peut-être quelqu'un d'intéressant ici ! La prochaine fois que tu me dis « j'te l'avais dit », je t'étripe !

— *Hey*, c'est quand même pas de ma faute ! J'ai essayé de te prévenir. C'est un peu vite.

— Un peu vite, tu dis ? La p'tite a bien dit « attendre de trouver un appart à Laval », ça veut dire qu'il a même pas encore déménagé ! ! !

Valérie était outrée.

— Mais il est ben épais ! Franchement. Il est même pas officiellement séparé, il est ici avec ses trois enfants, pis il pense déjà à trouver quelqu'un ? Sa fille a raison, il est dégueulasse.

— Ah bon ? C'est pas toi qui l'excusais en disant qu'il était peut-être malheureux depuis longtemps et prêt pour une relation « normale et agréable » ? De toute façon, c'est con de se chicaner, on pouvait pas savoir, personne. Sauf lui.

— Oui, t'as raison, approuva Maryse. Mais avoue que d'aller dans sa chambre, c'était pas l'idée du siècle…

— Ben là, j'étais quand même pas pour vous demander de sortir pour pouvoir baiser tranquille !

— T'aurais pu venir pendant qu'on allait souper ou quelque chose de même, on aurait pu s'arranger.

— J'ai pas osé vous le demander. En tout cas. Je sais pas trop ce qui va se passer, mais j'ai comme l'impression que ce sera plus nécessaire.

— Tu penses ? C'était correct, au moins ? Vous allez vous revoir ? demanda Valérie, curieuse.

— Correct ? Ce que j'ai vu, oui, très correct. On allait passer aux choses vraiment sérieuses quand les enfants sont arrivés. J'ai comme un feeling que c'est mort dans l'œuf c't'affaire-là.

Maryse me prit dans ses bras et me dit, avec son petit sourire de maman-poule :

— Peut-être pas, ma chouette. Il a peut-être juste besoin de temps. C'est sûr que pour ce qui est de ton statut de belle-mère, ça commence un peu raide, par exemple…

Belle-mère. Ouf ! J'avais justement eu la même pensée avant de me rendre dans sa chambre. Est-ce que ce gars me plaisait assez pour que j'aie envie de devenir une belle-mère ? Moi ? J'avais volontairement occulté cet aspect de notre relation potentielle, probablement parce que je ne savais pas comment l'aborder. Je ne m'étais jamais sentie l'étoffe d'une mère, encore moins de celle qui essaie de s'improviser comme telle chez des enfants déjà élevés, ou presque ! J'essayais d'imaginer faire des activités avec eux, et je n'y arrivais simplement pas. Et vivre dans un bordel comme celui que j'avais aperçu dans leur suite ? Au secours ! Avec le temps, si j'étais réellement amoureuse, peut-être…, mais Maryse avait raison, ma relation avec eux, dans l'éventualité où leur père et moi décidions de nous fréquenter sur une base régulière, serait certainement pour le moins inconfortable et difficile à établir. Je me demandais bien ce que Marc pensait de tout ça.

Je savais qu'il partait de Cuba deux jours avant moi, ce qui ne laissait que le lendemain et le surlendemain pour tenter de rétablir les choses entre nous. Était-ce suffisant ? Sans doute pas. Mais je me consolai en me disant qu'au moins il habitait près de chez moi, et que nous pourrions reprendre contact plus tard. Pour le moment, je n'avais que le choix de lui laisser de l'espace et attendre qu'il me fasse signe. Je n'allais tout de même pas me morfondre pour une situation sur laquelle je n'avais pas le moindre contrôle.

Nous sommes allées au buffet, ce soir-là. Les filles étaient gaies, pépiaient pour me divertir, parlaient d'aller faire un tour de catamaran le lendemain. J'essayais de sourire mais le cœur n'y était pas. Je vis Marc arriver avec sa tribu et j'aurais voulu me cacher sous ma chaise, mais il était trop tard. Il m'avait vue. Il me fit un faible sourire, salua les filles et entraîna les enfants à l'autre bout de la salle. Naomie, en passant près de nous, me fusilla du regard ; Victor m'ignora tandis que Gabrielle, les yeux rougis, s'accrochait à son père. Ouf ! Le peu d'espoir qu'il me restait que cette histoire connaisse un dénouement positif s'envola. Je poursuivis la soirée avec les filles au bar de la plage, d'abord, puis bien sagement dans la chambre.

Le lendemain matin, en arrivant à la plage, je vis tout de suite Marc se diriger vers moi. Il m'invita à prendre un café. C'était une bonne idée. Le silence entre nous était lourd et le malaise de Marc, palpable. J'essayai d'entamer la conversation :

— J'imagine que ce serait idiot de te demander comment ça s'est passé avec les enfants…

— Ouais. Un des pires moments de ma vie.

Assis à la terrasse devant deux *latte*, Marc évitait mon regard et je trouvai cette attitude plus éloquente que n'importe quelle phrase. Je lui dis :

— Écoute, je pense que le *timing* est vraiment pas bon, hein ?

— Non, vraiment pas. En fait… En fait, après avoir parlé aux enfants, j'ai téléphoné à mon ex, hier soir. Et…

— Et ?

— Bien on a décidé d'aller en thérapie pour voir si ça pourrait donner quelque chose, nous aider à nous retrouver.

— …

— Je suis vraiment désolé, Julie. Je pense que j'étais pas mal mélangé en venant ici, et je pensais pas rencontrer quelqu'un, c'était pas le but. J'étais pas prêt, j'ai pas réfléchi, en tout cas…

— Mouais. Comme tu dis, « en tout cas ». *In all cases.*

— Hein ?

— Laisse faire, c'est une *inside.*

Je me levai.

— Les enfants vont être contents, c'est important. Je te souhaite que ça marche, Marc. Bonne chance.

— Merci, Julie. Bonne chance à toi aussi.

De petits baisers sur les joues, puis plus rien. J'étais triste, déçue, frustrée, mais, au fond, c'était sans doute pour le mieux. Je soupirai, redressai les épaules et partis rejoindre mes amies. Après tout, j'étais venue ici dans un but précis et je m'étais laissé distraire. J'en étais à la moitié de ma semaine de « réinvention de moi-même », il était temps de m'y mettre.

Je me promis donc de passer le reste des vacances avec mes amies, écoulant mes journées à réfléchir, à me distraire, à écrire dans mon journal et à faire des plans pour l'avenir. Le soir, nous allions à la plage, sur une terrasse, et terminions sur notre balcon en contribuant à faire diminuer le stock de *vino tinto* du complexe hôtelier. Je revis Marc, de loin. Ses enfants aussi, qui ne se gênèrent pas pour me lancer des regards appuyés mais dans lesquels le triomphe avait remplacé la méchanceté. Je me réjouissais pour eux et souhaitais réellement que Marc et sa femme puissent recoller les morceaux.

Je me sentais enfin solide, déterminée. Mes amies étaient fières de la façon dont j'avais réagi à cette aventure. Maryse et Valérie avaient jugé Marc assez durement, sans doute avec raison, mais je ne pouvais m'empêcher de me demander si tout ce que Maryse avait pressenti venait de son expérience. Avait-elle un jour envisagé la séparation ? L'assurance avec laquelle elle avait évoqué toutes les éventualités venait-elle de réflexions personnelles ou était-ce le simple fait d'avoir une famille nucléaire traditionnelle qui lui permettait de comprendre la situation de Marc mieux que Valérie et moi ? Cette question me fit également me demander si Maryse avait déjà, au cours de toutes ces années de mariage, envisagé de sauter la clôture. Ça me semblait inévitable. Gilles et elle s'étaient connus si jeunes, qu'il m'apparaissait inconcevable que ce genre de pensée, de sa part ou de celle de son tendre époux, ne se soit pas manifestée à un moment ou un autre. Je me demandai si, dans sa vie, tout était réellement aussi rose qu'elle le laissait croire. Même si elle était une femme intègre, loyale et incapable de duperie, peut-être aurait-elle envie, elle aussi, de vivre un moment intense et torride sans lendemain, juste pour se sentir plus vivante ? Quant à Valérie, j'étais de plus en plus déterminée à en faire ma compagne de conquête. Cette femme merveilleuse, généreuse, attentionnée et qui méritait d'être heureuse semblait s'épanouir sous nos yeux. En quelques jours à peine, j'avais entrevu une nouvelle Valérie et elle me plaisait encore plus que la première. Qu'elle se prépare, nous allions dénicher toutes les deux la perle rare qui nous plongerait dans un bonheur inégalé.

Je regardai mes amies, et une bouffée d'affection me submergea. J'en avais de la chance de les avoir. Sans le savoir, elles m'aidaient à me modeler à celle que je voulais devenir. Je savais depuis longtemps qu'elles me percevaient comme étant, de nous trois, la plus *wild*. Fonceuse. Audacieuse. Chanceuse d'attirer les hommes. Maryse, en sa qualité de femme mariée, vivrait à travers moi le bonheur de la séduction, des amours naissantes, des flammes bien brillantes auquel elle rêvait aussi, ne serait-ce qu'à l'occasion et sans l'avouer. Je me souvenais de la façon dont elle avait soupiré d'envie quand je lui avais raconté mes péripéties avec Fernando. D'une pensée à l'autre, je me demandai si elle pourrait devenir un jour une de ces femmes esseulées – mariées ou non – qui aimaient s'accoupler avec un Cubain *mucho caliente* durant leur séjour et qui retourneraient au nord le ventre bien meurtri, le sourire aux lèvres et une douce mélancolie au cœur. Maryse ? Bien sûr que non. Bref.

Maryse admirait la façon dont je m'étais remis de Fernando et comment j'avais réagi à l'épisode de Marc. Elle me voyait, et Valérie aussi, comme étant la fille sûre d'elle, celle qui n'a peur de rien ni de personne et qui sait profiter du moment présent. Je voulais être cette fille, pas juste en projeter l'image. Je me doutais bien que je ne rencontrerais pas mon âme sœur du jour au lendemain. Mais je me promis de faire vivre à Maryse le plus d'aventures possible à travers moi, et de tout faire pour permettre à Val d'en vivre également. Je leur ferais des récits salés, palpitants, drôles, et ça m'aiderait à surmonter mes éventuelles déceptions. Je ne me doutais pas encore que ces anecdotes seraient aussi nombreuses, mais je savais que j'aurais en Valérie et Maryse un public conquis d'avance, exactement ce dont j'avais besoin. Val allait d'ailleurs participer. J'allais la convaincre de sortir le meilleur d'elle-même et de l'exploiter. Fini le cycle des *losers* à moustache imbus d'eux-mêmes devant lesquels, inexplicablement, elle s'inclinait toujours. Fini la fille qui se changeait continuellement pour plaire à son chum. Il était temps que la véritable Valérie fasse son apparition et je l'aiderais.

C'est ainsi que les derniers jours s'écoulèrent dans une douce béatitude à refaire notre monde. J'avais désormais l'impression de muer, de changer de peau. C'était totalement grisant, cette liberté de choisir qui je voulais devenir, et cette nouvelle définition de moi-même, d'enfiler ce costume jusqu'à ce qu'il m'aille comme un gant. Sans le savoir, mes amies, de même que mes expériences passées, m'aidaient à faire des choix, à endosser mon personnage. Autant elles contribuaient à mon évolution, autant j'en faisais pour la leur sans m'en rendre compte. Valérie cheminait de son côté, en silence, influencée par ce que je vivais et motivée par ma détermination. Elle avait envie, elle aussi, de sortir de sa coquille et de découvrir qui elle était, qui elle pouvait être. Elle comprenait peu à peu que c'était cette crainte de finir ses jours seule qui l'avait amenée à se contenter de copains sans saveur et sans envergure pour tromper la solitude et l'ennui. Comme la chenille avait commencé sa transformation de l'intérieur, je tenterais de l'aider à en faire autant à l'extérieur.

Maryse, quant à elle, demeurait un mystère. Elle était notre pilier, la femme forte capable de surmonter toutes les épreuves et de régler tous les problèmes. Le chef de famille qui avait élevé deux beaux enfants, celle sur qui on pouvait compter. Elle admettait d'ailleurs que Gilles était un homme solide, qu'elle avait toujours apprécié son engagement comme père et époux, sa présence à ses côtés pour les joies et les épreuves. Malgré tout, une part d'elle demeurait secrète, cachée en toutes circonstances.

Bref. Je me redéfinissais, Valérie se réinventait. Qui sait, peut-être Maryse faisait-elle exactement la même chose ?

7

Tant de célibataires... Je n'avais jamais réalisé combien d'êtres esseulés ont exactement la même quête que moi. Avec un désespoir plus ou moins profond, un sérieux plus ou moins grand. Trouver l'âme sœur est vraisemblablement une quête universelle et j'imagine qu'il en a toujours été ainsi... Je suis certaine qu'il n'y a jamais eu autant de célibataires dans l'histoire de l'humanité. Évidemment, il est de plus en plus facile de disposer de biens ou de personnes qui ne nous satisfont plus, j'en sais quelque chose. Mais sous les apparences légères et ludiques des sites de rencontre, des clubs pour célibataires et autres modes de recherche, se cachent un malaise, une peur viscérale de terminer sa vie seul, sans personne à ses côtés, sans personne qui tient à nous réellement. Je ne pensais évidemment pas à ça, avant. Je ne voyais que la liberté, la possibilité de refaire ma vie avec quelqu'un qui me conviendrait mieux. Mais au fond, la même peur se cache en moi, n'est-ce pas? Suis-je aussi terrorisée que tous les autres à l'idée de ne plus pouvoir me blottir dans les bras d'un homme, d'y trouver le réconfort, ou la force, ou ne serait-ce qu'un peu d'affection, sans parler de sexe ? Oui, le sexe. Suis-je condamnée, à seulement quarante-six ans, à devoir mettre une croix sur l'idée d'une vie sexuelle excitante, épanouissante et exaltante, partagée avec un compagnon digne de ma confiance, de mon abandon ? Ce serait vraiment trop con. J'ai trop à offrir. Trop de talent, aussi, je le savais bien avant que Danny et ses prédécesseurs me le confirment. Trop à jouir.

Ouf ! On se secoue et on avance, Jujube.

Dès notre retour à Montréal, mon beau bronzage faisant un pied de nez à la froidure de cette fin du mois de janvier, et rangeant mes gougounes avec un soupir, j'enclenchai ma grande manœuvre et visitai plusieurs sites de rencontre pour célibataires afin de déterminer lesquels me conviendraient le mieux. Ils se ressemblaient tous et je choisis un peu au hasard, parmi ceux qui prétendaient avoir le plus grand nombre de membres et le plus haut taux de réussite. Avoir recours aux sites de rencontre représentait selon moi la solution ultime. Après avoir subi les lamentables tentatives de mes proches de me matcher, après avoir arpenté les discothèques, essuyé le douloureux revers latin de Fernando et failli m'embourber avec un Marc-de-Laval indécis, les sites constituaient selon moi l'outil incontournable. Il ne s'agissait pas de trouver un homme à tout prix, non. Mon bonheur ne passait pas par le fait d'être en couple, je me débrouillais très bien. Il s'agissait plutôt de me divertir, de sortir et de voir si, par hasard, il n'y aurait pas quelqu'un de compatible avec qui je pourrais partager de bons moments et, je l'espérais, des nuits de rêve. Ça, c'était ma théorie ; je refusais d'accorder trop d'importance à cette démarche même si le besoin d'un contact physique et émotif se faisait des plus pressants. Au fil des ans, j'avais côtoyé plusieurs personnes qui avaient rencontré l'amour sur de tels sites. Du temps où j'étais en couple, j'avais tendance à m'en moquer un peu, déclarant comme beaucoup qui n'y connaissent rien que c'était pour les rejetés, ceux qui, autrement, n'arrivaient pas à trouver chaussure à leur pied. Désormais, ma perception était tout autre : si tant de personnes y avaient trouvé ce qu'elles cherchaient, si ces sites étaient à ce point fréquentés, tout était possible.

Maryse et Valérie m'avaient promis de m'épauler dans cette démarche toute nouvelle pour moi et, ma foi, assez déstabilisante. Au début, je laissai Valérie tranquille. Je n'ai pas tenté de l'entraîner dans cette aventure. Je la laisserais d'abord observer et, quand elle verrait les résultats convaincants que je ne manquerais pas d'obtenir, elle ne pourrait faire autrement qu'avoir envie de me suivre. D'ailleurs, lorsque je lui en avais parlé, à Cuba, elle s'était exclamée :

— Es-tu folle ? Je suis bien trop gênée ! Juste l'idée de devoir me préparer pour aller à un rendez-vous avec un inconnu me stresserait tellement que j'aurais l'air d'une vraie déséquilibrée !

Elle verrait bien. Je la comprenais quand même un peu. Je n'avais aucune idée de la façon dont j'allais réagir, moi, quand l'occasion se présenterait, malgré mes expériences précédentes. Mais contrairement à elle, j'avais choisi d'afficher une audace que je ne ressentais pas réellement encore, mais que je manifesterais malgré tout. Valérie n'avait pas à connaître mes insécurités et, en les niant, je pouvais facilement me convaincre qu'elles n'étaient pas réelles. De toute manière, j'étais certaine que, dès que l'homme de ma vie apparaîtrait, je le saurais instinctivement. Et il me tardait de le rencontrer en chair et en os. Valérie, elle, ne perdait rien pour attendre.

Maryse et Valérie m'aidèrent donc à mettre ma stratégie au point, c'est-à-dire, procéder aux inscriptions. Nous en fîmes une soirée spéciale avec saumon fumé, raclette, mousse au chocolat et beaucoup, beaucoup de vin. Ce n'était pas rien ; après tout, nous allions peut-être sceller ma destinée avec ces inscriptions.

L'enjeu était de taille ; il me fallait me « vendre », et j'avais bien l'intention de profiter de la perception qu'avaient mes amies de ma personne pour me montrer sous mon meilleur jour. D'abord, la séance photo. Comme nous avions déjà bu quelques verres de vin, nous avions les pommettes bien colorées malgré le hâle cubain, et l'opération s'avéra des plus comiques. Après avoir hésité entre l'allure de femme fatale, celle de boute-en-train, de sportive du dimanche ou de femme sérieuse, mûre et réfléchie, il fut décrété qu'un échantillonnage de toutes ces facettes de moi serait gagnant. Après avoir procédé à divers essayages d'une sélection de vêtements pour représenter ces aspects de ma personnalité, Maryse me photographia dans des poses plus ou moins convenues.

Cela ne tarda pas à déraper. Mon petit côté théâtral s'emballa et nous en eûmes pour une heure de fous rires devant mes pitreries. Je mis toutefois de côté les photos qui dévoilaient trop mon décolleté bronzé ou celles qui me faisaient avoir l'air presque légèrement débile.

La description, ensuite. Ça, c'était épineux. En lisant les profils des autres femmes du site, je constatai qu'elles recherchaient toutes à peu près la même chose. Un homme honnête, fidèle, authentique, doux, gentil, attentionné, aimant les sorties au resto et le cinéma. Ça manquait d'originalité. À croire que toutes ces femmes avaient auparavant fréquenté des salauds coureurs de jupons, menteurs, méchants et sédentaires. Trop triste de penser que c'était peut-être le cas, après tout.

Ensuite, elles se décrivaient comme étant joviales, curieuses, au passé réglé, pas compliquées, ayant bon caractère et recherchant une relation stable, basée sur le respect et la franchise. Ouais. Ça me fit m'interroger. Quel genre de relation cherchais-je, moi, au juste ? Comment pouvais-je le savoir ? Il me semblait que c'était difficile à définir et que ça dépendait largement de la personne qu'on rencontrait, non ? Est-ce que je cherchais l'Amour avec un grand A, un compagnon pour faire des activités ou simplement un partenaire de baise, genre ami-amant ? Honnêtement, je ne le savais pas. Tout ce dont j'étais certaine, c'était que je voulais ressentir quelque chose de palpitant. Je n'avais pas besoin de nouveaux amis, au sens strict du terme, c'est-à-dire quelqu'un avec qui je n'aurais pas envie de faire l'amour, qui pourrait m'accompagner au resto et m'aider à peindre mon condo. Non, il me fallait les étincelles, les papillons, l'excitation sublime du coup de foudre ou quelque chose s'en approchant.

C'était déjà un point de départ, non ? Était-ce trop superficiel que de vouloir quelqu'un qui m'attire physiquement autant que socialement ? Non, je ne le croyais pas. Après tout, je ne me considérais pas comme un pétard, mais tout de même passablement attirante, surtout pour une femme de mon âge. Alors, comme pour le reste, j'assumerais pleinement cette exigence. Sans savoir précisément ce que je voulais, je savais très bien que je ne pourrais pas être attirée par quelqu'un que je ne trouvais pas séduisant.

Notre premier exercice consista à me trouver le pseudo idéal en jonglant d'abord avec plusieurs surnoms inspirés des profils existants. Certains étaient drôles, d'autres charmants, plusieurs carrément risibles. Finalement, notre choix s'arrêta, de façon unanime, sur *Jujube*. Julie Benoît, mais en plus mignon, bien sucré, question de conserver une certaine légèreté.

Les étapes préliminaires pour remplir ma fiche étaient, quant à elles, assez simples et allaient droit au but. J'avais l'impression de remplir un formulaire de demande d'emploi mais je passai outre, me disant qu'il fallait s'en tenir à l'essentiel :

Femme / 46 ans / Hétérosexuelle / Célibataire / Montréal
Buts : Euh... évident, non ? OK, amour, sexualité, amitié.

Maryse s'objecta :

— Sexualité ? Tu veux vraiment mettre ça comme but ?

— Ben oui, quoi ? C'est vrai !

— Tu vas avoir l'air pas mal guidoune, tu penses pas ? demanda Valérie.

— Franchement, Val, tu me niaises ? On est plus en 1960.

— D'après moi, déclara Maryse, tu vas juste pogner des gars qui veulent baiser et rien d'autre.

Valérie ajouta :

— Euh... Es-tu en train de dire qu'il y a d'autres sortes de gars ?

— Ha, ha ! Val, *attagirl* ! Je savais que derrière ton allure de bonne fille sérieuse, tu comprends plus d'affaires que t'en as l'air !

Valérie ne savait trop comment réagir à ma remarque.

J'avais voulu la complimenter, mais pour elle, ce n'était pas clair. Je continuai :

Taille : 1,68 m... 5'6"
Apparence physique : Bien

Maryse insista pour que j'inscrive « très bien », et Valérie approuva, mais je trouvais que ça faisait prétentieux.

Couleur des yeux : Bleus
Couleur des cheveux : Blonds
Silhouette : Proportionnelle à ma taille
Ethnie : Blanche
Religion : Catholique (vraiment ? Bof...)
Signe du zodiaque : Vierge (on s'en fout, non ?)
Situation financière : Préfère ne pas répondre

C'était de loin le choix de réponse le plus sûr.

Nombre d'enfants : Aucun
Désire avoir des enfants : Non!!!
Fumeur : Non
Alcool : À l'occasion

Maryse pouffa et je dis, sur la défensive :

— Ben quoi, les seuls choix sont « jamais », « à l'occasion » ou « souvent ». Je vais quand même pas mettre « souvent », ils vont penser que je suis une soûlonne ! En plus, je bois presque jamais la semaine, alors pour moi, ça, c'est « à l'occasion », non ?

— Y'a pas de case « à chaque occasion qui se présente ? » demanda Valérie.

— Ni « à l'occasion, mais de manière excessive ? » renchérit Maryse.

Je ne pris pas la peine de répliquer, même si mon sourire en disait long.

Habitudes alimentaires : Un peu de tout
Mes passions : La lecture, le sport, les voyages, la danse, la cuisine, les arts, le plein air, le cinéma, le travail
Mes intérêts : Cinéma, sorties de tous genres, spectacles d'humour

J'omis volontairement d'inscrire « sexe ». Une certaine prudence était de mise.

Mon résumé : ...

Au moment de remplir cette section, j'eus un blocage. Je voulais me distinguer des autres, mais il n'était pas question d'écrire ma vie. Je rédigeai donc un court texte qui fit l'objet d'un long débat. Le résultat final était d'une banalité navrante, mais avait l'avantage d'être simple :

Jolie jeune femme dynamique et souriante, aime sortir, danser et s'amuser. Je suis sportive, passionnée, j'adore mon travail mais... J'aimerais bien rencontrer quelqu'un de sociable, romantique à ses heures, amusant et intelligent pour amitié et peut-être plus.

J'ajoutai, sur l'insistance de Maryse, et comme plusieurs l'avaient fait, la phrase finale :

Pas de photo, pas de réponse.

Puis, pour terminer cette soirée bien arrosée, je décidai de faire une petite recherche pour tester le bassin d'hommes libres et intéressants selon les critères établis pendant nos longues heures de farniente des derniers jours à Cuba. Cette étape s'étira puisque Maryse et Valérie me forçaient à m'interroger sur chacun de mes points importants:

Partenaire recherché: Homme, hétérosexuel, 45-52 ans
Ville: Montréal
Taille: 5'9"-6'6"
Poids: Proportionnel à la taille
Apparence: «Bien» ou «très bien»
Style: Élégant
Tatouages et piercings: Aucun
Yeux: Aucune importance
Cheveux: Aucune importance (mais qu'il en ait, de préférence...)
Ethnie: Aucune importance
A des enfants: Non
Désire avoir des enfants: Non
Religion: Aucune importance (enfin, presque...)
Tabac: Non
Alcool: À l'occasion
Habitudes alimentaires: Un peu de tout
Études: Baccalauréat
Situation financière: Moyenne-aisée
Secteur d'activité: Aucune importance

J'appuyai sur la touche « rechercher » et, quelques fractions de seconde plus tard, le site me cracha 1487 résultats. Wahou ! L'embarras du choix, comme je l'avais espéré. Je me sentais comme une enfant qui revient de sa tournée d'Halloween comblée de friandises de tous les styles, les tailles et les couleurs. Ça tombait plutôt bien. J'avais envie de voir d'autres genres d'hommes que ceux auxquels je m'étais habituée : des hommes assez beaux, gentils, mais sans passion, ne sachant plus comment séduire une femme et sans réelle ambition.

Pourquoi avais-je attendu si longtemps ? C'était merveilleux ! Tant de belles aventures possibles au bout des doigts ! Je savais bien que j'avais le monde à mes pieds, qu'il suffisait de sourire à la vie pour la voir me sourire à son tour, j'en avais la preuve sous les yeux. Les filles aussi étaient renversées et je voyais Valérie devenir de plus en plus ouverte au concept. Il ne me serait peut-être pas si difficile de la convaincre, après tout.

Mais voilà. Au fur et à mesure que je consultais des fiches, mon enthousiasme s'effritait. Des hommes beaux, il y en avait plusieurs… mais dans la plupart des cas, et il nous fallut un moment pour nous en rendre compte, leur dernière connexion sur le site remontait à plus de six mois. Ils n'étaient donc plus libres ou du moins « actifs ». Ensuite, il devint très vite évident que les hommes de cette tranche d'âge recherchaient des femmes souvent beaucoup plus jeunes que moi. Certains, dans la jeune cinquantaine, précisaient même « de 18 à 35 ans », *pour sexualité et peut-être plus*. Je commençai à me demander si j'aurais dû mentir sur mon âge.

C'était d'ailleurs précisément ce que bon nombre d'entre eux faisaient. Ce fut mon troisième désenchantement. Par exemple, la description indiquait quarante-huit ans, mais sur la fiche, c'était plutôt cinquante-six. Certains avouaient tricher pour correspondre aux critères de recherche de femmes plus jeunes, d'autres ne donnaient aucune explication sur la différence. Leur nombre était effarant. Selon moi, encore idéaliste à cette époque, ça commençait plutôt mal une relation basée sur la franchise !

Il fut tout de même amusant de regarder les photos de tous ces célibataires plus différents les uns que les autres. Certaines photos ne faisaient pas que frôler le ridicule, elles en étaient l'incarnation : des hommes au torse nu, prenant une pose de mannequin alors qu'ils auraient plutôt eu avantage à camoufler la majeure partie de leur anatomie. Avec un épais manteau, même. D'hiver. Sur de nombreuses autres, des hommes fiers comme des paons, vêtus d'un imperméable difforme et d'une casquette de pêche, exhibaient l'énorme poisson qu'ils venaient de pêcher. D'autres avaient mis des photos de leur chat, leur chien, et leurs enfants, ce que je trouvais douteux. Des *selfies* moches, avec gros plan sur un organe nasal des plus imposants, des tonnes d'images de Punta Cana ou de Riviera Maya, avec des hommes au visage trop bronzé ou brûlé, certains même aux bras d'une femme. Certaines photos semblaient sortir tout droit d'un dossier de police, d'autres étaient tellement floues ou éloignées qu'on ne distinguait strictement rien de l'individu en question. Mais qu'avaient-ils en tête ? Cette démarche ne méritait-elle pas le moindre effort pour mettre toutes les chances de son côté ? Bien sûr, quelques-uns se démarquaient du lot. Ils étaient même très séduisants. Mais trop souvent, pour tous les genres d'hommes confondus, on n'apprenait pas grand-chose sur eux en lisant leur fiche. Quelques lignes, tout au plus, qui faisaient état de leur amour du golf, de la nature et du vin rouge, des randonnées en amoureux et des soupers au resto. La plupart du temps, ces quelques lignes étaient rendues illisibles, ou à tout le moins difficiles à déchiffrer… du style : « *Je suit un home dous et romentiques, cherche famme* féminine et *sexxy pour activiters de toute genre.* » Les fautes de français ne m'importaient pas tant que ça, mais quand même ! Quand on arrivait à lire, il me semblait que, de la même manière que les femmes, tous disaient à peu près la même chose. Homme honnête, intègre, sportif cherche fille dynamique, sensuelle (lire « aimant le sexe »), sachant prendre soin d'elle (lire « mince »), féminine (lire « aimant talons hauts et tenues *sexy* »). Ah oui, et complice. Ce mot revenait sans cesse.

Toutefois, ce qui nous étonna le plus était le nombre incalculable de fiches sans la moindre photo. Je ne pouvais tout simplement pas croire que certaines personnes pensaient attirer quelqu'un d'intéressant sur la base d'une simple fiche n'indiquant que quelques généralités. Il y avait là tellement de monde qu'il me semblait, au contraire, essentiel d'en dévoiler le plus possible, du moins quand c'était à son avantage, non ?

Nulle part je ne vis de trace de Monsieur Parfait, du moins à première vue. Ou alors, il ne fréquentait pas les mêmes sites que moi. Je refusai cependant de me laisser aller au pessimisme, ceci n'étant, après tout, que ma première incursion dans ce monde complexe. Il me faudrait sûrement me familiariser avec plusieurs critères de recherche et d'analyse de fiches avant de pouvoir me déclarer experte mais, foi de Julie, j'y arriverais.

Ma collègue Josée, qui fréquentait différents sites depuis un moment, m'avait confié que la plupart des hommes dans la quarantaine et au-delà avaient une peur maladive de l'engagement, quel qu'il soit. Or, les résultats de mes recherches me montraient plutôt des hommes à la recherche d'une « partenaire de vie », d'une « relation stable et durable basée sur le respect et la passion ». Mouais. Il y avait là une contradiction entre ce que j'entendais et ce que je voyais. Perception erronée ? Je n'en savais rien. Quoi qu'il en soit, j'avais choisi d'entreprendre ce périple et j'irais jusqu'au bout. Il y avait certainement un aspect intéressant que je n'avais pas encore découvert, et il me tardait d'explorer cette manne. Sur ces milliers de célibataires, il devait bien s'en trouver quelques-uns qui correspondaient à ce que je cherchais, il s'agissait juste de les trouver. Et ne dit-on pas que le plus passionnant est l'aventure, pas la destination, ou quelque chose du genre ?

Nous étions à la toute fin de janvier et, partout, les décorations de la Saint-Valentin me rappelaient mon état de célibataire. Danny avait toujours refusé d'y attacher une quelconque importance, même s'il m'offrait chaque année un magnifique bouquet de roses. Je me dis que l'an prochain, à pareille date, j'allais sans doute, moi aussi, pouvoir savourer les petites joies sucrées qui se rattachent à cette fête idiote mais ô combien symbolique.

Je sentis que j'allais bien m'amuser.

Ou peut-être pas…

8

Quatre semaines depuis que je suis revenue de Cuba et que je me suis inscrite, avec l'aide précieuse de mes fidèles amies, sur deux sites de rencontre. J'ai oublié Marc et suis en bonne voie d'en faire autant avec Fernando. Je comprends bien aujourd'hui que cette aventure avec lui était vouée à l'échec, j'aurais dû n'y voir qu'une transition un peu frivole et divertissante entre Danny et le reste de ma vie.

Quatre semaines, donc, à échanger activement avec des inconnus triés au mieux de mes capacités parmi les dizaines de messages. Vingt-huit jours à essayer de découvrir qui se cache derrière ces descriptions aussi sommaires que banales. Cinq rendez-vous, aussi. Autant de catastrophes. Un cruiseur *en série ; un dépendant affectif en phase terminale qui déteste vivre seul.* Hey, *je suis pas ta mère, Chose ! Après, mon oncle Roger, en pire. Je ne pouvais pas faire autrement que d'imaginer sa vieille queue ratatinée et incapable de bander. Je serais pas étonnée qu'il porte des bobettes léopard, et se pense vraiment* hot. *Franchement ! Moi, avec ça ? Ensuite un homme très séduisant qui a pété ma balloune en un temps record sans que je puisse placer un mot et, finalement, un idiot qui ne savait pas se servir de ses couilles (s'il en a, ce dont je doute) pour les bonnes raisons.*

Ces cinq hommes avaient pourtant l'air relativement « normaux ». Les seuls, des quatre-vingt-sept messages reçus, que j'ai retenus. Quatre-vingt-sept âmes en peine et aucune autre qui me titille le moindrement, à part ces cinq envers qui le « titillement » a fait place à l'exaspération après seulement quelques minutes. Pas le moindre bruissement d'aile de papillon. Au contraire. Il est beaucoup trop tôt pour me décourager, mais ai-je vraiment envie de traîner sur ces sites encore longtemps pour si peu ?

Au bout de quelques jours seulement sur les sites de rencontre, j'avais reçu des dizaines de messages. Je passais la plus grande partie de mes soirées à répondre à chacun… enfin presque. Ceux qui n'écrivaient que des phrases du genre : « Salut, ça va ? » ou « T'as de beaux yeux. On baise ? », et il y en avait plusieurs, je les ignorais. Les autres étaient pour la plupart des hommes pour qui je ne ressentais pas la moindre affinité ou, dans la très grande majorité des cas, aucune attirance. Je répondais quelque chose de vague mais gentil, les remerciant de m'avoir écrit. Beaucoup me remerciaient à leur tour de leur avoir répondu, mais d'autres le prenaient très mal. Des messages du genre « Tu sais pas ce que tu manques ! » « Pour qui tu te prends ? » ou encore « Si tu me rencontrais, tu pourrais pas me résister, tant pis pour toi ! », j'en reçus des dizaines. D'autres encore, insistaient : « Si tu prenais au moins le temps de me rencontrer, tu verrais que je suis le gars idéal pour toi. » « Tu peux pas te fier à ma photo, je parais beaucoup mieux en personne » ou encore « Tu ne pourras jamais être certaine de ne pas avoir passé à côté de l'homme de ta vie si on ne se rencontre pas ». J'essayais de leur dire doucement qu'ils ne me plaisaient pas, sans devoir leur dire que ce qui me déplaisait était le fait qu'ils soient de la taille et de la carrure de mon neveu – ou au contraire, au bord de l'obésité morbide – qu'il leur manquait plusieurs dents ou qu'ils passaient le plus de temps possible avec leurs huit petits-enfants. Plusieurs des messages que j'envoyai restèrent également sans réponse. Au début ça m'insultait, mais je finis par comprendre que ça faisait partie du processus. On ne peut pas plaire à tout le monde, c'était décevant, mais je n'en ferais pas une maladie.

C'était un processus laborieux ; une fois rentrée du gym, auquel je me rendais directement du bureau, je me préparais à souper et je mangeais devant l'ordinateur, en répondant à mes messages. Tout ça me prenait facilement plusieurs heures. Cependant, en faisant abstraction de la désagréable impression de parcourir un catalogue d'achats en ligne, et de celle d'être jugée selon des critères plus ou moins douteux, il y avait des possibilités. C'est ainsi que je me lançai à l'eau pour échanger avec quelques hommes dont la photo me plaisait et qui semblaient correspondre à mes exigences. Ça me permit de découvrir que plusieurs styles d'hommes auxquels je n'avais même pas songé présentaient un potentiel insoupçonné. Par exemple, Sylvain, un grand brun athlétique, électricien de métier, m'avait l'air tout à fait charmant. Après plusieurs échanges drôles, étonnamment intelligents et relativement profonds, nous décidâmes de nous rencontrer.

Maryse vint chez moi. C'était un moment critique : comment allais-je m'habiller ? Je me sentais comme une adolescente se préparant pour son premier rendez-vous. C'était très agréable, mais je faisais tout de même des efforts pour ne pas avoir trop d'attentes. Je devais être séduisante sans en mettre trop ; classe sans sembler inaccessible. Nous allions prendre un verre et, si les astres étaient favorables, nous poursuivrions avec le souper. Ce n'était pourtant pas très différent de mes *blind dates* désastreuses de l'automne pour lesquelles je n'avais pas été aussi nerveuse. C'était sans doute parce que cette fois j'avais choisi ma *date*, vu des photos et échangé à l'occasion de manière amicale et encourageante que l'approche était différente. Je savais d'avance qu'il me plairait au moins un peu et ça ne faisait qu'ajouter une bonne dose de nervosité à mon anticipation.

L'endroit où nous irions était un « entre-deux », pas trop chic, mais pas trop bas de gamme non plus. J'avais laissé Sylvain choisir, je trouvais que ça pourrait m'en dire long sur le genre d'endroit qu'il fréquentait. Enfin, j'optai pour une jupe et un chemisier assez sobres. Talons assez hauts mais pas trop, bijoux discrets.

Plus j'approchais du bar, plus mon cœur cognait dans ma poitrine. Je me trouvais un peu idiote et je me répétais, pour me calmer, que j'allais sans doute être déçue… mais ça n'y changeait rien. En apercevant le bel homme accoudé au bar, je me dis que la chance était de mon côté. Il était… à croquer. D'un seul coup je l'imaginai nu, avec moi, et ça me plut. C'était indéniablement un bon début !

En me voyant approcher, Sylvain me sourit en m'embrassant chaleureusement sur les joues. Il était vraiment séduisant. Une carrure imposante sans être exagérée, un sourire éclatant, des yeux presque noirs qui pétillaient. Il portait un jean ample et une chemise blanche qui mettait son teint en valeur. Je trouvais qu'il avait un peu forcé la note quant au parfum, mais ce n'était pas grave, étant donné tout le reste ! Il me demanda ce que je voulais boire et passa la commande à la barmaid, une jolie brunette au décolleté plongeant. Tandis qu'elle préparait nos verres, Sylvain l'observait avec attention. Non, en fait, il la dévorait du regard. Je trouvai ça un peu étrange, mais je passai outre. Il paya nos consommations à la jeune femme, ne manquant pas de lui offrir un sourire éclatant et un très généreux pourboire, avant de me guider vers une table un peu plus loin.

La conversation était facile, assez agréable, mais j'avais l'étrange impression que Sylvain n'était pas tout à fait là. Il semblait distrait, regardait autour de lui comme s'il cherchait quelqu'un ou quelque chose. Chaque fois qu'il croisait son regard dans le miroir, il ajustait une mèche de cheveux, redressait le col de sa chemise. Ça commençait à m'agacer.

J'étais en train de lui parler de mon métier de traductrice quand son regard dévia soudainement vers la droite. Regardant au-dessus de mon épaule, je vis qu'il dévorait des yeux deux femmes qui venaient d'entrer dans le bar. Alors qu'elles passaient devant notre table, il leur montra l'éclat de ses dents dans toute leur splendeur. Vraiment ? *Not strong.* Pas fort. Il s'excusa, se leva en prétextant devoir aller aux toilettes et je l'observai à mon tour. Sa démarche était celle d'un coq ; torse bombé, épaules en arrière, menton relevé, il marchait comme s'il faisait un défilé de mode en passant devant les deux femmes. Il leur sourit de nouveau, leur dit quelque chose que je ne pus entendre et continua son chemin. Impressionnant ! Croyait-il vraiment me séduire en agissant de la sorte ? Peut-être que je ne lui plaisais pas et que c'était sa façon de me le faire savoir ?

Il revint quelques minutes plus tard et parut souhaiter

que je poursuive notre conversation. Son regard dévia pourtant encore une fois lorsqu'une serveuse se présenta à la table voisine. Là, il était trop facile de l'observer caresser du regard les jambes de la dame, puis parcourir ses fesses en remontant vers sa poitrine sans la moindre pudeur. Je poussai un soupir d'agacement et lui dis :

— Euh, Sylvain, si je te dérange, tu peux le dire, hein ?

— Hein, quoi ? Oh, excuse-moi, mais le paysage est vraiment beau, ici ! Euh, tu disais ?

J'attendis quelques instants avant de répondre :

— Je disais que, finalement, j'ai pas tellement faim. Merci pour le verre !

Je me levai et partis. Il resta là, ne sachant pas trop quoi dire. Puis, je le vis hausser les épaules et aller s'asseoir au bar. Je n'en revenais pas. Bon. Gars trop beau et sûr de lui ? *Check*.

Normand, un architecte de cinquante ans, était un grand romantique. Il m'envoyait des messages enflammés et extrêmement bien tournés vantant ma beauté. Il louangeait certains de nos échanges qui, selon lui, témoignaient de mon authenticité, de ma profondeur et de ma grandeur d'âme. Je trouvais qu'il en mettait un peu ; après tout, je ne suis pas une philosophe, mais je trouvais ça charmant. Il disait qu'il avait rarement discuté avec une femme aussi « vraie », qu'il appréciait mon côté direct et honnête. Ce qui ne gâchait rien, sa photo me montrait un homme très grand, au sourire franc et séduisant. D'un style élégant quoiqu'un peu conservateur, il avait d'immenses yeux aussi noirs que son épaisse chevelure et un menton sculpté, viril.

Comme il aimait m'écrire de longs messages, je me disais qu'il serait tout aussi loquace en personne et j'acceptai son invitation au restaurant.

J'organisai une rencontre avec mes amies à notre bistro préféré pour un apéro rapide avant mon rendez-vous galant. Maryse était sceptique, me rappelant que j'avais fait le serment d'être prudente et de ne pas m'engager pour la durée d'un repas au cas où le gars ne me plaisait pas, mais avec lui, j'avais confiance. Valérie, elle, était carrément jalouse.

— Pourquoi j'en trouve jamais, des hommes aussi romantiques, moi ?

Il est vrai que je venais de leur lire un extrait de son dernier message :

« Ah Jujube, si tu savais ce que je serais prêt à faire pour la femme de ma vie ! Il n'y aurait jamais assez de fleurs, d'attentions, de caresses pour elle. Je la traiterais comme une reine, une déesse, même, puisque c'est ce qu'elle sera à mes yeux. Est-ce toi, chère Jujube ? Si la vie me faisait un tel cadeau, crois-moi, je ferais tout pour te mériter, tu n'auras qu'à souhaiter, je devinerai le moindre de tes vœux… C'est ça, au fond, l'amour, non ? Deviner ce que l'autre désire, combler ce désir en le décuplant pour s'assurer que son bonheur soit complet. Et quand c'est réciproque, ça devient sublime. Les humains sont faits pour aimer et être aimés, c'est la base de tout, non ? »

— Attends, ça reste à voir. Je t'en donnerai des nouvelles… Mais toi, Maryse, c'est quoi ton problème, tu y crois pas ?

— Je sais pas trop. On dirait que ça a été recopié d'un

roman cucul genre Harlequin... Ça sonne faux. J'ai jamais entendu un homme parler de même pour vrai, en tout cas ! Ça sonne comme un gars qui dit ce qu'il pense que tu veux entendre, ce qu'on veut toutes entendre. Regarde Valérie, elle lui sauterait dans les bras sans même le connaître ! T'sais, des beaux parleurs, y'en a un pis un autre...

— Ben oui ! s'offusqua Valérie. Moi, si un gars me disait des affaires de même, je fondrais. T'imagines ? Quelqu'un qui t'aime de même, ça doit être quelque chose, non ?

— Mouain. Quelque chose, en effet. Quelque chose d'assez étouffant ! dit Maryse d'un ton cynique que je ne lui connaissais pas. Franchement, ils se connaissent même pas !

— Justement, ajouta Val, imagine quand il va la connaître ! Il va la gâter, la chouchouter, maudite chanceuse...

— Vraiment, Val ? ajouta Maryse. *Come on* ! Même s'il est de même pour vrai, ça dure juste le temps de l'avoir, pis après, les belles paroles et les attentions prennent le bord.

Tentant de faire sourire Maryse, j'ajoutai :

— Quoi, tu vas me faire croire que ton Gilles te traite pas comme une déesse, toi ? Pourtant, il est tellement paaarfait !

Elle me lança un regard dans lequel se mêlaient amertume, frustration et colère, et je compris que j'avais mis le doigt où il ne fallait pas. Elle se leva, assez brusquement, prit sa veste et nous dit :

— Oui, c'est ça, paaarfait. J'vais aller le retrouver, d'ailleurs, j'me peux pus. Il m'a sûrement fait couler un bain plein de pétales de roses. Bye, les filles. À bientôt. Tu me raconteras, hein, Julie ?

Elle partit, nous laissant perplexes, Valérie et moi. Mon amie avait l'air inquiet :

— Ça va pas, je pense… C'est la première fois que je la vois de même. Sais-tu s'il est arrivé quelque chose ?

— Pas à ma connaissance… Je sais que c'est pas évident depuis qu'Olivier est revenu vivre chez eux avec sa blonde, ça fait quoi, deux semaines ? Mais ça a plutôt l'air d'être avec Gilles qu'il se passe quelque chose, hein ?

— Pourtant… si y'a un couple solide, c'est bien eux autres ! Depuis le temps… Mais c'est vrai que ça doit faire bizarre quand ton gars part en appart et qu'il revient un an plus tard. Avec sa blonde, en plus. Je pense que Maryse s'entend pas trop bien avec elle. C'est peut-être ça…

— Je vais essayer de lui parler, on se tient au courant.

Mais je n'en fis rien au cours de la semaine suivante. Je sortis plutôt avec Normand et oubliai l'incident.

J'étais aussi nerveuse que je l'avais été à mon premier rendez-vous, mais pas de la même façon. Je me demandais s'il était réellement possible, de nos jours, qu'un homme ait des pensées aussi romantiques. Si oui, comment s'était-il retrouvé célibataire ? J'arrivai avant lui et m'installai à la table assignée par l'hôtesse. En le voyant s'approcher, ma première réaction fut la déception. Il portait un habit démodé trop serré avec une large cravate trop colorée. Il avait la démarche de celui qui ne sait pas trop où se mettre ; avançant à petits pas incertains, les yeux baissés, ce qui contrastait étrangement avec sa stature. Mon fameux truc d'imagerie m'apparut clairement : je ne me voyais ab-so-lument pas au lit avec ce gars. Jamais de la vie. Je l'imaginais mal à l'aise à l'égard de sa nudité, se cachant le sexe de ses deux mains, le regard paniqué. Ouf !

En lui faisant un petit signe de la main, je me dis qu'au moins, il serait d'agréable compagnie. Il approcha, l'air plus crispé que jamais. Il m'embrassa en m'enlaçant et s'attarda plus longtemps que ne s'y prêtait la situation. Comme si nous nous retrouvions après une trop longue attente. Il sentit mes cheveux, me regarda dans les yeux et me dit :

— Tu es encore plus belle en personne qu'en photo…

— Merci, c'est gentil !

Je m'efforçai d'avoir un ton joyeux, mais j'étais mal à l'aise. J'aurais voulu lui rendre le compliment, mais j'en étais incapable. Il m'avait semblé imposant, sûr de lui, extraverti. Or l'homme qui se tenait devant moi était comme recroquevillé et avait l'air intimidé. Il retira laborieusement son manteau et prit place à mes côtés. Je retirai prestement ma main de la table car j'étais persuadée qu'il allait la prendre et la serrer sur son cœur. C'était ridicule, il n'aurait sans doute jamais fait une telle chose, mais j'eus ce geste instinctif. Normand me regardait intensément sans rien dire. C'était gênant. Finalement, il prit la parole :

— Excuse-moi, je suis vraiment sous le choc. Tu es magnifique…

Il tremblait presque et je compris que le repas allait être interminable. Il me faudrait dire à Maryse qu'elle avait eu raison, même si je détestais ça. Je tentai du mieux que je pus de lancer la conversation, mais Normand me répondait par monosyllabes. Il transpirait abondamment, s'essuyant le front régulièrement, ça en devenait pitoyable. Le verre de vin qu'il avait commandé sembla le détendre. Il commença enfin à me parler de lui, et j'appris qu'il venait tout juste de se séparer après dix ans avec sa conjointe. Il n'avait même pas encore déménagé et ça me rappela trop Marc. Vraiment. Cela dit, les avertissements de Maryse au sujet du bel homme de Laval me permirent de trouver un sujet de conversation et me procureraient peut-être même une porte de sortie facile :

— Tu trouves pas qu'il est un peu tôt pour vouloir commencer une nouvelle relation ?

— Ça fait longtemps que notre couple ne va pas fort, j'ai eu le temps de faire mon deuil.

Ça, je pouvais très bien comprendre. Et bon, c'était son choix, après tout.

— Vous n'avez pas eu d'enfants ?

— Non. Ma conjointe avait un garçon qui est adulte maintenant et marié. Je le vois toujours régulièrement.

Il se tut et fixa attentivement le napperon. Je devrais trouver d'autres sujets de conversation puisqu'il ne semblait pas en état d'élaborer.

Je réussis à lui faire parler de ses voyages, des endroits qu'il avait découverts, ceux qu'il avait préférés. C'était un adepte des clubs de golf et il en avait visité plusieurs dans le monde. Ce sujet, sans être palpitant, l'animait. Au bout d'un moment, alors que la serveuse nous apportait nos assiettes, je constatai que ce n'était pas si pénible, après tout, tant qu'il ne parlait pas de lui ou de sa vie amoureuse. Car alors, il me regardait de manière vraiment troublante. Soudainement, au beau milieu du repas, il me demanda :

— Dis-moi, après combien de temps de fréquentations envisagerais-tu que nous emménagions ensemble ?

Je m'étouffai avec ma gorgée d'eau. L'air ne se rendait plus à mes poumons, je toussais sans pouvoir reprendre mon souffle. J'allais mourir. Normand faisait de son mieux, me tapotait le dos, mais ce ne fut qu'au bout de plusieurs longues minutes que je parvins à me calmer. J'avais sans doute mal compris. Avait-il vraiment parlé d'emménager ensemble ? Je rêvais ! Quand il fut certain que je pouvais à nouveau l'écouter, il poursuivit :

— Tu sais, c'est quand on vit le quotidien avec une

personne spéciale qu'on apprend vraiment à l'aimer, qu'on la voit sous toutes ses facettes et qu'on peut être certain que c'est avec elle qu'on veut passer notre vie. T'es pas d'accord ?

Seigneur. Il déraillait complètement.

— … Euh, Normand, c'est que… il me semble qu'il faudrait apprendre à se connaître, avant même de penser à ça, non ? J'pense qu'il va falloir un bon bout de temps avant que j'aie envie de vivre avec quelqu'un !

— Ça veut dire quoi, un bon bout de temps ? Des jours, des semaines ? Des mois ?

— Euh, je pensais à quelques années ?

Il baissa la tête. Puis, d'une voix chevrotante, il me dit :

— Je ne te plais pas, hein ? C'est ça ?

Ma parole, il était au bord des larmes. Est-ce que j'avais affaire à un désaxé qui me ferait une crise en plein restaurant, ou se mettrait à m'espionner, à me suivre partout ? Je me félicitai de ne jamais lui avoir donné mon nom de famille… J'allais répondre quelque chose de vraiment sarcastique mais je me dis qu'avec quelqu'un d'aussi fragile, il valait mieux être prudente.

— Non, Normand, c'est pas ça, c'est juste qu'on se connaît à peine et…

— T'as quelqu'un d'autre, alors ?

Ben voyons donc ! ! !

— Non, Normand. Pas pour le moment. Mais si je suis sur un site de rencontre, c'est justement pour rencontrer quelqu'un. Je pense que ça prend quand même pas mal de temps pour bien connaître une personne et, honnêtement, je trouve que c'est une bonne idée que chacun reste chez soi pendant assez longtemps…

— Ah. C'est que… il va falloir que je me trouve un appartement bientôt, alors je me disais que, tant qu'à déménager... et en plus, j'avoue que je cuisine pas très bien et, comme tu habites assez près de mon travail, ça aurait été pratique...

Moi qui pensais que j'étais difficile à surprendre... Normand venait de surpasser tout ce que j'avais pu anticiper. Mille fois. Devant l'absurdité de la situation, je décidai de ne rien laisser transparaître de mon étonnement et terminai mon repas. Entre deux bouchées, je conclus :

— Ah bien, je suis désolée. Peut-être que tu seras plus chanceux avec la prochaine que tu rencontreras...

— Non, non, c'est pas grave, je vais m'organiser autrement. Je suis trop certain qu'on est faits pour aller ensemble pour risquer de te perdre pour ça. Je vais être patient.

Là, je ne savais pas quoi dire et je commençai à avoir de sérieux doutes sur son équilibre mental et ma sécurité.

— Je trouve que tu vas un peu vite, là. Je te répète, on se connaît à peine...

— Tu ne crois pas au coup de foudre ?

— Euh... oui, j'imagine.

— Si t'es pas certaine, alors c'est que tu ressens pas la même chose pour moi, c'est ça ? C'est pas grave, ça va venir avec le temps. Tu vas apprendre à m'apprécier.

Là, j'en avais assez. Je m'efforçai tout de même de rester calme. Heureusement, nous avions fini notre repas. Je demandai l'addition à la serveuse, exprimant clairement mon envie d'en finir.

— Écoute, Normand, c'est bien flatteur toute cette attention que tu me prêtes, mais je ne pense pas que ça va aller plus loin. Je pense qu'un coup de foudre, ça arrive *bang!* comme ça, justement, pas petit à petit. Et j'ai pas envie « d'apprendre à apprécier quelqu'un », ça clique ou ça clique pas et pour moi, désolée, ça clique pas. Je suis certaine que tu vas trouver la bonne personne pour toi, tu as beaucoup à offrir…

Il demeura silencieux un bon moment. J'avais peur qu'il se mette à pleurer. Enfin, après un soupir à fendre l'âme, il répondit, me regardant dans les yeux :

— Oh, peut-être, on verra bien… Mais toi, tu ne trouveras jamais quelqu'un qui t'aurait aimée comme je l'aurais fait. Ça, je peux te le garantir.

— Peut-être, mais je vais tenter ma chance…

Son petit air de chien battu me donna la nausée. C'était une vraie comédie, cette soirée. Après avoir réglé chacun notre addition, je réussis à sortir du restaurant, Normand sur les talons. Il me raccompagna à ma voiture, même si j'aurais préféré qu'il disparaisse, et là, il me prit dans ses bras et me serra, beaucoup trop fort. Puis, il s'écarta brusquement, s'essuya les yeux et partit sans dire un mot. Ouf ! Il pleurait à chaudes larmes.

Quand je racontai ça aux filles, Valérie eut une drôle de mine.

— Pauvre chou. C'est pas drôle, il a sûrement vécu quelque chose de pas facile…

— Pauvre chou ? Valérie, imagine. Quand je suis arrivée à la maison, j'avais quatorze messages dans ma boîte de réception. Quatorze ! ! ! Des pages et des pages de pleurnichage, je les faisais défiler sans les lire, ça faisait peur ! Je l'avais blessé, je n'avais rien compris à l'amour, il me souhaitait tout de même d'être heureuse même en sachant que lui ne le serait jamais sans moi… J'me demande quasiment si je devrais pas aller au poste de police !

Maryse, en bonne maman, s'inquiéta :

— T'as bien dit qu'il connaît pas ton nom de famille, ni ton adresse, hein ?

— Ben non, j'suis pas folle, il a même pas mon numéro de cellulaire. Je donnerais pas ces infos à quelqu'un que je connais pas. Là je viens d'avoir la meilleure preuve que c'est une bonne idée !

Mais Valérie n'était pas convaincue. La Mère Teresa en elle ne pouvait s'empêcher de vouloir en savoir plus :

— Peut-être que son ex est folle ? Qu'elle le menace, le maltraite ?

— *Hey*, Val, si tu veux son numéro, j'te le donne avec plaisir ! Mais moi, je le bloque de mes courriels, c'est certain !

Valérie ne répondit rien, mais je sentais qu'elle souffrait pour la pauvre petite bête que j'avais blessée.

— T'sais, t'es peut-être passée à côté d'un homme incroyablement romantique et généreux...

— Non, là, c'était carrément *spooky*. J'te jure.

Je compris à cet instant que c'était exactement ce que recherchait Valérie. En effet, elle pleurait toujours en soupirant sur les fins de films romantiques, elle ne pouvait résister à lire des romans d'amour plus prévisibles les uns que les autres, elle ne pouvait se résoudre à laisser un animal abandonné dans la rue. Résultat : elle avait quatre chats et deux chiens dont sa fille tombait généralement amoureuse pendant une journée ou deux pour les oublier ensuite. Mais même pour elle, Normand était indéniablement trop, trop intense. J'imaginai d'ailleurs Sabrina devant un tel personnage. Mademoiselle l'ado blasée et sarcastique n'en ferait qu'une bouchée. Ouf !

Après cet épisode, je devins plus prudente. J'étais en contact avec trois autres hommes qui m'intéressaient, mais je n'eus plus envie de me farcir des soupers interminables au restaurant. Oui, j'en étais déjà venue à la même conclusion lors de ma série de *blind dates,* et je regrettais d'avoir dérogé à ce principe. Il me fallait devenir plus efficace. Je trouvais que le processus ressemblait à une entrevue d'embauche ? Eh bien, j'allais cesser d'imaginer, au départ, que j'allais rencontrer l'homme de ma vie, mais plutôt le contraire. Je resterais sur mes gardes et, surtout, j'irais droit au but.

Je me félicitai de toutes ces résolutions dès le rendez-vous suivant, avec un dénommé Jean-Louis. Sur ses photos, c'était un bel homme très masculin au crâne rasé, à l'allure jeune et à l'énergie débordante qui prétendait adorer jouer au football et pratiquer les sports extrêmes. L'homme que je vis entrer me fit instantanément penser à mon oncle Roger, en pire. Et ce n'est pas un compliment. Jean-Louis était frêle – c'est là qu'il m'avoua que ses photos dataient de « quelques années » –, tremblotant, et s'exprimait vraiment comme le frère aîné de ma mère qui, soit dit en passant, a quatre-vingt-douze ans. J'exagère à peine. Il m'avoua avoir menti sur son âge. Non, vraiment ? Si cet homme avait cinquante-deux ans, moi, j'en avais trente. Il me dit en avoir plutôt soixante-deux, mais je crus qu'il mentait encore. Je ne voulais surtout pas me livrer à mon imagerie mentale habituelle, je craignais que ça tue ce qu'il me restait de libido à tout jamais. Bref.

Au suivant.

Nico, l'Italien. On dit que les clichés ont la vie dure… Mais que dire des personnes qui les cultivent volontairement, ces clichés, et les hissent au rang de caricature vivante ? Ceux qui, pire encore, en retirent une fierté évidente ?

Nico arriva au café en gambadant. Très, très bel homme, chevelure abondante poivre et sel, traits bien dessinés, corps des plus attirants. D'emblée, je me vis mentalement au lit avec lui et ce n'était pas déplaisant du tout. Il s'approcha et... me saisit la main pour y poser un baiser. Bon, c'était différent et tout de même mignon. Il me complimenta sur mes yeux qu'il disait encore plus beaux que sur mes photos, mes cheveux qui avaient l'air aussi doux que de la soie... « J'aimerais bien y emmêler les doigts ! » Bon. Assez direct, aussi, ce qui ne me déplaisait pas forcément, d'autant plus que je voulais des rendez-vous « efficaces ». Il parla, beaucoup. C'était parfait, je n'avais aucun effort à faire.

En quinze minutes, j'appris qu'il était fier de ses racines siciliennes, qu'il aimait perpétuer la croyance selon laquelle l'étalon italien est le meilleur amant du monde, qu'il était maniaque de voitures sport voyantes et bruyantes, et qu'il aimait autant les belles femmes que le bon vin et la bonne bouffe. « Tu verras, avec moi, tu vas te faire gâter. Je suis un homme galant, c'est pas aux femmes de payer et de décider. Les femmes, leur rôle, c'est d'être belles, séduisantes, comme tu l'es naturellement. » Mouais. Cliché, un-peu-beaucoup ?

Au cours des mêmes quinze minutes, il répondit à trois textos et à deux appels. Il eut la décence de couper court aux conversations, mais j'entendis tout de même clairement des voix de femmes. En aussi peu de temps, j'appris presque tout sur sa très nombreuse famille, ses nièces qui étaient en train de devenir des jeunes femmes merveilleuses, sa mère qui habitait chez sa sœur, et de qui il prenait soin. Même si je l'avais voulu, je n'aurais pas pu placer un mot.

Il fallait absolument que je raconte ça à Maryse et Valérie parce que la conclusion était savoureuse. Enfin, ce n'est peut-être pas le bon mot à utiliser dans le contexte, mais disons qu'elle était à tout le moins divertissante. À la fin de son long monologue, Nico conclut, d'un ton presque solennel :

— Alors, ma belle, je t'intéresse ? Parce que si c'est le cas, il y a une dernière chose que je dois te dire, mais c'est la plus importante.

— Ah bon ? Quoi donc ?

— Bien moi, tu vois, j'ai le sang très chaud. Pour moi, l'amour et le sexe, ça va ensemble. Pas d'amour, pas de sexe. Mais pas de sexe, pas d'amour non plus, tu sais ? Et pas de sexe au moins deux fois par jour, pour moi, c'est impensable. Si je n'ai pas ça, faut pas s'étonner que j'aille voir ailleurs. J'ai des besoins, tu comprends ? Mais quand on est pressés, j'aime bien me faire sucer, c'est très bien aussi. Tu aimes ça, sucer ?

— ...

J'avais enfin l'occasion de parler, mais je ne savais absolument pas quoi dire.

Maryse et Valérie riaient comme des folles. Elles imitaient avec exagération l'accent italien que Nico avait pourtant très discret et me demandaient sans cesse : « *Et toi, Joulie, tou aimes ça, soucer ? Tou veux la mannnnnger, ma grosse queue ?* » Cela devint rapidement une blague récurrente entre nous. À cette étape, mes amies voulurent tout savoir du cinquième et dernier de ces cinq rendez-vous durant lesquels j'avais perdu de précieuses heures de ma vie. Mais j'hésitais. C'est que le dernier, Stéphane, m'avait vraiment déçue. Et je me demandais comment Maryse, surtout, réagirait. Je n'avais pas le choix.

— Stéphane, c'est le genre de gars que j'avais vraiment envie de rencontrer. T'sais un gars vraiment normal ? Pas de bibittes, pas de besoins particuliers, juste *normal.* Un beau grand gars, *cute,* yeux verts pétillants, vraiment pas mal. Il est chef dans un restaurant du centre-ville, vous imaginez comment il doit bien faire à manger ?

Valérie, l'air rêveur, s'en léchait les lèvres.

— Paraît que les cuisiniers, ce sont des hommes sensuels, aussi... C'est logique, quand tu cuisines, t'aimes ça goûter, j'imagine...

Maryse, elle, était plus pragmatique :

— M'en foutrais qu'il soit sensuel ou pas. Plus de repas à préparer ? J'me plierais à ses caprices deux fois par jour, j'irais même jusqu'à *mannnnnger sa grosse queue* sans problème pour ça !

— Bon. En tout cas. Parle, parle, jase, jase. On a pris notre café, mais c'était clair qu'on avait encore envie d'être ensemble, alors on est allés se promener, on s'est même arrêtés manger des moules dans un café. C'était tellement agréable ! Je le regardais et, pas besoin de vous dire que c'est pas juste une image suggestive de lui que j'avais en tête, mais tout plein. Je me demandais comment il embrassait, comment il me caresserait, s'il serait doux ou plus exigeant, parce que je trouvais qu'il avait en lui un mélange des deux. Finalement, il fallait qu'il se rende à son restaurant alors on est repartis vers nos voitures. Et là, les filles, on s'est embrassés. Mais embrassés... embrassés ! ! ! C'était tellement *hot* qu'il m'a entraînée dans une entrée en retrait pour qu'on soit plus à l'aise. On était en plein jour, quand même, et en pleine rue... Il embrassait comme un dieu, j'vous jure, j'avais la culotte tout humide. Ses mains me touchaient et me donnaient comme des chocs électriques.

Il avait détaché mon manteau et a glissé ses mains sous mon chandail pour toucher ma peau, ça me brûlait. Même si on gelait dehors, je sentais pas le froid pantoute. Si on avait pu louer une chambre drette là, on l'aurait fait. Mais je l'aurais regretté.

— Hein ? Pourquoi ? Enfin, y'en a un qui te plaît, tu lui plais aussi, apparemment, y'a pas de problème, pourquoi tu te retiendrais ? On est pus des enfants, pas besoin de faire la timide. Depuis le temps que tu chiales que tu manques de sexe ! s'exclama Maryse, d'un ton presque offusqué.

— Ben, y'avait quand même quelque chose. On a continué de même pendant plusieurs minutes et là je lui ai dit : « Écoute, faut arrêter ça ou en finir, parce que ça devient difficile à endurer, là… Faut vraiment que tu y ailles ? » Il m'a répondu : « Oui, mais c'est juste partie remise, si tu veux. Je serais libre même jour, même heure la semaine prochaine… » Ouf ! c'était beaucoup trop loin ! « Pourquoi pas ce soir, quand tu vas terminer au restaurant ? Il ne sera pas si tard ? » Et là, après une minute d'hésitation, il a lâché la bombe : « Faut que je te dise, c'est parce que je suis comme marié… »

— « Comme » marié ? ! ? Attends, là. Tu l'as pas rencontré sur un site, lui ?

— … Euh oui.

Après un moment de silence, elle ajouta :

— T'es en train de me dire que des hommes mariés vont sur ces sites pour tromper leur femme ?

Maryse était outrée, comme je l'avais craint.

— Apparemment. En fait, ceux qui sont mariés ou en couple le disent assez ouvertement. C'est assez clair. Ils ne mettent pas de photos, mais la plupart le disent. Lui, a fait le contraire. Maintenant que j'y repense, sa photo était floue et sa fiche vague. J'imagine qu'il ne voulait pas trop en dire sur lui-même, c'est pour ça qu'il m'a tout de suite donné une adresse courriel dès qu'on a commencé à s'écrire et que c'est par courriel qu'il m'a envoyé d'autres photos de lui. Salaud.

Valérie intervint :

— Tu devrais le dire à sa femme. Entre femmes, on devrait être solidaires.

Maryse abonda dans le même sens.

— À sa place, la pauvre, je voudrais le savoir... enfin, je pense. Ça a pas d'allure. Maudits hommes. S'il fallait que Gilles me fasse ça, je le tuerais ! ! !

— Voyons, Maryse, tu sais bien que Gilles ferait jamais ça.

— Je suis certaine que la femme de ton Stéphane se dit la même chose !

— Maryse, arrête. Y'a des salauds et des épais partout, mais pas tous les hommes le sont.

— C'est vrai, souligna Valérie. Les bons gars sont juste plus difficiles à trouver, et toi, t'as réussi. Félicite-toi au lieu de te fâcher contre les autres.

Une gigantesque accolade conclut cette partie de la conversation. Puis, soudain, Valérie me demanda :

— Pis, coudon, comment ça a fini ? Qu'est-ce que tu lui as dit ?

Ah, oui. Je n'avais pas fini, le meilleur arrivait.

— Je lui ai dit que je le trouvais dégueulasse, que je lui souhaitais de se faire tromper par sa femme, un jour, pour savoir ce que ça faisait. Et que j'espérais que ça fasse très, très mal. Et là vous savez ce qu'il m'a répondu ? Il m'a dit, en gueulant presque : « Avec tous les *fuckés* qui se trouvent sur le site, moi, au moins, ma situation est claire. J'aime ma femme, j'ai pas l'intention de la quitter. C'est juste que sexuellement, on ne s'entend plus. Moi au moins, je te raconterais pas d'histoires, je te traiterais super bien. Mais si t'aimes mieux quelqu'un qui va te mentir, voir plein de femmes en même temps, s'accrocher à toi ou te faire souffrir, *be my guest*. C'est pas le choix qui manque ! »

Maryse était hors d'elle.

— Oui, faudrait vraiment que sa femme le sache !

— Je connais pas son nom de famille, ni rien d'autre sur lui…

— Mais tu sais où il travaille, non ?

Oui, je le savais. Et j'avais bien l'intention de lui rendre une petite visite, un de ces quatre, mais pas tout de suite. Il me fallait une stratégie. On dit bien que la vengeance est un plat qui se mange froid, non ?

9

Je commence à en avoir assez des échanges stériles sans profondeur, des hommes séduisants qui recherchent une compagne, n'importe laquelle pourvu qu'elle soit jeune, jolie et féminine ; ils ont l'embarras du choix parce qu'ils savent qu'ils sont des denrées rares. Et ils en profitent, accumulant les rendez-vous pour pouvoir choisir celle qui leur plaît le plus ou qui baise le mieux. Ou alors, les plus ordinaires, eux, se contenteraient de n'importe quelle femme qui leur manifeste le moindre intérêt. N'importe quoi plutôt que rester seuls.

La plupart des hommes qui m'attirent physiquement cherchent une femme plus jeune que moi (ou plusieurs) et ça commence à me démoraliser. Je ne vais quand même pas essayer d'entrer en compétition avec des femmes de trente ans ! Quand je pense à ces filles qui nous piquent les gars de notre âge souvent juste parce qu'ils sont plus à l'aise financièrement, j'aurais envie de leur dire qu'elles aussi, elles vont vieillir, plisser, ramollir, et qu'elles vont se faire laisser pour une fille plus fraîche. Ça va leur arriver inévitablement, à elles aussi, et je voudrais leur mettre le nez dedans. Me semble que ça ferait du bien.

C'est quand même pitoyable qu'autant d'hommes veuillent se pavaner avec une jeune femme au moment même où ils ont de plus en plus de mal à bander. De là les profits colossaux du Viagra, j'imagine. Assez triste, quand même...

Très peu de « prospects » en vue depuis deux semaines. Je commence à sérieusement douter que cette méthode soit la bonne pour moi. Mais sinon, quelles sont les alternatives ? C'est pas la fin du monde, être seule. Je ne vais quand même pas me mettre à envisager de sortir avec des hommes de soixante ans et plus ou me planter au milieu de la rue en attendant une apparition divine ? Quoique...

Il était encore trop tôt pour baisser les bras, mais j'avais de plus en plus de mal à me donner la peine de répondre à mes messages et à trouver de l'intérêt à ces inconnus qui n'avaient pas grand-chose à dire. Mes journées étaient déjà bien remplies au bureau, je n'avais plus très envie, le soir venu, de passer des heures devant mon ordinateur.

— T'es trop difficile ! me sermonnait Valérie.

— Elle a le droit d'être difficile, répondait Maryse. Elle va tout de même pas se contenter de n'importe qui juste pour être avec quelqu'un !

— Non, mais tu flushes plein de gars intéressants juste parce que leur photo te plaît pas au premier regard... T'sais, pas tout le monde est photogénique, tu passes peut-être à côté de quelqu'un de vraiment bien juste parce que tu cherches le beau gars du siècle !

— Je cherche *pas* le beau gars du siècle ! Mais me semble que c'est normal d'avoir envie que ça fasse « wow » quand je vois quelqu'un. Un beau sourire, un regard qui pétille, une face sympathique, quelque chose ! Tu penses vraiment que les gars font pas la même chose, Val ?

— Ben oui, sûrement, mais la beauté, y'a pas juste ça…

Non, évidemment, elle pouvait bien dire ça. Elle me mettait hors de moi, des fois. Elle n'avait pas tout à fait l'allure d'un mannequin elle-même, ce n'était pas son genre. Néanmoins, selon moi, elle aurait pu se trouver un style plus avantageux. Au moins, et cela était tout à son honneur, elle avait l'intelligence de ne pas rechercher de mannequin non plus, loin de là. C'était clair, à voir les hommes qu'elle avait fréquentés au cours des dernières années. Elle continua tout de même à faire valoir son point :

— T'sais les hommes trop beaux, c'est souvent des salauds qui courent à droite et à gauche, pas capables de laisser passer une conquête potentielle. Comme ton Sylvain ou l'Italien. Moi, je préfère nettement les gars ordinaires qui peuvent m'apprécier et me faire sentir belle et désirable…

— Oui, mais toi, tu les désires, au moins ? Parce que ton dernier, là…

Maryse me jeta un regard mauvais. Elle avait raison, ce n'était pas très gentil de ma part. Mais Valérie l'avait cherché. Si mon seul choix était de me retrouver avec un petit gros à moitié chauve et à moustache comme Pierre, le dernier sur la liste des copains de Valérie, je préférais rester seule. Elle disait que ces gars la faisaient sentir belle et désirable. J'espère bien ! Ils en avaient de la chance de se trouver une fille comme Valérie ! Elle n'aurait peut-être pas fait la couverture d'un magazine, mais elle avait une beauté discrète, classique et bien réelle qu'elle sous-estimait comme bien des femmes, d'ailleurs. Mais ce Pierre… Brrr ! À chacune ses goûts… Je demandai à Valérie de m'excuser, mais un malaise s'était bien installé.

Je changeai de sujet, essayant d'en savoir plus sur les états d'âme de Maryse. Elle était toujours secouée par mon histoire de gars marié et il était évident qu'elle subissait une certaine tension à la maison. Elle se confia du bout des lèvres :

— Ben non, ça m'achale plus cette histoire-là. C'est Oli qui m'énerve, sa blonde surtout. Elle est tellement traîneuse ! Et en plus, elle mange jamais ce que je fais pour souper, parce que Madame est végétarienne. Elle boude ou va se chercher de la salade au IGA. Oli m'a demandé de faire un effort et de préparer des repas qu'elle pourrait manger. Non mais, j'ai pas élevé mon fils de même, me semble ! Gilles a pété les plombs, il lui a dit que s'ils étaient pas capables d'apprécier mes repas, ils avaient juste à repartir et manger leur végé-pâté ailleurs. Moi, je suis toujours prise entre les deux ! Je suis contente qu'Oli soit là, mais, en même temps, ils me font suer et je passe mon temps à ramasser… comme si le fait que je travaille de la maison veut dire que j'ai juste ça à faire. En fait, j'en peux plus ! J'ai pas eu des enfants pour m'en occuper jusqu'à ce qu'ils aient trente ans ! Je commençais à trouver ça *l'fun* d'avoir ma maison à moi toute seule quand Gilles travaille, et là, j'me retrouve comme quand Olivier était ado, mais avec sa fatigante, en plus ! Je regarde ma petite voisine Jessica, avec ses deux petits choux et je me souviens quand mes enfants avaient l'âge des siens. C'était tellement simple ! On pense qu'ils grandiront jamais et tout à coup, paf ! Sont adultes et on sait plus trop comment *dealer* avec ça…

— Bon. C'est juste temporaire, tu le sais bien. Au moins, Fanny, elle, ça va toujours bien à l'université ?

Je tentais d'être encourageante.

— Ben oui, Fanny tripe fort, elle étudie, elle est très à son affaire. Deux enfants des mêmes parents, et si différents...

Valérie se joignit à la conversation :

— Un enfant, tu sais jamais ce que ça va donner... Sabrina est tout le contraire de moi, et je sais plus quoi faire avec elle ! Elle est tout le temps fâchée, boudeuse, chialeuse. Je suis à bout...

Maryse, soulagée que le projecteur ne soit plus braqué sur elle, sauta sur l'occasion :

— Pauvre chouette ! C'est pas drôle, l'adolescence, tu vas voir, ça va passer !

Elles passèrent des commentaires desquels je me sentais exclue. Je ne connaissais rien à l'adolescence sauf ce que j'avais moi-même vécu, et il me semblait que c'était bien différent. Je pouvais bien penser que Sabrina était une princesse gâtée pourrie, il n'en restait pas moins que Maryse était mieux placée que moi pour encourager Val et lui prodiguer des conseils pertinents.

Laissant mes amies discuter des travers de leur progéniture, je les embrassai et pris congé, ayant envie de replonger dans mes égoïstes pensées et mes petites préoccupations amoureuses. Je m'interrogeais sérieusement sur l'efficacité des sites. Mais ce soir-là, deux messages m'attendaient. Deux hommes ranimèrent en moi une petite flamme d'espoir, fragile, mais bien réelle. Je leur répondis sans tarder, sourire aux lèvres. Puis, les échanges devinrent plus réguliers avec chacun d'eux et je décidai, cette fois, de prendre le temps de leur parler au téléphone quelques fois avant de les rencontrer. Ce serait peut-être plus concluant ?

Ils étaient très différents et cela me plaisait. Après tout, je n'avais pas d'idée précise du « style » d'homme que je recherchais, et je gardais l'esprit ouvert. Robert était ingénieur, et Simon, traducteur, tout comme moi, mais également interprète pour différentes entreprises. Ce dernier m'attirait particulièrement. De nombreux aspects de sa personnalité me plaisaient et je ressentais une aisance à discuter avec lui au téléphone. Cela rendait le tout excitant. J'espérais tant que ces deux ultimes tentatives ne soient pas aussi décevantes que les premières…

Il faut qu'il se passe quelque chose. J'ai l'impression de me retrouver devant un buffet bien garni, mais dans lequel les plats sont mal présentés, et ça me coupe presque l'appétit. Moi ? Il faudrait bien que se présente un beau gros gâteau que j'aurais envie de dévorer d'une seule bouchée dans ce buffet d'esseulés. Besoin d'excitation, ma peau autant que ma tête. J'ai envie de sourire comme une épaisse, pour rien, juste parce que je sais que mon body *va pouvoir enfin se faire toucher partout, se faire lécher et embrasser. Je me touche le soir et, au lieu de me soulager, ça me déprime. C'est la main d'un homme que je veux, sa queue dure et impatiente, délicieuse. Merde, je suis en train de gaspiller mes talents de suceuse et de jouisseuse et ça m'impatiente. C'est bien beau les jouets et les caresses solitaires, mais j'ai besoin de me faire malmener par un homme. Là, maintenant. Ça vient, là ? (jeu de mots douteux mais approprié)*

Robert, l'ingénieur, avait quarante-sept ans et travaillait deux semaines par mois à l'étranger. J'aimais bien le fait qu'il ne soit pas toujours dans les parages ; ça éliminait tout risque qu'il devienne envahissant. Il m'apparaissait comme étant très calme, structuré, intéressant. Il était de toute évidence capable d'un minimum de séduction, aimait le romantisme et gagnait bien sa vie. Sa photo montrait un homme d'allure jeune, sympathique, avec un magnifique sourire. J'acceptai avec un peu de réticence de souper avec lui. Je ne voulais tellement pas d'un autre désastre qui durerait des heures... mais il insista tant à force d'arguments convaincants que je finis par accepter.

Maryse soupira quand je le lui annonçai.

— T'apprends pas, hein ? Tu vas encore revenir en te disant que t'aurais dû m'écouter ! Ben là, je m'obstine plus. Tu veux gaspiller une soirée, vas-y.

— J'avais pensé que tu pourrais peut-être me texter, vers huit heures ? Comme ça, je pourrais donner une excuse du genre que j'ai une amie qui a besoin de moi ?

— OK, je peux bien faire ça. Je te souhaite que ça soit *l'fun* quand même.

Si même Maryse n'était pas positive à l'égard de mes rendez-vous, ce n'était pas bon signe. Elle qui m'avait tant encouragée se montrait désormais aussi pessimiste que moi, comme si ça la touchait personnellement. C'était, malgré le contexte, mignon et gentil, comme forme de solidarité !

Malgré mes récentes désillusions, j'avais tout de même des palpitations en arrivant au restaurant. Maryse avait bien raison, je n'apprenais pas. Je repérai tout de suite Robert. Sa photo était assez ressemblante. Il paraissait très bien, mais... dès les premières minutes, je sus que le fameux déclic tant espéré ne se produirait pas. Était-ce l'épaisse chaîne en or qu'il portait au cou ou la bague trop massive qui ornait sa main droite ? La chemise ouverte sur son torse épilé ou les sourcils trop parfaitement dessinés pour avoir l'air naturel ? Tout ça ensemble, j'imagine. Mais si ça n'avait été que ça... Tout au long de l'entrée, j'eus droit aux récriminations sans fin sur ses nombreuses ex, des femmes « belles comme des top-modèles, mais méchantes et idiotes », dont une épouse particulièrement capricieuse et matérialiste qui lui avait fait perdre sa maison. Entre l'entrée et le plat principal, il changea enfin de sujet et ça devint beaucoup plus agréable. En dépit de cela, il ne provoquait pas en moi le moindre petit frisson d'intérêt. Je ne comprenais pas pourquoi ; il était pourtant de bonne compagnie, intelligent, drôle, avait de l'esprit et était séduisant... Pourquoi n'arrivais-je donc pas à m'y intéresser davantage ? J'étais découragée de moi-même. Je ne pouvais pas choisir qu'un homme m'attire ou non ; clairement, ça ne se commandait pas. J'en eus brusquement assez de tout ça et je me demandai comment je parviendrais à tenir jusqu'au dessert. J'avais pourtant fait tout ce qu'il fallait pour éviter ce genre de situation ; nous avions discuté au téléphone pendant quelques heures très agréables, ses photos me plaisaient, pourquoi fallait-il qu'il me laisse aussi totalement indifférente en personne ?

Je soupirais d'une lassitude profonde lorsque je reçus un texto. Maryse ne m'avait pas laissée tomber ! J'accueillis la diversion avec un soulagement démesuré et une immense gratitude. Sans devoir partir immédiatement, je pourrais au moins évoquer la détresse fictive de mon amie pour ne pas éterniser le repas. Je m'excusai auprès de Robert et constatai, ravie, que le texto ne venait pas de Maryse, mais plutôt de Simon, mon candidat numéro deux avec qui j'avais rendez-vous le surlendemain. Feignant l'inquiétude devant Robert, je me mis à échanger quelques textos avec lui. Mais quand le plat principal fut servi, je dus interrompre cet agréable intermède sur une promesse de lui parler plus tard.

C'est ainsi qu'au bout de longues minutes de conversation dans laquelle je ne m'investissais pas tellement, je pus décliner le café en prétextant devoir rendre visite à Maryse qui, supposément, se remettait difficilement d'une opération. Je voulais en finir. Robert me demanda quand nous pourrions nous revoir en essayant de m'embrasser. Je détournai la tête à temps.

Malaise… mais qu'avaient-ils tous à penser que c'était gagné automatiquement ? Se croyaient-ils tous irrésistibles ? Ne voyaient-ils pas qu'ils n'avaient aucun effet sur moi avant d'en arriver là ?

— Merci pour l'agréable soirée, Robert, mais je suis désolée, je pense pas que tu es celui que je cherche.

Je m'attendais évidemment à ce qu'il me réponde froidement ou avec une indélicatesse quelconque. Mais à ma grande surprise, il me répondit plutôt :

— Je comprends, c'est pas grave. Dommage pour moi, mais je te souhaite bonne chance, Julie, t'es une belle femme intéressante, t'auras sûrement pas de misère à trouver le chanceux qui va pouvoir te rendre heureuse.

Il m'embrassa sur les joues en me tenant les épaules et, à mon grand désarroi, je sentis mes yeux se remplir d'eau.

Vraiment ? Allais-je vraiment trouver ce que je cherchais ou étais-je plutôt condamnée à errer pendant des années entre des oncles Roger, des Sylvain et autres Normand avant d'abandonner ? Peut-être, après tout, que Valérie avait raison et que j'étais trop difficile ? Cette recherche, cette quête m'apparut tout à coup à la fois puérile, futile et impossible. Je voulais être l'indépendante qui n'avait besoin de personne, qui n'avait pas peur de la solitude et qui pourrait se contenter de quelques amants de passage pour être heureuse. En même temps, je ne pouvais m'empêcher de me dire que je n'avais pas été aussi insatisfaite pendant aussi longtemps, que je n'avais pas gaspillé mes plus belles années aux côtés d'un homme qui ne m'appréciait pas pour en arriver à sécher, seule, comme une vieille prune. C'était ironique et trop injuste.

Je rentrai chez moi en pleurant. En regardant mes joues noircies de mascara, j'eus honte de ma faiblesse. Et je pleurai de plus belle.

— Bon, écoute, il te reste un rendez-vous, après t'aviseras. Et il me semble qu'il te tente, celui-là, non ?

— Ils me tentaient tous, Maryse ! C'est ça le problème ! Ou bien je suis totalement pourrie pour détecter les idiots, ou bien je suis vraiment, mais vraiment malchanceuse. Si celui de demain est décevant, j'abandonne !

— Le dernier était gentil, c'est une évolution, quand même...

— Oui. Très gentil, même. J'étais pas déçue à cause de lui. Et les autres étaient pas tous des *losers*. Y'aurait pas pu me plaire ? Ben non ! Mon Dieu, Maryse, des fois je me demande si je peux encore ressentir quelque chose d'excitant. C'est peut-être moi, le problème ? J'ai peut-être quelque chose de cassé, en dedans, qui fait que même si Brad Pitt me demandait de sortir avec lui je refuserais ? Arghhh ! C'est sûr que Fernando m'a montré que non, mais c'étaient les hormones qui parlaient, je le comprends maintenant... C'est moi, le problème, hein? Oui, ça doit être ça. Pourquoi c'est si compliqué?

— Euh, si Brad se pointait, je suis pas inquiète. Tes hormones, comme tu dis, s'énerveraient tellement que le reste suivrait. Mais je pense qu'il est pas disponible, alors attends pas trop après lui. J'avoue que ce serait bien si tu pouvais t'exciter le *body* pour un gars, mais qu'il y ait autre chose aussi. Je sais pas quoi te dire, Julie. Je suis certainement pas la mieux placée! La dernière fois que j'ai été célibataire, c'était pas la même *game*...

— Non, ça l'était pas pour moi non plus, et ça fait pas si longtemps que ça! C'est quoi l'affaire? On se posait moins de questions? On était moins difficiles?

— Non, on était pas moins difficiles, y'avait plus de beaux gars à vingt ans qu'à cinquante, c'est tout! Et c'était pas mal juste ça qui comptait, à l'époque, avoue. Tu vas finir par en trouver un à ton goût, faut juste que tu sois patiente.

— Ben oui. Avec ma chance, si ça arrive un jour, c'est lui qui ne voudra pas de moi. De toute manière, encore faut-il le trouver!

— Ben, c'est peut-être le prochain, là. C'est quoi, son histoire, lui? C'est pas un nouveau divorcé?

— Non, lui il est seul depuis plusieurs années. Un gars autonome, « au passé réglé » pour parler comme tout le monde sur le site.

Valérie fit une grimace:

— Au passé réglé, ben oui. Ils disent tous ça et demandent la même chose. Pfff! Je suis certaine que si t'avais demandé à Robert si son passé était réglé, il t'aurait répondu oui, mais aurait quand même passé une partie de la soirée à bitcher contre ses ex.

— Ouain. Mais sérieux, Robert était cool, juste pas pour moi. En tout cas, Simon, le prochain, a vraiment, mais vraiment l'air d'un gars normal. Je sais, j'ai dit ça pour les autres, aussi. Mais là, je me demande déjà ce qui va clocher avec lui. Ça prouve qu'au moins j'apprends quelque chose, non ? On verra bien…

Valérie me demanda :

— Et tu lui as demandé s'il était marié ? S'il cherchait un endroit pour déménager, s'il fallait qu'il baise deux fois par jour ou de quand datent ses photos ?

— Ou, ajouta Maryse, *si toi, Joulie, tou aimerais ça, soucer sa grooooosse queue ?*

Je ris. J'aurais pu, en effet, bâtir un questionnaire avec tous ces éléments qui, si j'en avais entendu parler avant de les vivre, m'auraient paru exagérés. Ouep, quand la réalité dépasse largement la fiction…

Maryse, retrouvant l'optimiste que j'avais senti vaciller chez elle depuis quelque temps, ajouta :

— Peut-être qu'il y a rien qui cloche, ça se peut, t'sais. Il est comment, quand vous textez ou parlez au téléphone ?

— Il est… drôle, intelligent. On aime vraiment les mêmes choses, la même musique, on parle le même langage, t'sais ? Comme il est interprète-traducteur, on s'amuse à traduire tout croche des expressions usuelles comme « À plus ! » par *at more !*, c'est drôle. Peut-être pas pour vous autres, mais moi je trouve ça charmant. Je sais pas trop comment expliquer, j'ai l'impression de le connaître depuis longtemps, tellement c'est facile jaser avec lui de toutes sortes de sujets.

— T'es nerveuse, là, constata Valérie.

— Un peu, oui, mais pas de la même façon. Pour la première fois je sens que, au pire, il pourrait devenir un bon ami, quelqu'un avec qui j'aurais envie de faire plein de choses. On verra bien. Peut-être que je lui plairai pas, c'est pas garanti…

— Ben voyons ! s'exclama Maryse. T'as tout ce qui faut. T'es super belle, intelligente, t'as juste à être toi-même et ça va bien aller. Reste à voir si physiquement, pour toi, ça va te tenter…

— Ce que j'ai vu m'a vraiment accroché… Mon genre, complètement ! Mais je veux pas m'emballer. Les photos, ça peut être trompeur, j'en sais quelque chose. Et Maryse, tu vas me chicaner, mais oui, je vais souper avec lui. Il m'a invitée dans un petit resto espagnol qui a l'air vraiment sympathique… C'est déjà mieux que la Cage aux sports, comme premier rendez-vous !

— Je te chicanerai pas pantoute. Je vais te texter, par exemple !

— Comme l'autre soir ? demandai-je, sarcastique.

— J'ai pas pu, l'autre soir ! J'avais comme une crise, à la maison, avec Oli. C'est réglé maintenant…

— Seigneur, ça s'arrange pas, hein ?

— On va y arriver. Et promis, ce soir, je t'oublierai pas.

— Merci, t'es fine. Par contre, j'vous le dis tout de suite, si Simon est pas mieux que les autres, je vais lâcher les sites, ça devient vraiment trop déprimant. Et Val, je te promets que je t'achalerai plus avec ça.

— Tu m'as pas tellement achalée, jusqu'à maintenant.

— Non, j'attendais de voir ce que ça donnerait, mais c'est pas moi qui vais essayer de te convaincre.

Nous trinquâmes à ça. Un dernier rendez-vous et, après, je verrais.

Pour voir, je vis. Et pas à peu près…

10

Pourquoi j'ai l'impression qu'il va se passer quelque chose d'important dans ma vie ce soir? Suis-je la seule à avoir ressenti le déclic, l'indéfinissable sensation que nos échanges sont à des années-lumière des banales conversations que j'ai pu avoir avec tous les prédécesseurs de Simon? Quand je lui parle, je suis toute chamboulée par sa voix, grave et si chaude. Quand je reçois un message de lui, je suis excitée comme… une Julie un soir de pleine lune et je souris pendant des heures. Parce que ça signifie qu'il pense à moi, j'imagine. Ce n'est pas seulement à cause de l'effervescence printanière que je l'imagine déjà dans mon lit, même si je ne l'ai pas encore vu en chair et en os. S'il voyait les scénarios qui défilent dans ma tête, il se sauverait sûrement. Je me vois l'attaquer, pratiquement, déverser sur lui toute mon impatience de sentir un membre gigantesque me défoncer. Dans ma tête, je prends le contrôle, je lui arrache ses vêtements avant de l'immobiliser et de lui sauter dessus, en m'empalant sur lui jusqu'au fond de mon ventre. J'ai chaud, je suis irritable, j'ai besoin de peau.

En attendant, je me délecte des petits mots drôles qu'il m'envoie, de son sens de l'humour, de ses intérêts.

J'observe attentivement ses photos, celles qui le dévoilent sous son vrai jour, au naturel, et qui me permettent d'entrevoir de nouvelles expressions, un nouveau profil, un regard rieur. Je peux pas lui demander de m'envoyer des photos de son corps, et c'est dommage. Au moins, je pourrais essayer de me représenter de quoi il a l'air, nu et sans défense, à la merci d'une Jujube, ha, ha !

Ça m'a tellement manqué, cette sensation d'être présente dans les pensées de quelqu'un et d'avoir cette même personne en tête presque constamment. L'anticipation de le voir, de le toucher, de le connaître, l'idée que je pourrais le deviner, même, un jour. Il faut que je me calme, j'en suis consciente. Il n'est qu'un autre inconnu parmi tous les autres qui ne sont passés qu'en coup de vent dans ma vie, l'espace d'une soirée. En sera-t-il de même pour lui ? Est-ce que je me raconte des histoires, en pensant qu'il y a plus, cette fois ? Je l'ai déjà pensé, pourtant…

À suivre…

Ce fut donc par un beau soir d'avril sentant bon le printemps que Simon entra concrètement dans ma vie. Il avait fallu que je perde tout ce temps sur le site avant de le rencontrer, au moment même où j'allais renoncer. C'est lui qui fit le premier pas en m'écrivant, à mon grand étonnement. En général, ce genre de gars – vraiment un très bel homme dans la fin quarantaine, élégant, classe, au ventre apparemment plat et au crâne bien garni d'adorables boucles châtaines dans lesquelles flottaient quelques mèches grisonnantes du plus bel effet – recherche une femme sensiblement plus jeune que moi, ou alors se contente d'écrire des banalités sur sa fiche. Lui, se décrivait comme un « intellectuel sportif sachant s'amuser, préférant les discussions intelligentes aux échanges superficiels, recherchant complicité et passion avec une femme indépendante et autonome ». Exactement le genre de description que j'avais rêvé de lire. Il disait avoir quarante-huit ans mais paraissait plus jeune, du moins en photo. Charmant, vraiment, ce qui ne faisait que m'inciter à me méfier. Demeurant vigilante, je poursuivis nos échanges que je trouvais passionnants. Il s'exprimait très bien, n'était pas avare de détails, ne semblait ni prétentieux, ni arrogant, plutôt direct et franc, ce qui me plaisait énormément. Bref, après quelques jours, j'eus envie de lui parler au téléphone afin de voir si nos voix nous plairaient autant que le reste. La conversation se poursuivit pendant presque deux heures sans que je m'en rende compte. Deux heures à parler de toutes sortes de sujets sur lesquels nous étions, à peu de choses près, toujours d'accord. Quand nous ne l'étions pas, je trouvais son point de vue intéressant, lui de même, et nous en discutions avec aisance. Rien en lui, tout au long de ces deux heures, ne me déplut, ni même m'agaça. Au contraire.

Ouf... pressentant toutefois un certain danger, je renforçai ma garde. Il proposa une rencontre dans un petit resto espagnol dont il connaissait les propriétaires pour les avoir connus à la suite d'un long séjour solitaire en Espagne plusieurs années auparavant.

En le voyant, je ressentis quelque chose d'étrange. Cette impression que j'avais de le connaître depuis longtemps décupla. La seule autre fois où cela m'était arrivé était lorsque j'avais rencontré Danny. Simon m'attendait à l'entrée du restaurant et je le trouvai encore plus beau que sur sa photo. Trop ? Peut-être. Il me sourit et je ressentis tout de suite les papillons s'agiter comme des fous dans mon estomac. L'établissement aux couleurs chaudes et aux effluves appétissants était très accueillant et, tandis que Simon me présentait au patron et à sa femme, je l'observai subtilement. Je chassai vivement l'image explicite qui me vint en tête. Elle aurait été beaucoup trop excitante et m'aurait distraite de la conversation. Simon discutait avec animation, trahissant une longue amitié et une affection partagée. J'étais fascinée par ses cheveux, souples et soyeux, qui lui chatouillaient les épaules. Celles-ci étaient puissantes, sans toutefois sentir le gym à plein nez. Il était assez grand, portait des vêtements à la fois élégants et décontractés et une eau de Cologne discrète qui me faisait tourner la tête. Ses yeux rieurs, d'un bleu foncé comme je n'en avais jamais vu, me réchauffaient les pommettes chaque fois qu'ils se posaient sur moi.

La petite table en retrait à laquelle nous étions installés favorisait la discussion. Le décor était des plus chaleureux, tout en ocre, rouge et bleu, et invitait à la détente. Je me sentais merveilleusement bien, et je crois que j'arrivais assez bien à dissimuler ma nervosité. Fébrilité, plutôt. Je voulais absolument faire bonne impression, mais j'avais terriblement peur de gaffer. C'était une première. Moi qui croyais pourtant m'être préparée à ce moment pour l'avoir tant attendu, j'étais une loque. Lui semblait très à l'aise, comme s'il était chez lui et ne cherchait pas à m'impressionner. Il n'en avait pas besoin, il le faisait sans même ouvrir la bouche. C'était déstabilisant.

Un délicieux Rioja accompagna une variété de tapas plus savoureuses les unes que les autres. La conversation coulait facilement, je voulais tout savoir de Simon, et chaque détail que j'apprenais m'enchantait. Du reste, plus la soirée avançait, plus j'avais de mal à le décoder.

Il m'avait confié que la solitude lui pesait de plus en plus, même s'il avait bien apprivoisé le célibat, son état depuis plusieurs années. Il m'avoua candidement avoir été blessé et, depuis, avoir du mal à se laisser porter par une éventuelle relation. Il n'était même pas certain d'en avoir envie. Du même souffle, il prétendait aspirer à la passion, à la complicité avec quelqu'un qui accepterait son rythme et, surtout, ses horaires de travail parfois imprévisibles. Il devait voyager fréquemment, travaillant surtout lors d'événements internationaux requérant ses services d'interprète, et souvent à la dernière minute, pour des séjours variant de quelques jours à quelques semaines. Ça me déprima quelque peu et m'intrigua en même temps... Je ne pus m'empêcher de lui demander :

— Mais tu dois tout de même avoir envie de t'approcher plus concrètement de quelqu'un, non ? Tu cherches quelque chose, si tu traînes sur un site de rencontre. Sinon, tu dois avoir du temps à perdre, parce que moi, ce que je constate depuis que je fréquente ces sites, c'est qu'il s'agit d'une incroyable perte de temps !

— Pour être honnête, je ne sais pas. Je ne cherche pas réellement, j'observe. Je sais que je ne suis pas tellement encourageant, mais j'aime autant dire les vraies choses...

— Non, pas encourageant, mais ta franchise compense !

— Et... je pourrais constituer un beau défi, non ?

Ces paroles furent dites avec son magnifique sourire et un clin d'œil. Pas un clin d'œil arrogant, ni condescendant, ni lubrique. Juste une jolie œillade de complicité. Me lançait-il une invitation à ce fameux défi ? Bof. Un défi était la dernière chose dont j'avais envie. Les complications, les conquêtes difficiles et les hésitations ne m'attiraient vraiment, mais vraiment pas. Mais comment résister à ça ? À ce sourire de petit garçon espiègle, à ces mèches châtaines qui dansaient autour de son visage que je brûlais de caresser ? J'eus une folle envie de l'embrasser, mais je me retins. Pas assez sûre de sa réaction. Une énigme, voilà ce qu'il était.

Une fois le repas terminé, la merveilleuse soirée continua dans un bar du même quartier, un de ces endroits feutrés au jazz discret. À cette heure avancée, malgré l'attirance sans cesse grandissante que je ressentais pour Simon, je restais, plus que jamais, sur mes gardes. Je me demandais comment cette soirée se terminerait, sachant très bien que s'il n'en tenait qu'à moi, je ne retournerais pas chez moi avant l'aube. Mais je me contenterais sans problème de la conclure sur un prochain rendez-vous fixé, et dans un avenir assez rapproché, autant que possible. Mais encore ?

Après quelques verres, comme il se faisait tard, Simon me raccompagna à ma voiture. Je ne voulais pas que cette soirée s'achève. Tous les hommes que j'avais rencontrés au cours des dernières semaines avaient au moins tenté de m'embrasser à la fin de la soirée. Il en irait sans doute de même avec lui sauf que, pour une fois, j'en mourais d'envie. Mais… rien n'était acquis. Je venais de passer presque sept heures avec lui, sept heures qui m'avaient paru pleines de promesses, de sous-entendus mais aussi de vérités toutes nues qui me laissaient indécise et perplexe.

Je lui pris le bras pour marcher ; sans s'éloigner, il ne fit toutefois aucun geste. Il fallait qu'il m'embrasse, je le souhaitais *vraiment*. Mais que se passait-il ? Pourquoi en étais-je réduite à douter ? Ce n'était pas du tout mon genre. Quand je voulais quelque chose ou quelqu'un, je n'attendais pas une invitation écrite, j'agissais. Mais avec lui, je perdais mes moyens. Aussi, lorsqu'il se contenta, au moment de nous quitter, de tout petits baisers sur les joues avant de s'éloigner sur un vague « à bientôt ! », mon cœur sombra. Les papillons qui s'étaient épivardés dans mon estomac toute la soirée s'effondrèrent au bas de mon ventre en une boule dense, lourde et somme toute assez désagréable.

Merde.

Oui, merde ! Je n'arrête pas de repasser le film de cette soirée et je ne sais pas quoi penser. Mon Dieu. Qu'est-ce qui me prend ? Pourquoi j'ai l'impression qu'il vient de se passer quelque chose de spécial ? Parce que j'arrête pas de penser à lui, au bleu particulier et si rare de ses yeux, à sa voix grave, à son odeur ? Je me demande comment il embrasse. C'est tellement révélateur, un baiser ! Mais il ne m'a même pas donné l'occasion de savoir. Comme s'il s'enfuyait, c'est l'impression que j'ai eue. Ou peut-être que non, je ne sais plus. Nous ne nous sommes vus qu'hier et il me semble que ça fait une éternité.

Pas de nouvelles. Je sais, seulement une vingtaine d'heures se sont écoulées. La patience n'est pas ma plus grande qualité, mais j'aurais tant aimé avoir un signe quelconque… Je fais le premier pas ou j'attends ? Je ne veux pas le bousculer, mais il me semble qu'il devrait savoir que j'ai vraiment envie de le revoir, non ? Et… si c'était aussi le cas pour lui, il me l'aurait indiqué d'une façon quelconque, alors, j'imagine que non. Quel dommage... Et si...et s'il n'attendait qu'un signe de ma part ? Arghhh ! Au secours !

Je tombais constamment dans la lune. Notre souper de filles quasi hebdomadaire était pourtant aussi animé que d'habitude, mais j'avais la tête ailleurs. N'en pouvant plus, Maryse et Valérie me supplièrent d'en finir et de cracher le morceau puisqu'il était évident que j'étais avec elles sans y être vraiment. Il me tardait d'avoir l'opinion de maman-Maryse, qu'elle se ferait sans doute une joie de m'offrir. Je leur relatai donc ma rencontre avec le plus de détails possible. Maryse but une longue gorgée de vin et me dit, sur un ton pratiquement sans réplique :

— Écris-lui. C'est clair, voyons ! T'as rien à perdre. Quand même juste pour le remercier de la soirée. Et c'est pas ton genre, de rester là à attendre sans savoir ce qui va se passer. T'as décidé de prendre ta vie en main, ça en fait partie, non ? Si tout ce que tu m'as dit est vrai, peut-être qu'il est juste sur les *brakes*, qu'il n'ose pas aller trop vite parce qu'il a ressenti la même chose que toi et que ça lui fait peur...

— Tu penses ? Ça se peut. Le problème, c'est que je n'arrive pas à savoir si c'est mon imagination, ou si c'est aussi vrai que je le pense. Peut-être que j'avais juste tellement hâte de tomber sur quelqu'un qui me plaît que j'exagère l'effet qu'il m'a fait ?

— Ça se peut, très bien, même. T'étais découragée, peut-être que c'est juste parce que c'est le premier sur qui tu tombes qui a de l'allure. Mais que ce soit ça ou non, et je ne le pense pas, faut que t'en aies le cœur net. Tu peux pas courir la chance de passer à côté de l'homme de ta vie juste parce que tu oses pas vérifier, quand même !

— Wôhhh, doucement, là, l'homme de ma vie ! Je suis même plus certaine de croire encore en ce genre de choses. Je commencerais bien par l'homme de ma nuit, pour le moment ! Peut-être qu'il est plate au lit, on ne sait pas... mais j'ai plutôt l'impression que non !

— OK d'abord, mettons juste potentiellement la baise du siècle, alors... N'essaie pas de me faire croire que t'as envie de laisser passer ça plus que le reste, pas toi !

— Euh... Vu de même...

Touché. Il y avait vraiment trop longtemps que j'avais pu caresser, goûter le corps d'un homme et m'y coller, ça me manquait cruellement. L'effet de Marc et de Fernando sur ma peau n'était qu'un trop vague souvenir. Mais c'était plus que ça.

— T'es pas du monde, tu déprimes, tu te décourages, tu doutes de toi, je te reconnais plus, Julie, c'est pas toi, ça. Et je vois juste une explication : manque de sexe sévère. J'te garantis qu'une soirée ou une nuit avec ton beau châtain aux yeux bleus, et tu redeviens la fille que j'ai toujours connue, qui fonce dans le tas. Tout va être plus clair, après. Là, tu pourras voir si y'a quelque chose qui se dessine avec lui ou non.

Je ne savais pas quoi répondre, mais il était évident qu'elle avait raison et me connaissait apparemment mieux que je me connaissais moi-même.

— OK, mais tout d'un coup qu'il me trouve trop pressée ?

— Euh, Julie, tu *es* pressée. La *situation* presse. C'est une urgence, un cas de force majeure. En plus, quel gars n'aime pas savoir qu'une belle femme s'intéresse à lui, surtout pour baiser ?

— Ouain... J'sais pas trop.

— OK, je prends les grands moyens. Ferme les yeux.

Je ne voyais pas où elle voulait en venir. Elle répéta son ordre et j'obéis. Elle poursuivit :

— Bon. Maintenant, tu le vois, ton Simon. Imagine-toi que vous êtes seuls, dans une belle pièce où y'a un grand lit, un foyer qui flambe, une bouteille de vin, deux verres, et lui qui t'embrasse.

Il ne me fallut que quelques secondes pour que l'image soit bien claire. Il m'embrassait, c'était délicieusement bon. Ses mains me déshabillaient, et moi, je caressais ses cheveux. Il sentait bon. Son érection, massive, se pressait contre mon ventre, mais je voulais plus, bien plus que ça. J'essayai d'imaginer son membre… Long et mince ? Court et épais ? Long et épais ? Pas court et mince, tout de même, ça, ç'aurait été vraiment dommage… J'ouvris les yeux en me rendant compte qu'il me fallait savoir. Je regardai Maryse et Valérie qui avaient presque l'air de vouloir entrer dans ma tête. Elles s'imaginaient à ma place et ça me décida.

— OK. Je fonce. Je sais juste pas comment…

— Écoute, tu m'as dit qu'il aimait rire. L'humour, c'est toujours *winner*. Tu peux être intense en faisant passer ça pour une blague… Utilise donc quelques petites traductions comme vous le faites entre vous, aussi, ça va juste faire *cute*, comme si vous aviez déjà des *insides*.

— Je suis pas intense ! Ben, peut-être un peu, mais… écoute, il est tellement le genre de gars que je rêvais de rencontrer, même quand j'étais avec Danny et que je me demandais ce que voulais, dans la vie. C'est juste *trop*, ça. Ça fait même un peu peur…

— Bon, là, viens pas folle, tu le connais à peine, c'est toi-même qui a dit « Wôhhh, doucement ! » tantôt. Qu'il t'attire et que t'aies envie de coucher avec lui, go ! Pour le reste, respire par le nez, Madame-pas-sûre-d'y-croire-encore. D'une manière ou de l'autre, go !

L'humour, oui, elle avait sans doute raison. C'était une possibilité. Du reste, je n'avais pas à m'excuser de savoir ce que je voulais, non ? Ni de trouver Simon à mon goût. Il me semblait, en fait, que Maryse avait raison ; ça ne pouvait être que flatteur. Mon amie continua :

— Es-tu prête à accepter, s'il te dit qu'il n'est pas intéressé ?

— Ben oui ! J'aime mieux ça que ne pas savoir, c'est sûr. C'était pas super clair, son affaire...

Vraiment ? En étais-je aussi certaine ? S'il s'avérait que je ne suscitais pas d'intérêt en lui, pourrais-je réellement l'accepter, sinon avec nonchalance, du moins avec un sain détachement ? Ce serait le troisième à me rejeter en peu de temps, le quatrième si je comptais Marc... Il était bien vrai que je préférais nettement savoir et passer à autre chose, le cas échéant, mais j'étais terrifiée. Par contre, me dis-je, s'il était intéressé tel que je l'espérais, eh bien, je ne pourrais que me féliciter d'avoir osé le lui demander.

Par acquit de conscience, je voulus tout de même connaître l'avis de Valérie. Elle n'avait pas encore dit un seul mot. J'y tenais, pas parce que je la prenais en exemple, sa vie amoureuse n'étant après tout pas très reluisante, mais parce qu'elle avait plus d'expérience que moi en ce qui avait trait à de nouvelles relations. Somme toute, je n'étais qu'une novice, et les derniers mois m'avaient cruellement prouvé à quel point je n'étais plus dans le coup...

L'opinion de Val était radicalement opposée à celle de Maryse :

— Attends qu'il te fasse signe, sinon tu vas avoir l'air de la fille désespérée.

— Ben là, quand même, c'est pas le cas…

— Moi je le sais, toi tu le sais, mais lui non. Si y'a de l'intérêt, inquiète-toi pas, tu vas le savoir bien assez vite. J'te le dis, sois plus indépendante. C'est ça qui les attire, les gars…

Je me retins de lui dire qu'elle m'avait paru, à moi, bien peu indépendante lors de ses précédentes relations. Encore une fois, si elle se fiait au genre de gars qu'elle fréquentait, c'était suffisant pour que je fasse le contraire de ce qu'elle me suggérait. J'avais déjà passé trop de remarques désobligeantes sur ses ex. Je lui fis plutôt valoir qu'avec Simon, c'était différent. Que *lui* était différent, que j'avais vraiment ressenti quelque chose de particulier, de spécial. Je lui expliquai aussi que, selon moi, nos échanges pratiquement quotidiens avant de nous rencontrer justifiaient, à eux seuls, que je trouve normal de m'enquérir de son état d'âme, même après si peu de temps. Après tout, nous avions discuté pendant des heures, partagé toutes sortes d'opinions tous les jours depuis près de deux semaines, ça méritait bien une petite mise au point, non ? Mais Val resta inflexible.

— Ça, c'était avant. Tout a changé depuis que vous vous êtes rencontrés. C'est une autre étape, et tout ce qui s'est passé avant ne compte plus. Donne-lui le temps de repenser à vos discussions et à l'impression qu'il a eue de toi. Y'a des gars pour qui c'est long, ça. Faut qu'ils décantent.

Maryse intervint :

— Oui, mais quand même… Tu ne penses pas que si elle l'attire autant, ça va l'aider à se décider ?

— Oh pis, je le sais pas, moi ! Je suis pas la spécialiste ! De toute manière, Julie va faire à sa tête, je sais pas pourquoi vous me demandez mon avis !

Valérie avait l'air agacée. Je la comprenais. Elle avait parfaitement raison. Je l'utilisais, au fond, pour faire l'avocat du diable parce que, de toute manière, je ne la trouvais pas crédible pour me porter conseil. Loin d'être idiote, elle s'en rendait bien compte. Il était cependant inhabituel qu'elle se laisse aller à un tel accès d'impatience. Je tentai de lui poser des questions. Elle haussa d'abord les épaules avec un petit pincement des lèvres. J'essayai de la faire rire mais elle éclata :

— Tu veux savoir ce que j'ai ? Ce que j'ai, c'est que tu m'énerves avec tes faux problèmes de pauvre p'tite fille qui pogne. En fait, non, tu m'énerves pas, tu me fais chier ! Moi, sur les sites, j'attirerais pas des gars comme ceux dont tu nous as montré les photos. Non, moi, je ramasserais les p'tits gros à moustache que tu t'abaisserais même pas à regarder, ceux de qui tu te moques, comme de Pierre. Ou les grands maigres qui vivent chez leur mère. Ceux qui sont cassés ou à moitié handicapés, le genre gros bonhomme qui se promène avec des bas blancs pis des gougounes ou le BS antisocial qui m'aime juste parce que je suis la seule qui a accepté de jaser avec lui, même si y rêve pareil à Angelina Jolie ! Pis toi, tu chiales parce qu'un gars, super beau, super à l'aise, super « toute » t'a pas donné de nouvelles depuis ta *date* d'hier soir. *Come on* ! Réveille, c'est pas la fin du monde ! Ça te fatigue, ben appelle-le pis sacre moi patience ! ! !

Elle se tut. On aurait entendu une mouche voler. Maryse et moi aurions aussi pu avaler ladite mouche tant nos bouches étaient grandes ouvertes. C'était la première fois que Valérie, la douce, l'effacée, la timide Valérie explosait de la sorte. J'aurais dû me sentir attaquée, froissée par ce qu'elle venait de me dire, mais c'était le contraire. Elle avait parfaitement raison. Presque tous les hommes avec qui j'étais sortie n'auraient pas même regardé Valérie alors qu'elle était cent fois plus attirante qu'eux. C'était injuste. Et à cet instant, je me jurai de tout faire pour que les choses changent pour elle. Je ne savais pas encore comment, mais j'allais commencer par cesser de me moquer de ses conquêtes, aussi ridicules soient-elles. Je comprenais enfin que c'était simplement son insécurité qui la poussait à fréquenter ces hommes sans intérêt. Il fallait que ça cesse, elle valait beaucoup mieux. Je m'en voulus d'avoir délaissé mon plan de faire équipe avec elle, comme je l'avais envisagé à Cuba. J'avais été égoïste mais j'y remédierais.

Une idée fit surface dans mon esprit. Il me faudrait me pencher là-dessus bientôt. Mais il y avait plus urgent. Montrer à Valérie combien elle était une amie précieuse pour moi, et m'occuper de Simon, ne serait-ce que pour mon bien-être hormonal.

Je pris Valérie dans mes bras et Maryse se joignit à nous dans une petite séance de larmes bien sentie et agrémentée d'encore un peu de vin. Ce n'est qu'après de multiples aveux de loyauté et d'indéfectible amitié avinés que je quittai mes amies. J'avais hâte d'arriver chez moi. Ma vie m'attendait.

11

Je suis devant mon ordinateur, rentrée de chez Valérie il y a à peine quelques minutes. Il n'est jamais très sage d'écrire à un gars qui nous titille après avoir bu du vin, je le sais bien. J'ai peur que ma libido déchaînée me fasse écrire des niaiseries mais, comme c'est aussi dans ces moments-là que je suis le plus téméraire, j'ose, ce soir, avant de me dégonfler. Je fais de nombreuses tentatives, mais les trouve soit trop intenses, idiotes, insignifiantes ou carrément gênantes. Jusqu'où je vais ? Je suis audacieuse, avec lui, ou plus subtile ? Je vise entre les deux et finis par lui envoyer ce message assez neutre, pas trop bref mais pas trop long non plus :

« Allô Simon,
Je tenais à te remercier pour la très-très-très agréable soirée. J'ai vraiment aimé jaser avec toi, tu es aussi drôle, charmant et intéressant en personne qu'au téléphone, encore plus, même. ☺
Je ne sais pas si c'est aussi ton cas, mais j'aimerais bien te revoir, si tu en as envie aussi, question de mieux se connaître, sans pression ni attentes. Sinon, eh bien, ce serait dommage, mais je te

souhaite tout de même de belles rencontres...

Voir toi ! (*see you*)

Julie xx »

J'aurais voulu écrire quelque chose de drôle, de spirituel, mais je ne trouvai rien. Puis, aller droit au but a ses avantages. Peut-être en fera-t-il autant et ça m'éclairera d'autant plus sur ses intentions ? En fait, je ne suis même pas allée droit au but. Si c'était le cas, ça aurait donné quelque chose comme : « Simon, je pense à toi nuit et jour, je me touche le soir en pensant à toi, en imaginant ta queue qui me broie le ventre. Je veux la goûter, la lécher avant de m'asseoir dessus jusqu'à ce que tu viennes en moi. »

Hmmm. Je me demande s'il apprécierait...

J'appuie sur la touche « envoyer » le cœur battant sans plus tergiverser et avant, surtout, de changer d'idée. Les dés sont jetés.

Plusieurs jours passèrent sans que je reçoive la moindre nouvelle. Rien. *Zilch. Nada.* Au bureau, j'étais d'humeur maussade. Josée essaya bien évidemment de me faire parler ; je restai vague, me contentant de lui demander comment les choses se passaient pour elle sur les sites de rencontre. Elle m'avoua qu'elle commençait à en avoir assez, ses derniers rendez-vous s'étant avérés aussi décevants que les miens. Guillaume, son adjoint, qui avait malgré lui entendu une partie de nos échanges, nous regardait avec un air d'incompréhension totale. Du haut de ses vingt-huit ans, et avec son statut de nouveau papa, il lui était impossible de comprendre. L'ignorant, je retournai à mon poste.

Les journées étaient interminables. L'envie de relancer Simon me démangeait constamment, mais comme j'avais déjà fait un geste, c'était à lui de répondre. De toute évidence, il n'en avait pas envie. Ou peut-être n'avait-il pas reçu mon message ? Aucun moyen de le savoir. Je rongeais mon frein.

Je dépérissais. Les messages s'accumulaient dans mes boîtes sur les sites de rencontre mais je les trouvais carrément insignifiants. Certains des hommes qui m'avaient écrit étaient pourtant tout à fait convenables, auraient sans doute même pu être intéressants, mais je n'avais pas le cœur à ça. Je repensais à ce que Valérie m'avait lancé au visage et, une fois de plus, je constatais qu'elle avait raison. Je regardais ces inconnus dont quelques-uns auraient dû susciter ne serait-ce qu'un bref élan d'intérêt, mais je ne pouvais pas m'en contenter. C'était quoi, mon problème ? Je commençais sérieusement à douter de mon équilibre. Je rejetais du revers de la main plusieurs personnes sans doute bien simplement parce qu'un homme, un homme que je connaissais à peine, de surcroît, m'avait rejetée de la même façon. Je me trouvais pathétique.

Le problème, en vérité, était que je ne retrouvais dans aucun d'eux l'attrait ressenti pour Simon, c'était aussi simple que ça. J'étais un véritable bébé gâté qui n'accepterait rien de moins que le gâteau parfait entrevu chez le pâtissier. Celui-là et pas un autre. Je me tapais encore une fois sur les nerfs. Décidément, ça devenait récurrent. Et plus je me tapais sur les nerfs, plus je m'énervais.

Après l'éclat de Valérie lors de notre dernière soirée ensemble, j'avais discuté avec Maryse. Val disait-elle vrai ?

Étais-je vraiment trop difficile ? Selon Maryse, le fait que Simon semble indifférent contribuait sûrement à me le rendre encore plus attirant. C'était stupide, mais je savais que c'était fort possible. J'étais habituée à obtenir ce que je convoitais ; il m'était donc plus difficile que pour une autre, disons Valérie, d'accepter cette défaite. Je décidai de cesser de me torturer. Je jetterais un deuxième coup d'œil aux hommes qui m'avaient écrit sur les sites. Je tenterais de demeurer objective et surtout de faire abstraction du fait qu'aucun d'eux n'était Simon. Cependant, il devenait de plus en plus clair qu'avec lui, j'avais entrevu une personne qui me plaisait réellement ; je comprenais mieux ce qu'il m'importait de trouver chez un amoureux éventuel et j'aurais beaucoup de mal à me contenter de moins.

Je passai donc une soirée à relire les messages auxquels je n'avais pas encore répondu. C'était peine perdue. J'avais beau faire preuve de la meilleure volonté du monde, aucun d'eux ne provoquait en moi la plus minime excitation. Dépitée, je décidai de me désabonner, du moins de l'un des sites, celui sur lequel j'avais rencontré Simon. Il le fallait, je n'avais pas le choix : chaque fois que j'effectuais une recherche, je le voyais, lui, apparaître parmi les résultats et ça ne faisait que tourner le couteau dans une plaie pitoyablement douloureuse.

Dès l'instant où je désactivai ma fiche, cependant, un horrible doute m'assaillit. Et si Simon n'avait pas reçu mon message ? Et si, en naviguant sur le site, il voyait que je m'étais désabonnée et concluait que j'avais rencontré quelqu'un d'autre de mieux que lui ? Ah non ! Ce serait vraiment con. Que faire ? Une seule solution s'imposait et le plus tôt serait le mieux. Saisissant mon téléphone, je lui envoyai un texto :

Salut ! Je sais pas si t'as reçu mon message, mais je viens de me désabonner du site. Ne sois pas étonné, c'est pas parce que j'ai rencontré quelqu'un d'autre, juste parce que ça ne m'intéresse plus. À + ! ☺

Quelle ne fut pas ma surprise d'avoir une réponse, à peine quelques minutes plus tard :

J'espère que ça ne veut pas dire que tu n'as plus envie de me voir ? J'avais eu ton message, désolé, j'étais à l'extérieur... J'aimerais bien te revoir, moi aussi. ☺

Alléluia !

C'est donc ainsi que nous avons fixé un nouveau rendez-vous. Chez lui. J'étais dans tous mes états, mais je sentais que la partie n'était pas gagnée, loin de là. À partir de ce moment, je me promis de rester calme, relaxe, de ne rien brusquer et, surtout, de savourer chaque instant. Il m'avait confié qu'il n'était pas certain de savoir ce qu'il voulait, je lui offris de nous apprivoiser, tout doucement. Il fallait évidemment apprendre à nous connaître, personne ne savait ce que nous aurions envie de développer par la suite.

Je me présentai chez lui à l'heure convenue. Il habitait dans un luxueux loft avec une vue saisissante sur la ville et décoré avec un goût incroyable. Des bibelots, des affiches, des photos, autant de souvenirs de voyage répartis dans l'immense pièce. Des chandelles brûlaient çà et là, créant une atmosphère confortable que les meubles en cuir d'apparence douce et moelleuse accentuaient. D'immenses bibliothèques me donnèrent un aperçu de ses lectures pour le moins diversifiées tandis qu'une musique, langoureuse et discrète, émanait de haut-parleurs disposés stratégiquement. Cet environnement masculin, feutré et agréable, m'étonna et me séduisit immédiatement.

Simon m'accueillit avec un verre de vin et je le suivis jusqu'au coin cuisine où il s'affairait à préparer une appétissante salade tandis qu'une odeur délicieuse envahissait l'espace.

— Wow ! Qu'est-ce que tu prépares ? Ça sent divinement bon !

— Une salade tiède de saumon et chèvre, ça te dit, j'espère ?

Et comment, que ça me disait ! J'avais faim, mais pas tant de la salade que de lui, qui se mouvait, gracieux et viril, du four au comptoir. J'aurais déboutonné sa chemise, embrassé chaque recoin de son corps si je m'étais abandonnée à mon envie, ce que je ne fis évidemment pas, mais à grand-peine.

Il avait dressé la table basse du salon pour que nous puissions manger en admirant la vue, bien installés sur des coussins disposés à cet effet. Trinquant, les yeux dans les yeux, nous fîmes honneur à son délicieux repas en discutant, nos regards se faisant de plus en plus appuyés, nos compliments plus directs, nos touchers plus fréquents. Je ne doutais plus qu'il se produirait quelque chose de magique, et l'attente était aussi délicieuse que le reste.

C'est après avoir débarrassé la table qu'il m'embrassa enfin. De tous les scénarios que j'avais imaginés, la réalité était mille fois meilleure. C'était naturel, nos corps semblaient s'appeler et déjà se connaître tout en manifestant une délectable impatience. Rien à voir avec la maladresse de Marc-de-Laval ! Nos corps se retrouvèrent nus, parmi tous ces coussins, et les caresses se succédèrent tout naturellement. C'était étrange, cette sensation de déjà-vu, alors que c'était notre première fois ensemble. Comme si je savais ce qu'il attendait de moi, ce qu'il préférait, et il en allait de même pour ses mains et sa bouche qui me faisaient frémir à chaque instant. J'avais tellement soif de sentir sa peau contre la mienne, je n'arrivais pas à me rassasier de lui. Je glissai mon corps sur le sien et l'aspirai en moi, sentant enfin son membre fouiller mon ventre. Il était de la taille parfaite ; comme le reste, tout semblait aller de soi.

Nous fîmes l'amour trois fois et, lorsque Simon me demanda de passer la nuit avec lui, je n'hésitai pas une seule seconde. Avec un autre, je me serais défilée, mais avec lui, c'était une évidence.

Au petit matin, quand je sentis son érection bien rigide contre mes fesses, je n'eus qu'à écarter les jambes pour l'accueillir en moi, n'osant chasser les derniers vestiges du sommeil pour mieux flotter sur la savoureuse vague de plaisir que me procuraient son membre si dur, ses doigts habiles et sa bouche, dans mon cou, qui, à coup de douces et lancinantes morsures, me couvrait de frissons inimaginables. Que n'aurais-je donné pour me réveiller de cette façon plus souvent ?

De toutes les paroles échangées cette nuit-là, je retins qu'il me faudrait être patiente et, surtout, ne pas m'attendre à une relation conventionnelle avec lui. J'avais, comme il l'avait déjà évoqué, un beau défi devant moi. Il était cependant clair qu'il se passait quelque chose de spécial. Un espace dans lequel je pouvais pleinement goûter et anticiper tout ce qui allait venir. Il y avait tant de choses que j'avais envie de faire avec lui ! Je me voyais sortir, aller voir des spectacles, faire des escapades de toutes sortes, voyager, même. Il était le premier depuis Danny en qui je voyais autant une possibilité d'amitié complice que d'irrésistible désir. La combinaison parfaite ! Je m'emballais, et j'en étais consciente, mais j'avais envie d'y croire. Après toutes les déceptions des derniers mois, il me semblait qu'il était temps que ma chance tourne. Je savais pertinemment que Simon ne voulait pas se commettre, mais j'étais convaincue que le nombre d'atomes crochus qui nous unissait ne pourrait que nous rapprocher, tout doucement. De plus, il me semblait que la chimie que nous partagions au lit – et ailleurs – était exceptionnelle. Lentement, mais sûrement, je réussirais à me faire une petite place dans sa vie, je n'en voulais pas davantage, et ça me remplissait de joie.

Je racontai ma soirée et ma nuit magique à mes amies lors du souper d'anniversaire de Valérie. Maryse et moi avions choisi un resto italien où nous allions souvent, sachant que nous pourrions bavarder des heures sans contrainte. Au début de la soirée, le cœur de Val n'y était pas. Elle semblait mélancolique. Elle se réjouissait de mon bonheur, c'était évident, mais sa nostalgie était palpable. J'étais un peu gênée de ressentir autant d'allégresse et je la trouvais rabat-joie. Mais il y avait un moment qu'elle traînait cette humeur comme un boulet, et je m'étais promis de m'occuper d'elle. Aidée de Maryse, j'essayai de la faire parler.

— Je sais pas, les filles. J'vous adore, vous le savez, mais je pense que j'aurais aimé fêter mon anniversaire avec quelqu'un d'autre... Pas que je sache qui, j'ai personne en vue, mais j'pense que j'en ai assez d'être seule.

— Ben là, Val, ça fait juste quelques mois que t'es plus avec Pierre, dis-je.

— Six, en fait. C'est quand même un bout... rectifia-t-elle.

Déjà six mois. Seulement six mois ? Ouais. C'était quand même assez long, pour une fille qui, tout comme moi, n'avait jamais vécu seule ou presque.

— J'hais ça, bon. Je *deale* pas super bien avec la solitude. Et franchement, j'me demande où et quand je vais rencontrer quelqu'un d'intéressant.

Maryse, qui était restée silencieuse, parla enfin :

— Vous me faites rire, les filles. Vous faites vos indépendantes, les filles qui ont besoin de personne, mais au fond, vous avez besoin d'un homme dans votre vie ou dans votre lit pour être heureuses. Franchement. Comme si votre bonheur passait absolument par là ! C'est quoi, l'affaire ? C'est si important que ça ? Vous avez pas envie de juste en profiter ?

— Profiter de quoi, au juste ? demanda Valérie, d'un ton un peu sec. D'être toute seule devant la télé tous les maudits soirs ? De me regarder dans le miroir et me dire : « Ouain, t'es-tu vue ? C'est normal que personne veuille être avec toi ! » D'aller au cinéma ou au resto toute seule parce que t'es avec Gilles et tes enfants pis que Julie est sur sa vingt-huitième *date* ? Là, en plus, elle est casée avec son Simon, ça va être encore pire. Moi, à part faire marcher mes deux chiens, il me reste quoi ? J'vais aller dans le Nord, faire des randonnées, me promener en ville, aller voir des spectacles toute seule parce que je suis trop *loser* pour avoir quelqu'un avec qui y aller ?

— T'as aucune idée de ce que je donnerais, moi, pour faire tout ça, justement ! déclara Maryse, presque virulente. Aller voir un film que j'ai vraiment envie de voir, regarder la télé n'importe quand, souper juste si ça me tente, et manger ce que MOI j'ai le goût de manger à l'heure que JE veux. Écouter ma musique à la maison, partir où je veux quand je veux sans rendre de compte à personne, pas être obligée de torcher mon mari, mon grand pis sa blonde, en plus !

Whoa ! Mes deux amies étaient déchaînées. Et moi, je me retrouvais au milieu, nageant dans la toute nouvelle et douce béatitude de celle dont les papillons s'excitent enfin en toute liberté. Deux femmes aux vies opposées, mais tout aussi frustrées. Maryse exprimait enfin son amertume, c'était rare. Valérie, elle, laissait libre cours à ses récriminations qui allaient bien au-delà, selon moi, de la solitude passagère qu'elle ressentait. Je me devais de rétablir un bon climat avant que la soirée tourne à une dépression totale.

— Maryse, dis-je, ta situation est poche, c'est vrai que ça doit être assez lourd de ravoir Oli à la maison. Mais c'est temporaire, non ?

— Oui, c'est temporaire. Mais le reste, non. Vous pensez que vous êtes les seules à connaître la solitude ? Que c'est parce que j'ai un mari à la maison que c'est tout le temps le bonheur total et la passion d'il y a vingt ans ? J'en ai assez que vous pensiez que j'ai la vie parfaite. Vous saurez que ça fait des années que Gilles et moi, on fait l'amour, genre, tous les deux mois. Et encore… On passe des soirées dans la même maison, oui, mais rarement ensemble. On est-tu encore un couple, dans le sens de deux personnes qui s'aiment et partagent des buts, des rêves, des intérêts ?

Pas sûre, pas sûre pantoute. Vous autres, vous avez la chance de sortir, cruiser et vous faire cruiser, baiser comme des bêtes, pis vous chialez !

Valérie et moi étions sous le choc. Maryse, notre-mère-à-toutes, venait de nous dévoiler un pan de sa vie dont nous ne soupçonnions même pas l'existence. Un malaise s'installa. Ses yeux se remplirent de larmes contenues. Elle ne s'effondrerait pas même s'il lui en coûtait toutes ses forces. Elle ravalait déjà. Valérie parla la première :

— Je suis désolée, Maryse. T'as raison. On prend tout le temps pour acquis que t'es la plus chanceuse, que tout est beau dans le meilleur des mondes, pour toi. Mais c'est toujours ça que tu projettes. On peut pas deviner, nous autres… Et c'est vrai que j'ai toujours été jalouse de toi. Ta famille, ton mari qui t'aime depuis si longtemps. Je pensais pas que c'était comme ça…

— Oh, c'est pas la fin du monde. Et c'est vrai que je suis chanceuse, Oli et Fanny sont ce que j'ai de plus précieux. Mais Gilles ? Honnêtement, je sais plus vraiment ce que je ressens envers lui. Je l'aime, et il m'aime aussi, mais… En tout cas, toi, tu dis que t'as toujours été jalouse de moi… je m'en doutais. Mais moi, j'ai toujours trouvé que tu te gaspillais, que tu profitais pas de la liberté que t'avais.

— Liberté ? Quelle liberté ? Je suis monoparentale depuis que Sabrina a trois ans ! Tu penses que je suis libre ? Elle connaît même pas son père. Pourquoi tu penses que j'ai toujours essayé de lui en trouver un ?

— C'est ça que tu faisais ? Merde, t'as passé des années avec des épais qui te méritent pas !

— Je les choisissais pas pour moi, mais pour Sabrina, pour qu'elle ait un jour au moins un semblant de père !

J'étais bouche bée. Je ne pus m'empêcher de dire :

— Toutes ces années, j'ai pensé que t'avais peur de montrer à quel point t'es belle, intelligente, autonome. C'était tellement enrageant. Et là, tu dis que tu pensais juste à ta fille ? !

Maryse me regarda avec l'air de celle qui comprend tout, même le fait que moi, je ne pouvais comprendre. C'était vrai. Que savais-je, moi, de l'amour maternel ? Du sacrifice d'une mère pour ses enfants ? Je pouvais le concevoir dans une certaine mesure, mais ce n'était certainement pas Sabrina qui témoignait de la plus touchante gratitude ! Et ça, ce fut Maryse qui le souligna.

— Val, tu te rends compte que t'as tout fait ça pour Sab mais qu'elle s'en fout, au fond ? Je pense que ce qu'elle voudrait, elle, c'est te voir heureuse avant tout. Le reste viendra tout seul…

J'étais toujours aussi abasourdie.

— Je suis d'accord, Val, même si je peux pas comprendre tout à fait. Ce que je vois, c'est que tu te rabaisses constamment et tu te ramasses avec des hommes qui t'apportent rien…

— *Hey*, lâchez-moi ! Surtout toi, Julie ! On en a déjà parlé, OK ? Je suis pas comme toi, j'pogne pas automatiquement avec les gars qui me plaisent, moi. J'ai appris à me contenter de ce que j'attire. Sauf que là, j'en ai ma claque. J'ai envie de changer, changer de look, mais aussi d'attitude. J'ai quarante et un ans, bordel ! Me semble qu'il serait temps que je me déniaise, non ? J'te regarde, Julie, pis j'me dis que moi aussi, avec des beaux cheveux, du beau linge pis un style à moi, j'pourrais être aussi bien dans ma peau que toi, non ? Parce que là, ma peau, j'vous jure, j'en peux plus… J'suis pas mal *down*, là. Excuse-moi Maryse, je sais que tu files pas toi non plus, mais…

Maryse redressa les épaules, se secoua et, redevenant elle-même, prit Valérie dans ses bras un moment :

— Laisse faire, ça va, c'est juste sorti de même. Y'a rien de grave. Des fois j'me dis que le fait qu'Oli soit revenu me fait voir que je sais plus trop où j'en suis dans ma vie. Mais c'est correct. Au fond, t'as raison. J'ai tout ce qui faut pour être heureuse, j'me plains le ventre plein. Et ce soir, c'est TA fête, on va pas la passer à parler de moi certain ! Là, j'pense qu'il est temps que tu te prennes en main, ma belle. Julie dit ce que je pense depuis longtemps : tu te rabaisses trop. T'as *juste* quarante et un ans, pis si tu veux changer, pour les bonnes raisons, on va t'aider. T'es belle, t'es *hot*, Val. On va faire ressortir celle qui se cache derrière la môman responsable depuis trop longtemps. Il est temps que tu penses à toi, un peu. Sabrina est élevée, t'as fait une super job, là, c'est ton tour.

L'idée floue qui me trottait dans la tête depuis un bon bout de temps choisit ce moment pour éclater clairement, comme si elle n'avait attendu qu'un signe. Ce signe, c'était le souhait de Val, trop longtemps mis en veille. Je me trouvais brillante. Maintenant que j'avais le sentiment d'avoir trouvé ce que je cherchais avec Simon, je souhaitais la même chose à mon amie.

— Val, tu te souviens de Robert, l'ingénieur qui travaille en Europe deux semaines par mois ?

— Oui, vaguement. Il avait été correct, lui, non ?

— Oui, très correct. Super gentil. Ça avait juste pas cliqué.

— OK, et alors ? Qu'est-ce qu'il a ?

— Ben, je me souviens qu'il m'a dit qu'il cherchait une femme vraie, qui n'est pas sur les sites pour trouver un partenaire de baise ou un mari, mais qui veut juste un bon gars doux, gentil et romantique pour passer de bons moments.

— Où tu veux en venir, Julie ?

— Je veux en venir au fait que j'ai encore son numéro de téléphone et me semble que ça serait un bon gars pour toi. En tout cas, le genre de gars avec qui tu pourrais passer une belle soirée. T'sais, un gars qui a pas peur de faire des compliments, qui est pas compliqué ?

— Franchement, c'est une femme comme toi qui l'intéresse, pas comme moi ! Avoue qu'on se ressemble pas tellement ! Toi, t'es élégante, t'as du style, t'as confiance en toi. Moi, c'est tout le contraire.

— Ben pour le style, c'est juste que j'ai une bonne coiffeuse et que j'aime magasiner dans des boutiques différentes de celles que tu choisis, toi. Mais que dirais-tu, comme cadeau de fête, que je t'emmène changer de tête ?

— Et on va magasiner toutes les trois pour trouver ton look à toi, la Val qu'on connaît, mais revue et améliorée, ajouta Maryse.

Valérie avait l'air à la fois méfiante et attirée par l'idée.

— Vous pensez vraiment que ça pourrait faire une différence ?

— T'sais, Val, ajoutai-je pour la convaincre, des fois ça prend juste un petit changement pour transformer notre perspective. Si t'avais pas mentionné le goût de changer toi-même, j'en parlerais même pas, mais vu que ça te chicote, ça veut dire que t'es rendue là et que t'as les bonnes motivations pour le faire. Je sais que j'vais sonner comme une vraie fifille superficielle, mais quand j'm'arrange à mon goût, des fois, ça me donne confiance en moi. Y'a des jours où je fais un effort pour me maquiller et me faire les cheveux même quand je reste toute seule à la maison, juste pour pouvoir me dire « hmmm… Pas pire, la fille » quand je me vois dans le miroir. Je sais, c'est nono. Mais c'est comme ça. Et je m'assume. C'est plus de travail qu'à vingt ou trente ans ; disons que le look « naturel » m'avantage plus tellement. Mais moi, ça me fait du bien. J'me dis juste que tu perds rien à essayer. Et je suis certaine que Robert est le genre de gars que je pourrais appeler pour lui proposer de prendre un verre avec toi et qu'il serait super content. Il en avait assez du site, des femmes qui sont là à la recherche de l'homme parfait, beau et riche, au minimum. Au pire, si ça clique pas, t'auras au moins passé un beau moment avec un homme séduisant. T'as pas grand-chose à perdre… non ?

Valérie réfléchit un moment, Maryse et moi étions impatientes de connaître son verdict. Elle prit une longue gorgée de vin et, quand elle nous regarda enfin, ses yeux brillaient.

— Pas grand-chose à perdre, en effet. Booke-moi un rendez-vous chez ta coiffeuse, et appelle Robert. J'ai quarante et un ans aujourd'hui, et je décide que j'arrête d'attendre après le destin pour me faire du bien.

Nos verres s'entrechoquèrent à cette merveilleuse résolution. Deux bonnes heures plus tard, trois comparses ivres, souriantes et ricaneuses quittaient le resto, bras dessus, bras dessous. Je me retrouvais donc entremetteuse, à mon tour…

12

Quand je le vois, quelque chose m'empêche de le regarder réellement, comme si je savais que, si je le faisais, je serais finie, qu'une chute mortelle s'ensuivrait. Pourtant, je suis finie, anyway. *Et je me laisse faire… je le laisse faire. Nous ne nous voyons pas souvent, mais ça m'importe très peu, tant qu'il continue d'être, avec moi, l'amant qu'il est. J'aime sa queue, j'aime quand il me possède, quand il me domine, mais aussi quand il me laisse l'agacer, jouer avec lui, le lécher. J'adore l'entendre soupirer, sentir sa main me tirer les cheveux, ses dents mordre mon épaule tandis qu'il s'enfonce en moi, agrippant mes hanches pour mieux m'envahir. J'aime rire et reprendre mon souffle près de lui, par la suite, quand nous sommes rassasiés… le peu de temps que ça dure. Je ne pense pas pouvoir jamais être totalement rassasiée, non. J'aime voir son membre durcir de nouveau alors qu'il le parade devant mon visage, appelant ma bouche, ma langue.*

Comment ai-je pu me passer de quelque chose d'aussi bon pendant aussi longtemps ? Depuis Danny, puis Fernando, j'avais oublié la douleur aussi cuisante que savoureuse de se sentir aussi pleinement envahie. Mais avec lui, c'est meilleur encore. Pourquoi ? Parce que c'est là que je le sens plus fragile, plus près de laisser tomber ce mur qui nous sépare ? Parce que quand je jouis sous ses doigts et qu'il veut me prendre partout à la fois, il baisse enfin sa garde, j'entrevois ce qui pourrait être ? Je n'en sais rien.

Terrorisée et excitée en même temps, j'attends chacune de nos rencontres avec impatience. Je ne tente rien qui pourrait l'effrayer, refoule également les pensées que j'aimerais tant partager pour ne pas l'effaroucher. Pourrai-je tenir bien longtemps ? Je suis trop entière pour que ce soit facile, c'est totalement contre nature et ça me fait très peur. Ça va me péter au visage, ça, hein ?

Simon partit une semaine à New York. Aurais-je aimé l'accompagner ? Bien sûr. Cela aurait-il été envisageable ? Évidemment pas. Trop, trop tôt, autant pour moi que pour lui. New York au printemps, c'est magique. J'avais déjà fait ce périple avec Danny, six ans auparavant, et rêvais d'y retourner. Quelle ironie ça aurait été d'y aller avec Simon, presque un an après ma rupture avec Danny… De toute manière, je ne pouvais pas partir comme ça, j'avais une tonne de travaux importants à terminer au cours de la semaine. Pour tromper l'attente, je choisis ce moment pour « entreprendre » Valérie. Je pris rendez-vous avec ma coiffeuse, lui précisant de boucler suffisamment de temps pour une « transformation ». Ensuite, j'examinai avec Valérie des milliers d'images de coupes de cheveux sur Internet. Je voulais l'aider à trouver quelque chose qui, sans la métamorphoser, mettrait en valeur ses traits, la couleur de ses yeux et la forme de son visage. Quelque chose de jeune qui la sortirait de l'allure conservatrice et légèrement « matante » dans laquelle elle se complaisait depuis trop longtemps. Elle refusa pratiquement tout ce que je lui suggérai. Enfin, la coupe mi-longue parfaite se présenta et Valérie me suivit, quelque peu réticente, chez ma coiffeuse. Celle-ci suggéra une teinte légèrement cuivrée assortie au châtain foncé de Val, en plus de quelques mèches d'un beau caramel riche. Le résultat s'avéra... spectaculaire. Valérie s'observait dans le miroir, ébahie.

— Euh... j'arrive pas à croire que c'est moi. C'est moi, et pas moi pantoute en même temps, c'est fou !

Elle était magnifique. Excitée comme une enfant, je téléphonai à Maryse pour qu'elle se prépare à nous accompagner au centre commercial. Puis, j'emmenai Val chez moi où je l'aidai à adapter son maquillage. Rien d'outrageux ni de compliqué, juste différent. Valérie était compétente, mais pas très imaginative. Après plusieurs essais et quelques ajustements, un résultat stupéfiant nous apparut. Mon amie s'épanouissait sous mes yeux.

En arrivant chez Maryse, Valérie était nerveuse. Mais devant le regard appréciateur de notre amie, et surtout celui de Gilles qui lui dit « Wow ! Val, on dirait que t'as rajeuni de dix ans ! », notre petite Valérie sourit comme s'il venait de lui pousser des ailes. C'était beau à voir !

La séance d'achats fut une révélation. Avec nos encouragements, Valérie dépensa de façon démesurée, mais elle reçut également des cadeaux de Maryse et moi. Après lui avoir fait essayer tous les styles de vêtements imaginables, la presque invisible Val que nous connaissions si bien se transforma littéralement sous nos yeux en une femme beaucoup plus attirante, presque *sexy,* avec une classe et une allure qu'elle n'aurait jamais pu entrevoir. Au restaurant, ce soir-là, nos efforts furent récompensés par les nombreux regards qu'attirait notre amie.

— Arrêtez, c'est Julie qu'ils regardent ! se défendait-elle.

Oui, j'en attirais sans doute aussi, ça m'arrivait encore souvent, dans ce genre de resto-bar branché, mais ce soir-là, c'était elle qui brillait. Et je lui laissai le devant de la scène avec plaisir, c'était trop précieux.

Elle se sentait prête à faire le grand saut. Je téléphonai donc à Robert qui se dit enchanté d'avoir de mes nouvelles, plus encore quand je lui expliquai le but de mon appel. Je me permis de lui expliquer le contexte, insistant sur le fait qu'il était un homme tout à fait charmant et que mon amie avait besoin de se sentir appréciée par un homme de sa trempe. Je le manipulai un peu, sans doute, mais pourquoi pas ? Il n'y avait aucun mal à ça si mon amie pouvait en retirer ce qui lui manquait d'assurance. Lui, en retour, se sentait flatté et passerait sûrement une très agréable soirée.

C'est ainsi que le lendemain de leur rencontre, une Valérie au sourire dévastateur débarqua chez moi, bouteille de rosé givré à la main. Elle me sauta pratiquement au cou dès que je lui ouvris :

— Julie, je ne pourrai jamais assez te remercier. C'est comme si ma vie avait changé. Ça a commencé au bureau, où j'ai eu plein de compliments. J'ai même cru que mon patron me faisait de l'œil. Il arrêtait pas de me dire que j'étais resplendissante, que mon nouveau look me rendait irrésistible. Même les autres secrétaires en revenaient pas, et je les sentais presque jalouses. De moi ! T'imagines ? En plus, t'avais raison. Robert est un homme adorable, fantastique. Il a été vraiment gentil, et a l'air pas mal intéressé. Il part pendant deux semaines mais a insisté pour qu'on se revoie avant. Je vais manger chez lui demain soir.

— Je suis tellement contente pour toi, ma belle ! D'ailleurs, je voulais te montrer quelque chose. Il m'a texté, ce matin, regarde : « Julie, merci beaucoup de m'avoir mis en contact avec la belle Valérie. J'ai passé une soirée parfaite… J'espère que c'était pareil pour elle, on se revoit bientôt, je me croise les doigts ! »

J'avais donc vu juste.

Il me tardait de découvrir si ce serait la même chose pour Simon et moi.

Ouais, Simon. Somme toute, je mis beaucoup trop de temps à comprendre que cette relation était moins prometteuse qu'elle en avait l'air. Pas qu'il m'avait fait miroiter quoi que ce fût, non, il avait été très clair sur la nature peu « conventionnelle » de notre relation, pour moi, du moins, mais qui semblait tout à fait naturelle pour lui. Pourtant… Je recevais des signaux contradictoires. Toujours selon son désir farouche de ne laisser aucun sentiment prendre une place indue, il s'assurait de conserver une distance entre nous en tout temps, sauf pendant l'amour. Et encore… Malgré cela, j'étais totalement insatiable et j'en voulais toujours plus. Pas trop, juste plus.

Après son retour de New York, j'eus l'occasion de le voir quelques fois jusqu'au début de l'été, et chacune de ces rencontres me laissa sur ma faim. Ce n'était pas étonnant… Je rentrais chez moi épuisée, éreintée ; après ces folles nuits, j'avais mal partout, les jambes flageolantes, les seins endoloris, le ventre en feu et le sexe à vif. Je fermais les yeux et revoyais tantôt son regard plongé dans le mien au moment où je l'éclaboussais de ma jouissance, tantôt son abandon alors que je le chevauchais, tentant de l'aspirer au plus profond de mon corps. Je sentais son odeur, je goûtais son haleine, son sperme, sa peau. Le fait de savoir qu'il s'écoulerait plusieurs semaines avant que je puisse à nouveau l'accueillir en moi me rendait folle d'impatience et d'anticipation. Évidemment, ça aiguisait ce désir dément que j'avais de lui.

Même si ses horaires avaient été plus favorables, je n'aurais pas voulu le voir plus souvent, car cette attente faisait partie du charme. Je voulais que chaque fois soit mémorable, que j'aie le temps de bien guérir de mes meurtrissures avant qu'il m'en inflige de nouvelles. J'aurais néanmoins voulu savourer les joies de l'été avec lui, et pas seulement dans la moiteur de son lit. Pourquoi n'aurions-nous pas pu partir quelques jours, ici ou là, profitant d'un festival ou d'un autre ? Il me tardait de passer du temps avec lui dans un autre contexte, même si c'était de son corps dont je me languissais le plus. Peu importait, au fond. Je voulais simplement que chaque nuit que nous passions ensemble le laisse dans le même état de manque et de désir inassouvi que moi.

Je constatais, au contraire, un détachement grandissant. Chaque fois, il me fallait rebâtir la complicité qui, bien que timide, nous unissait indéniablement.

En fait, je me racontais des histoires. Plus les semaines passaient, plus il devenait clair qu'il ne me laisserait jamais prendre la place que je convoitais, aussi petite fût-elle, dans sa vie. Le *pattern* était toujours le même. D'abord planifier une soirée. Ensuite, la savourer ; retrouver cette « connexion » équivoque n'était l'affaire que d'un instant. Puis, les rires, les conversations enlevantes. Les étreintes. La passion, les caresses, les soupirs. Parfois, une pause, histoire de sortir prendre l'air, mais tout près, car le désir n'était jamais bien loin, puissant, renversant, même… Les heures passaient à nous emmêler, nous caresser au son de différentes musiques selon nos humeurs, à parler, à boire du vin avant de refaire l'amour, plus intensément encore.

Puis, au matin, il me réveillait soit avec sa langue sur mon ventre, soit avec son membre bien dressé qui se glissait entre mes cuisses déjà humides. À moitié endormis, mon dos contre son torse, mes fesses contre son ventre, nous nous bercions lentement d'abord, puis de plus en plus fermement jusqu'à ce que la douce frénésie de l'orgasme m'envahisse et que dans mon ventre sa jouissance se mêle à la mienne. Nous somnolions ensuite, plus ou moins longtemps selon le temps dont nous disposions, et c'est ce moment que je tentais en vain d'étirer, chaque fois.

Mais invariablement, il fallait bientôt sortir du lit, retourner à nos vies respectives sans possibilité de nous y inclure l'un l'autre. Et, aussi invariablement, c'était le moment qu'il choisissait – pratiquement dès que nous étions rhabillés – pour rebâtir ce mur entre nous et se faire plus distant. Comme si nous ne pouvions être proches que lorsque nous étions nus. Comme s'il regrettait de s'être laissé aller à autant d'agréables instants, ou craignait quelque chose. Que je m'attache ? Qu'il s'attache lui-même ? Je n'en savais trop rien, mais ça m'énervait. Oui, j'en voulais plus. Beaucoup plus. De sexe, pas d'engagement nécessairement, juste me sentir quelque peu spéciale, pour lui. J'étais en manque sévère et les nuits passées avec lui ne faisaient qu'aiguiser ce manque, que m'agacer. Il me semblait inadmissible que tant de points communs nous unissent mais que nous nous empêchions, par crainte d'être blessés ou pour quelque autre raison, d'en profiter.

Je trouvais ça ridicule ; à mes yeux c'était un gaspillage innommable. Quand quelque chose est aussi incroyablement délicieux, on veut en profiter. Normal, non ? Il me semblait, au contraire, que plus c'était agréable, plus il s'éloignait, et ce, pour des périodes de plus en plus longues.

De plus, j'avais l'impression que c'était toujours moi qui provoquais nos rencontres. Simon se montrait enthousiaste, du moins quand ça lui convenait, mais j'avais l'impression que si je ne faisais pas les premiers pas, notre histoire, si histoire il y avait réellement, se serait terminée aussi étrangement qu'elle avait commencé.

Vint le moment où, encore une fois, je voulus faire un peu bouger les choses. Ce fut une erreur. C'est là que je compris que j'avais tout faux. Ce que je prenais pour de la crainte de sa part, voyant son frein à nos ardeurs comme une peur de se mettre en danger, n'était sans doute qu'un banal manque d'intérêt. M'avoir à sa disposition comme « partenaire » occasionnelle lui suffisait amplement.

Moi, non.

La déception fut grande. Beaucoup plus grande que ce qu'elle aurait dû être, mais je choisis tout de même de m'éloigner de lui plutôt que d'être frustrée, insatisfaite et, éventuellement, de souffrir. Mon manque de Simon était assez pénible comme ça ; continuer n'aurait fait qu'empirer les choses et retarder l'inévitable. De plus, j'aurais eu le sentiment d'être malhonnête envers lui en lui laissant croire que la situation me convenait alors qu'elle me grugeait de l'intérieur.

C'est mon corps qui s'en remit le plus difficilement. Sachant qu'il serait désormais privé d'autant de délectables attentions, il protestait auprès de ma tête et de mon cœur, me faisant presque retarder l'échéance pour profiter encore un peu de ces bribes de bonheur charnel. J'avais cru qu'il se cachait là quelque chose de potentiellement fantastique ; assez, en tout cas, pour tenter ma chance, mais ça avait été un coup de dés et j'avais perdu. Au final, malgré le manque et le vide que j'avais provoqués, je tentai de me féliciter d'avoir au moins clarifié une situation qui aurait pu rester aussi floue pendant des mois en ne me frustrant que davantage.

Sa réaction, sans émotion apparente, me froissa quelque peu mais me conforta dans ma décision. Je m'étais apparemment imaginé bien des choses... même si j'avais du mal à l'accepter.

Je ravalai plus ou moins pendant quelques jours, profitant d'une importante charge de travail pour m'étourdir. Je réussis même à terminer plusieurs contrats en un temps record, avec une diligence exemplaire. Les rapports d'assemblée, les bilans annuels et autres sites Web à traduire me permirent de tenir bon jusqu'à la fin de semaine. Puis, je m'écroulai.

En ce samedi soir, comme Maryse était sortie avec Gilles et Val avec Robert, je me préparai un bon petit repas et m'installai devant la télé, vêtue de mou et verre de vin à la main. J'aurais pu profiter de la douceur de cette soirée d'été, mais mon humeur se prêtait davantage à l'évasion dans un film de fille ; si, en prime, il m'arrivait de m'émouvoir au point de verser quelques larmes, ça me soulagerait du vague à l'âme qui menaçait. Je survolai le répertoire de films et tombai sur *Mange, prie, aime*, que je n'avais jamais vu bien qu'il datait de plusieurs années, puisque Danny n'avait jamais manifesté à l'égard de ce titre qu'un intérêt plutôt tiède. C'était parfait. Je suivis les péripéties de l'héroïne avec envie, me disant que je devrais peut-être m'exiler, moi aussi, partir à la recherche de mon moi intérieur dans des contrées lointaines et exotiques. Qui sait, peut-être rencontrerais-je en chemin un irrésistible et charmant Javier Bardem ? Je bus doucement un verre de vin après l'autre, versant quelques larmes ici et là.

Puis, à l'instar du générique qui défilait à l'écran, tous mes échecs me tombèrent dessus d'un seul coup. J'avais anticipé un vague à l'âme ? Ce fut plutôt une déferlante, un tsunami qui me submergea. Moi, la forte, la fonceuse, je me retrouvai écrasée sous le poids de tous les souvenirs que je croyais avoir vaincus.

Des pensées désordonnées se mirent à tourbillonner dans mon esprit. Il y avait un an que Danny m'avait quittée ; qu'aurais-je dû faire pour le retenir ? Était-il heureux ? Sa nouvelle dulcinée était-elle déjà enceinte, formaient-ils une jolie famille parfaite et dégoulinante de béatitude ? Nos années passèrent devant mes yeux, des parcelles de bonheur éparpillées. Puis, le secret, la douloureuse perte que je n'avais jamais confiée à quiconque, pas même à lui. Oui, Danny aurait pu être père bien des années auparavant. Je n'y avais pas repensé depuis des lustres… Pourquoi ce soir ? Impossible à dire. Tout me revint en mémoire avec clarté, alors que ça avait été enfoui au plus creux de mes souvenirs. J'avais alors trente-cinq ans, je venais d'obtenir la promotion de mes rêves, et Danny et moi filions le parfait bonheur. Devant le résultat positif du test de grossesse, j'avais paniqué. Puis, je m'étais faite à l'idée et en étais venue à voir cet heureux événement comme un signe du destin. Danny se réjouirait, une fois passé le choc initial. Puis il y avait eu les saignements, la douleur, la salle d'urgence où je m'étais rendue seule. Je n'en avais jamais parlé à Danny, me disant que ce serait plus facile à oublier. À qui d'autre aurais-je pu en parler, de toute manière ? À ma mère ou à ma sœur ? Non, chacune d'elle aurait trouvé une façon de me blâmer. À mes amies ? Celles qui m'avaient déjà sauvée d'une situation précaire ? Oui, ce soir d'octobre, vingt-deux ans plus tôt, aurait pu virer au drame sans l'intervention de Val. Un client m'avait fait des propositions douteuses et déplacées ; je l'avais cavalièrement repoussé. À la fin de la soirée, il m'attendait derrière le restaurant, avec la très claire intention de m'infliger de force ce qu'il m'avait grossièrement proposé. Val était sortie du restaurant quelques instants après moi et je lui avais crié de m'aider. Hésitante, craintive, elle avait toutefois eu la présence d'esprit d'alerter Maryse qui l'attendait à l'intérieur. Cette dernière était accourue et, enragée, n'avait même pas hésité, ignorant la lame pourtant bien visible du couteau que tenait mon agresseur sur ma gorge. Elle l'avait engueulé, s'était mise à crier tant et si bien que les derniers employés du restaurant étaient venus voir ce qui se passait. L'homme était parti, me propulsant au sol avec force. Depuis, j'étais l'étourdie que mes amies protégeaient, celle qui, malgré elle, attirait les ennuis. Cet événement avait scellé notre amitié, mais il n'en restait pas moins que devant mes amies, je me sentais vaguement honteuse. Elles m'auraient sans doute épaulée dans cette nouvelle épreuve, mais j'avais voulu me débrouiller seule. Dieu que j'en avais assez, là, de me débrouiller seule !

Je me mis à verser des larmes en silence, laissant couler sur mes joues un ruisseau de désarroi. Au souvenir de cette agression la peur me revint en tête, trop vive, trop réelle. La confusion aussi, projetant dans mon esprit toutes sortes d'images enchevêtrées de mon passé.

Et si l'enfant de Danny avait vu le jour, serais-je toujours avec lui, comme semblait le croire ma mère ? Aurions-nous trouvé une façon de nous rapprocher pour protéger cet héritier dont nous n'avions pas vraiment voulu ? Danny… était-il réellement l'homme de ma vie ? Celui avec qui j'aurais dû finir mes jours ? Je l'avais laissé partir, l'avais souhaité, même. Au nom de quoi, au juste ? Dans l'espoir de rencontrer quelqu'un qui me ferait connaître de nouveau la douce folie des papillons, un quelconque Simon, voilà pourquoi. Je l'avais rencontré, et il m'avait échappé, lui aussi.

Simon. Mon dernier échec, ma plus récente blessure. Je me mis à sangloter. Avais-je été amoureuse de lui ? L'étais-je toujours ? Je ne le croyais pas. Amoureuse de ce qu'il représentait, peut-être, de ce qui aurait pu se produire. Je revis son visage, songeai à ses mains sur mon corps, à son odeur. J'aurais tout donné pour qu'il soit là, près de moi. Ou Danny, peut-être. Oui, Danny.

J'aurais voulu me blottir dans les bras d'un homme, déverser mon désarroi et ma peur au creux d'une épaule solide et forte, être consolée, réconfortée. Je voulais me faire aimer comme au cinéma, d'un amour plus grand que les montagnes, me blottir contre un compagnon qui me trouverait belle malgré mes yeux larmoyants et mon nez coulant, envers et contre tout. Je voulais me faire chuchoter de tendres paroles à l'oreille, caresser les cheveux, embrasser doucement, me faire dire que l'avenir me réservait de belles surprises auxquelles j'avais du mal à croire, que plus jamais je n'aurais peur. Mes pleurs s'intensifièrent et je ne pouvais plus les contrôler. Comme une petite fille perdue et fragile, je voulais me faire bercer tendrement, mais cela ne m'était pas accordé. Pas aujourd'hui, peut-être plus jamais.

Jamais.

Je vidai ma bouteille d'une seule et très longue gorgée, entre deux hoquets déchirants. Puis, me roulant en petite boule, je m'emmitouflai dans une épaisse couette, grelottante malgré la douce brise d'été, tentant vainement de remplacer une chaleur humaine par une autre, artificielle et si peu réconfortante.

Et je me vidai totalement de mes pleurs longtemps refoulés. Le son pitoyable de mes gémissements d'animal blessé se répercutait sur les murs de mon condo trop vide, aussi vide et froid que mon cœur.

Vide et froid pour toujours ?

Je m'éveillai le lendemain matin, toujours sur le divan, les yeux brûlants, la gorge sèche et la tête dans un étau. Curieusement soulagée, pourtant. La Julie que je connaissais prit instantanément le dessus, se sentant quelque peu honteuse de s'être laissée aller à un tel désespoir. Ce n'était pas moi, ça. Je me fis un café bien fort et passai de longues minutes sous la douche pour me débarrasser des derniers vestiges de cet apitoiement inattendu.

C'était dimanche, je me sentais ragaillardie et, surtout, j'avais pris la ferme décision de ne plus jamais regarder derrière. Danny, Simon, mes mésaventures passées, je les reléguais à une vie antérieure. Ma vie m'attendait et il ne tenait qu'à moi d'en faire ce que je voulais.

Après quelques heures de ménage et une bienfaisante séance de gym, j'étais redevenue moi-même. La Julie optimiste à qui rien ne fait peur était de retour. Je pris même la décision de retourner m'inscrire sur les sites que j'avais délaissés. Après tout, c'est bien là que j'avais rencontré

Simon. Même si l'issue de notre relation avait été décevante, j'avais tout lieu de croire que dans ces sites pouvait se cacher quelqu'un d'autre d'aussi intéressant.

Cependant, j'allais m'y prendre autrement. Clarifier mes attentes, d'abord, et tenter de mieux filtrer, ensuite. Ce foutu Simon, envers qui je ressentais désormais plus de frustration que de chagrin, m'avait tout de même fait voir combien il était agréable de trouver quelqu'un avec qui je me sentais totalement moi-même. Il était donc possible de rencontrer une personne avec laquelle les affinités étaient tellement nombreuses que, si j'avais été le moindrement encline à croire les mièvres prédictions des astrologues qui avaient déclaré que la-lune-en-Vénus-du-quatrième-quadrant-machin allait exaucer mes rêves érotiques et sentimentaux, j'aurais pensé avoir trouvé la fameuse âme sœur.

Évidemment, la différence majeure entre Simon et quelques autres hommes avec qui j'échangeai, le net avantage qu'il possédait sur la très grande majorité de mes correspondants virtuels, se situait à l'égard de l'attirance physique. Ils étaient rares, les hommes qui suscitaient de ma part un « wow ! » de surprise autant que d'enthousiasme en regardant leur fiche. C'était presque toujours le contraire. Ça devenait lassant. Mais j'en profitais pour prendre en note ceux qui pourraient être intéressants pour Valérie, au cas où les choses se gâteraient entre elle et Robert, même si tout laissait croire que ce ne serait pas le cas. L'été battait son plein, et même si Val passait le plus clair de son temps avec lui quand il n'était pas en déplacement, les nouvelles étaient toujours merveilleuses.

Je pris soin de changer ma présentation personnelle. La tentation d'ajouter certains critères, disons plus directs, était forte, presque irrésistible. Mais je savais que ça ne m'attirerait que des messages hargneux même s'il ne s'agissait que de « détails » basés sur des échanges vécus. Je m'abstins donc d'élaborer, comme il m'aurait tellement plu de le faire, en écrivant quelque chose comme :

> S.V.P. ne m'écrivez pas si vous êtes du type dépendant affectif, trop indépendant, narcissique, timide, trop petit, trop grand, avez les dents ou les yeux croches, êtes obèses ou trop maigres, si vous ne savez même pas écrire «bonjour» sans faire de faute, n'avez rien d'autre à dire, lors d'un premier échange, que «Salut, sa vas?», êtes incapables de nourrir une conversation de quinze minutes, avez l'intention de rencontrer douze filles dans la même semaine afin de faire le bon choix, êtes désespérés et prenez la première qui s'intéresse à vous, cherchez une nouvelle maman ou un nouveau domicile, aimez fréquenter plus d'une femme à la fois sur une base régulière, cherchez une partenaire de jeux sexuels étranges, si vous ronflez démesurément fort, si vous ne savez pas cuisiner, si vous n'êtes pas autonomes, si vous êtes toujours amoureux de votre ex ou en colère contre elle, si vous venez tout juste de sortir d'une rupture difficile ou, pire, si vous ne l'avez pas encore fait, si vous n'avez pas d'emploi ni de revenu, si vous cherchez une Barbie soumise et docile, avez déjà rencontré quelqu'un mais restez sur le site au cas où quelqu'un de mieux se présenterait, ne voulez pas vous engager de peur de manquer quelque chose, voulez trop vous engager et avec n'importe qui de peur de rester seuls...

Bien sûr, ceux à qui l'un ou l'autre de ces chapeaux aurait convenu ne se percevaient pas comme tels. Il aurait donc été inutile de me défouler de la sorte, même si j'en aurais retiré une certaine satisfaction. Les perceptions qu'on a de soi-même sont tellement malléables ! D'ailleurs, à titre d'exemple, ce qui me faisait le plus rigoler était la rubrique sous laquelle nous devions qualifier notre apparence physique. Les choix offerts étaient pourtant simples : « ordinaire », « bien » ou « très bien ». Or, presque tous les hommes cochaient la case « très bien », peu importait leur allure. Inversement, presque toutes les femmes, même celles qui m'apparaissaient comme ayant pu faire la couverture d'un magazine, cochaient « ordinaire » ou « bien ». C'était révélateur, quand même ! Alors, de là à s'avouer dépendant, analphabète ou narcissique, il y avait tout un pas que la plupart étaient tout simplement incapables de franchir.

Me souvenant de tous les messages insignifiants et inutiles que j'avais reçus lors de ma précédente tentative, je conservai sensiblement mon texte précédent mais donnai tout de même quelques précisions importantes. Ça donna ceci :

> Jeune femme dynamique, positive et souriante, aime sortir, danser et s'amuser. Je suis sportive, enjouée, j'adore mon travail mais... J'aimerais bien rencontrer quelqu'un de passionné, romantique à ses heures, amusant et intelligent pour amitié, peut-être, mais surtout plus, si l'attirance est mutuelle. J'ai une nette préférence pour les hommes autonomes, directs, positifs et actifs qui sont sûrs d'eux sans être arrogants, et virils sans être machos.
>
> Hommes mariés, couples recherchant aventures, hommes de moins de trente-cinq ans ou de plus de soixante, veuillez vous abstenir.

C'était moins générique que la première fois. Un peu sarcastique, sans doute, mais il fallait que je sois claire, j'en avais plus qu'assez de perdre mon temps. J'étais persuadée qu'avec ça, je recevrais sans doute des messages beaucoup plus adéquats de la part d'hommes se rapprochant davantage de mon idéal. Après tout, j'étais une femme positive, non ?

Oui, très. Je fonçais encore une fois vers un nouveau départ, la tête bien haute. Ça n'avait pas fonctionné pour moi, mais je me réjouissais d'avoir eu le flair d'entrevoir une relation possible entre Val et Robert. J'avais d'ailleurs décidé de trouver quelqu'un pour Josée. En plus de lui rendre service, je la rendrais redevable et donc loyale. J'avais tout à gagner à me faire une alliée au bureau ! J'étais tellement fière de ma réussite avec Val qu'il me tardait de mettre le reste de mon plan à exécution. Un tout nouveau plan, né d'une idée de départ toute simple, visant à contribuer de façon utile et concrète aux recherches de mes semblables en utilisant ma propre expérience. Ce ne serait pas mon but ultime sur les sites, non. Il m'importait avant tout de dénicher mon propre bonheur, mais si je pouvais aider certaines de mes consœurs, ce serait encore mieux.

Tout commençait à se concrétiser. J'avais aidé mon amie à trouver quelqu'un qui lui allait comme un gant, mais j'allais aussi, surtout, aider d'autres femmes comme moi à éviter de perdre leur temps avec des imbéciles, des menteurs, de mauvais amants ou des profiteurs.

Comme on dit, à chaque torchon sa guenille, hein ? J'avais déjà échantillonné assez de guenilles pour remplir de nombreux tiroirs ! Il fallait bien que ça serve à quelque chose. Il me restait à réfléchir à la façon de m'y attaquer. En attendant, je prendrais des notes. Beaucoup, beaucoup de notes. Les sujets ne manquaient pas...

13

Conclusion : les hommes ne se donnent généralement pas la peine de lire les fiches ; si la photo leur plaît, ils écrivent un message, souvent banal, insipide ou carrément un copier-coller qu'ils ont envoyés aux trois cent quatre-vingt-deux autres femmes qu'ils ont vainement tenté de séduire auparavant.

Ce n'est pas une nouvelle, je le savais déjà. Mais c'est décevant. Cependant il y a pire : après presque cinq mois d'absence, ce sont les mêmes visages qu'autrefois qui défilent sur mon écran. Un bon nombre d'hommes, d'ailleurs, me réécrivent sans se rendre compte que je leur avais déjà envoyé une réponse négative, parfois même plusieurs, les cons. J'ai même reçu un message de Sylvain, le gars qui lorgnait toutes les femmes autour quand j'étais avec lui. Il ne se souvenait apparemment pas de notre brève rencontre. Ouf ! Pas très bon pour l'ego d'une femme, ça.

Tous les hommes avec qui je suis sortie sont encore là, sauf Robert. Je ne m'attarde pas à eux, j'évite surtout d'ouvrir la fiche de Simon malgré ma curiosité de voir s'il y a changé quelque chose. À quoi bon ? Ça ne ferait que raviver des souvenirs pénibles. Je me demande combien d'autres femmes ont perdu des soirées avec Nico, l'étalon italien, Jean-Louis, alias mononcle Roger ou Stéphane, le chef cuisinier marié. Combien d'entre elles auraient aimé savoir ce qui les attendait réellement avant de se rendre à ce rendez-vous inutile ? Suis-je condamnée, moi aussi, à hanter ce site aux côtés des mêmes rejets jusqu'à ce que je sois trop vieille et qu'on me force à le quitter ? Quand mon vagin sera desséché et que je serai toute plissée, qui va vouloir de moi ?

Déprimant… ☹

Oui, très, très déprimant. Toutefois, c'est là que mon idée se mit à prendre forme. Je me souvins de nos préparatifs de voyage à Cuba. Bien plus que les descriptions du site de l'agence de voyages ou de l'hôtel lui-même, c'était les critiques des autres voyageurs qui nous avaient incitées à choisir notre complexe hôtelier, plutôt qu'un autre. Ces gens étaient des clients, ils avaient payé pour se trouver là ; ils faisaient simplement part de leur appréciation ou nous mettaient en garde contre tel ou tel aspect du séjour ou des installations. Alors… comme plusieurs hommes semblaient y sévir à perpétuité, pourquoi ne pas créer une espèce de TripAdvisor des membres actifs sur les sites de rencontre ? Hmmm. Je me voyais déjà dénoncer l'attitude macho de Sylvain, les photos datées de Jean-Louis et l'état civil de Stéphane. Mais pourquoi, au juste ? Par pur altruisme ? Par gentillesse envers la compétition ? Non, il fallait plus. Au début, je n'y noterais que ce que je savais, mais je pourrais inviter les femmes qui avaient eu des mésaventures semblables à contribuer. TripAdvisor doublé de Wikipedia. Pourquoi pas ? Ce serait un service public duquel je profiterais également, non ? Sans dévoiler publiquement des faits embarrassants, il pourrait y avoir un accès réservé aux membres permettant de consulter une banque de pseudos issus de différents sites de rencontre, *Testés pour vous*. Trop difficile à gérer ? Je me dis que ça nécessiterait sans doute beaucoup d'heures de travail et une mise à jour constante, mais qui sait ? Il y aurait sûrement moyen de faire quelque chose d'intéressant sans y engloutir tout mon temps libre.

Avant d'aller plus loin, je pris soin de consigner soigneusement les pseudos de ceux que j'avais eu le déplaisir de connaître afin de ne pas perdre leur trace. S'ils étaient toujours sur le site, les chances étaient bonnes qu'ils le demeurent encore un moment. Je me dis également qu'il faudrait recenser autant les hommes irréprochables, ceux qui correspondaient à ce qu'ils affichaient. Peut-être même arriverais-je à faire d'heureux liens entre ces derniers et quelques femmes désillusionnées, dont Josée ? Cette idée avait l'avantage de me doter d'une nouvelle mission qui rendrait mes propres aspirations moins lourdes à porter. Ne serait-ce que pour des fins de recherche, je pourrais en profiter pour rencontrer des hommes qui ne m'auraient pas semblé très attirants au premier regard. Peut-être que ce prétexte me permettrait de les considérer plus attentivement et qu'il en ressortirait quelque chose d'étonnant ou même de révélateur ? De toute manière, le rythme de travail était plus lent l'été, je disposais de plus de temps et ça pourrait s'avérer divertissant.

Je décidai donc, cette fois, de garder l'esprit ouvert et de regarder de plus près des types d'hommes différents de ceux auxquels j'étais habituée. Après Simon, je comprenais qu'il valait peut-être mieux rechercher un homme plus « ordinaire » mais qui saurait m'apprécier davantage.

Les hommes séduisants sont souvent narcissiques, comme en témoignait le fameux Sylvain. Les autres, comme Simon, sont en position avantageuse. Peu nombreux, ils peuvent se permettre de faire les difficiles et de ne pas s'engager, au cas où surviendrait une femme plus attirante que la précédente. C'était une réalité emmerdante, mais que je ne pouvais pas me permettre d'ignorer. Ainsi que Valérie me l'avait déjà bien fait valoir, tout le monde n'est pas photogénique. Peut-être qu'un homme attirant, mais mal à l'aise devant la caméra, prenait une allure banale et que par conséquent je l'avais négligé ? Je décidai donc de scruter les photos plus attentivement et d'être plus conciliante envers des visages qui, de prime abord, ne me disaient rien.

Quelques-uns retinrent effectivement mon attention. Je voulais élargir mes critères pour juger de l'attrait d'un homme. Si plusieurs photos avantageuses avaient révélé des hommes quelconques, comment pouvais-je être certaine que le contraire n'était pas possible ?

Ces recherches avaient le très grand avantage de me faire oublier un peu Simon encore beaucoup trop présent à mon esprit. Il me manquait cruellement. Son rire. Son corps. Ses remarques intelligentes et sarcastiques sur tel ou tel événement de l'actualité. Ses mains. Ses cheveux. Son odeur. Il me fallait une distraction.

Donc, à défaut de trouver le genre d'homme qui me ferait saliver ou, du moins, tourner la tête, j'en sélectionnai quelques-uns appartenant à la véritable catégorie « bien » et qui semblaient posséder les qualités recherchées par presque toutes les femmes du site : honnête, respectueux, fiable, simple, avec un bon sens de l'humour. Le petit côté cynique en moi ne pouvait pas s'empêcher de se demander pourquoi ces hommes aux qualités aussi indispensables étaient toujours célibataires. Les femmes, malgré ce qu'elles en disaient, préféraient-elles secrètement les *bad boys* qui les faisaient souffrir tout en prétendant le contraire ? J'étais assez mal placée pour parler. Peut-être sommes-nous toutes les mêmes, au fond, me dis-je. Nous prétendons rechercher un homme solide, stable, sans complication, affectueux et doux, mais ne pouvons résister à l'attirance brute de l'homme qu'on sait être tout le contraire de ce qui est bon pour nous. Le mystère, l'inaccessibilité. Celui qui nous chavire et nous chamboule, qui nous bouscule et nous écrabouille, qui nous fait perdre la tête. Arghhh. Mouais. Je devais avouer que c'était probablement ça.

Au bout d'une semaine et de plusieurs heures de recherche intense, j'avais identifié six « prospects » pour ma « recherche » ; j'entrevoyais déjà un blogue, à la fois drôle, léger et vraiment utile, pouvant s'intituler *RencontreAdvisor* ou *Ce que vous devez savoir sur votre prochaine* date. Pour mes besoins personnels, deux autres hommes, qui cadraient davantage avec mes objectifs initiaux, attirèrent mon attention. L'un d'eux était agent de sécurité, l'autre, comptable. Je me donnais une semaine pour me décider à les rencontrer ou pas.

Je confiai mon idée de blogue à Maryse ; elle se réjouit de toutes les juteuses anecdotes qui en découleraient et me demanda si elle pourrait participer à cette nouvelle aventure. « J'ai besoin de distraction ! » me confia-t-elle. Elle adorait me voir prendre de telles initiatives et, surtout, elle semblait deviner que ma pseudo-rupture avec Simon me perturbait plus que je me l'avouais moi-même. Bien sûr, ce n'était pas, sur le plan sémantique, une véritable rupture puisque, selon Monsieur, nous n'avions pas été réellement *ensemble*, au sens classique du terme. *Whatever*... Si moi j'étais en manque de sexe, Maryse, elle, était en manque d'aventures croustillantes puisque Valérie, toute à l'excitation de sa relation naissante avec Robert, était avare de détails. Sauf qu'il y avait plus. Le « besoin de distraction » de Maryse semblait profond, et, en y repensant bien, c'était même la raison principale qu'elle avait évoquée pour nous convaincre de l'accompagner à Cuba.

Je me doutais que l'éclat de Maryse au sujet de l'imperfection de sa vie le soir de l'anniversaire de Valérie était plus grave qu'elle voulait bien l'admettre. Elle avait dit « c'est rien de grave, c'est juste temporaire », mais son air triste des dernières semaines démentait ses paroles. Le fait qu'elle venait de célébrer son cinquantième anniversaire y était-il pour quelque chose ? Je savais bien comment ces marqueurs du temps peuvent, insidieusement, nous atteindre... Gilles avait organisé une grande fête pour elle et mon amie m'avait pourtant paru radieuse. Val et moi l'avions même emmenée passer une journée complète au spa, où nous nous étions fait masser, pomponner, frotter pour notre plus grand plaisir. Là encore, Maryse avait semblé sereine, heureuse, et pas le moins du monde perturbée par ce changement de décennie qui, moi, me terrorisait. Cependant, chaque fois que j'essayais d'aborder le sujet, elle l'évitait soigneusement. Je n'insistai pas. Mais lorsque je lui avouai que j'avais un peu « ajusté » mes critères au sujet de l'apparence de mes « prospects », elle laissa transparaître un nouvel indice de son insatisfaction conjugale. Elle trouvait que je faisais un trop gros « compromis » et n'était pas d'accord. Elle me harangua :

— Tu sais comme moi que si un gars t'attire pas en partant, y'a rien à faire !

— Oui, mais t'sais, des fois, faut pas s'arrêter à ça... regarde toi et Gilles !

— Gilles, je suis pas si sûre que je le choisirais si je le voyais sur un site ! Je l'aime, parce qu'on a vécu plein de choses ensemble et que c'est le père de mes enfants, mais si c'était pas de ça, l'allure qu'il a aujourd'hui me donnerait pas nécessairement envie de lui écrire. Pourtant, c'est un bon gars, un bon mari. Tout ce que je veux dire, c'est que...

— Justement ! Y'en a plein d'hommes de même qui sont des bons gars, qui gagnent à être connus.

— Oui, mais toi, tu veux des papillons, t'arrêtes pas de le dire !

— Ouain, mais regarde où ça m'a menée... Finalement, c'est épuisant, des papillons. J'ai envie de quelque chose de plus tranquille, là, j'pense.

— Pfff ! J'te crois pas. Tu dis ça parce que t'as été déçue, mais j'te donne pas cinq minutes avec ton agent de sécurité ou ton comptable avant que tu te mettes à vouloir être ailleurs.

— Je suis pas aussi sûre que toi. On gage ?

— Ouep, un vingt. Pour chaque gars.

— *Hey*, pas pour les huit, là ! Y'en a six là-dedans que je rencontre juste pour voir si y sont « datables », c'est pour le blogue !

— OK, juste tes deux « personnels ». Mais me semble que c'est pas tellement fin pour les autres, ce que tu fais...

— Ben là, je fais rien de mal. Je fais juste voir si, comme me l'a déjà dit Val, je suis pas trop difficile. Ça fait partie de la *game*, de rencontrer quelqu'un, de prendre des chances que ça donne rien. Sinon, ils seraient pas là.

— Ouain, t'as sûrement raison. Vingt pour l'agent de

sécurité, et vingt pour le comptable, d'abord. Les autres, si tu me donnes des détails drôles, je te les laisse gratos.

Nous avons scellé ce pacte d'une poignée de main, la mienne plus molle que la sienne. Même si je m'efforçais de demeurer positive, je me doutais déjà qu'elle avait raison.

Je viens de perdre quarante dollars. Maryse avait raison, comme je le savais déjà au moment d'accepter ce pari stupide. Deux autres soirées gaspillées. De toute évidence, mon instinct n'est pas du tout fiable. Il ne l'a pas été pour Simon, après tout, je crois qu'il ne l'a jamais été. Par contre, j'ai tout de même déniché quatre hommes, parmi les six autres, que je pourrais recommander. À chaque torchon sa guenille, et ces guenilles-là pourraient sans doute plaire à d'autres. Ça me redonne espoir. Ces hommes, je me suis amusée à les imaginer nus, au lit, comme je le faisais, avant. Mais l'amusement a été remplacé par des images de queue molle, de dos poilus, de couilles pendantes et de ventre mou. Ouache ! On est loin des bouffées de chaleur. Si ce n'était de mon nouveau but, je ne perdrais pas tout ce temps. Les hommes plus « ordinaires », du moins à mes yeux, ne m'intéressent pas plus qu'avant. Au fond, Maryse me connaît bien. Des papillons, bon ! C'est ça que je veux ! Il doit bien exister quelque part un homme qui me fera trembler de désir qui ne sera pas un indécis, un profiteur ou un con, et que je trouverai au moins un peu cute, *non ? Il me semble que c'est pas trop demander que de vouloir un homme gentil,*

attentionné, sensible et intelligent qui sera aussi un mâle au moins un peu viril, non ? Je suis injuste, je le sais. Ces quatre hommes sont tout ça, et il y en a bien d'autres. Juste pas pour moi. Ce serait bien trop simple. Grrr !

Deux semaines s'étaient écoulées. Quatorze jours pendant lesquels j'avais rencontré huit hommes tandis que Valérie, elle, profitait de la présence de Robert avant son prochain départ. J'en avais long à raconter. Nous étions chez Valérie. Maryse avait apporté la viande à fondue, moi l'entrée de saumon fumé, et Valérie tout le reste. Notre première bouteille était déjà bien entamée quand je commençai à leur raconter mes deux rendez-vous.

— Serge, l'agent de sécurité, était bel homme, quoique complètement différent de ceux que je préfère normalement. Il était gentil, s'exprimait bien, avait une belle voix et la première demi-heure a été assez agréable pour que je ne regrette pas d'avoir accepté de souper avec lui. Sauf que… Il était clair que cet homme-là aurait voulu avoir une carrière plus prestigieuse. Il avait rêvé d'être policier, comme son père avant lui, mais n'a pas réussi. Il a choisi d'être agent de sécurité parce qu'il pensait que ça s'en approchait, mais il a vite déchanté. C'est un homme frustré. Frustré aussi par son ex-femme à qui il doit verser une pension qu'il juge exorbitante « pour des enfants pourris gâtés, ingrats et paresseux » qu'il dit n'avoir même pas voulus.

Maryse souleva un sourcil et dit :

— Oups ! Ça regarde mal… Ils disent toujours que c'est injuste et pensent que les femmes exagèrent, en demandent trop. Ben oui ! En tout cas. Continue…

Je poursuivis.

— Bon. Après presque une heure de récriminations contre son ex, il m'a parlé de son passe-temps favori, les quilles. Il joue dans une ligue toutes les semaines et pratique plusieurs soirs par semaine.

Les filles pouffèrent. Nous avions joué, quelques fois, quand les enfants de Maryse étaient plus jeunes, pour des campagnes de financement de hockey ou de l'école, je crois bien. Nous nous étions amusées, mais jamais il ne me serait venu à l'idée de faire ça comme activité régulière. Et pas juste à cause des affreuses chaussures.

— Ben là, les filles, à chacun son trip, non ? Mais devant mon peu d'enthousiasme, il m'a dit : « Tu joues, pas, hein ? Tu peux pas comprendre le *thrill*, l'adrénaline, alors. Ça te tenterait ? Je pourrais te donner plein de trucs, tu deviendrais une championne dans le temps de l'dire ! C'est tellement passionnant ! » Je lui ai répondu que j'avais déjà joué, que je n'avais rien contre, mais pas de là à jouer chaque semaine… Il a répondu : « Ah, c'est dommage. Mais je joue pas tellement pendant l'été. L'été, c'est la pêche, ma passion. T'aimes ça, au moins ? »

Là, les filles craquèrent carrément. Maryse, essayant de calmer son hilarité, dit :

— Ha, ha ! Julie ! Tu t'imagines, au lever du soleil, dans une chaloupe sur un lac calme, à attendre que le poisson veuille bien mordre tout en combattant les nuages de bibittes ?

L'image était effectivement des plus comiques, surtout quand on connaissait mon penchant pour la grasse matinée et le confort un peu poupoune que je ne cachais à personne. Valérie ajouta :

— T'sais, tu pourrais pas vraiment y aller en jupe et talons hauts. Mais je suis sûre qu'il y a des beaux petits kits de pêche pour les femmes, aux belles couleurs pastel juste pour toi et des bottes de caoutchouc assorties.

Nous avions du mal à nous retenir de rire mais Maryse parvint tout de même à ajouter :

— Ah, y'a aussi la suite… J'te vois, avec tes ongles frais faits, essayer d'enlever le poisson tout gluant de l'hameçon pendant qu'il se tortille et te regarde avec ses gros yeux. Pis le reste, aussi, le nettoyer, le vider, le préparer pour le faire cuire. Tout ça avec une grimace de dédain, en te bouchant le nez et en tournant la tête. Woahhaha !

Nous commencions à en avoir mal au ventre. Je continuai quand même mon histoire :

— Je sais pas comment j'ai fait pour pas rire devant lui, mais en tout cas. En fait de mauvais match, c'était le summum ! Il m'a dit : « Ben là, si t'aimes pas le bowling ni la pêche, j'pense qu'on est pas faits pour aller ensemble. » Je suis restée bouche bée. Je ne trouvais absolument rien à dire tellement ça me semblait ridicule. J'ai fini par réussir à articuler : « On aurait sauvé beaucoup de temps si t'en avais parlé avant. Non ? » Il m'a regardée, l'air totalement bête, et m'a dit : « Je l'avais écrit dans ma fiche que j'aimais ça, tu l'as pas lue, coudon ? » Les filles, je vous jure, j'en revenais pas. Oui, je l'avais lue, sa fiche, mais c'est pas parce que t'aimes pas certaines activités qu'il faut absolument rejeter un chum potentiel, non ? Alors je lui ai répondu : « Ben moi, j'aime danser et m'entraîner. Tu aimes ça, toi aussi ? Non ? Je l'ai écrit dans ma fiche, pourtant. » Il n'a rien trouvé à répondre. Heureusement, nous avions terminé notre repas. Il a demandé l'addition et j'étais soulagée. Il m'a regardée et m'a dit : « Ta part revient à 36,50 $. Tu l'as en *cash* ? » Je l'avais. Je lui ai donné, sans oublier le cinquante cennes et je suis partie.

— Et moi, j'me suis fait mon premier vingt piasses, conclut Maryse.

— C'était pas un mauvais gars, je suis certaine qu'une autre aurait tripé. Je vais pas lui donner une mauvaise critique, pour le blogue, au contraire. Faut juste aimer le bowling et la pêche…

— Torchon, guenille, souligna judicieusement Maryse.

— Et l'autre, le comptable ? s'enquit Valérie. Si je comprends bien, ça a pas été un succès non plus ?

— Le comptable, dis-je d'un ton désillusionné, a au moins payé le souper. Il pouvait mettre ça sur son compte de dépenses.

— Comme c'est galant et romantique ! déclara Maryse.

— Je suppose que t'as pas eu tes fameux papillons là non plus, hein ? ajouta Valérie avec un petit air sarcastique.

— Non, pas de papillons. Quand il est arrivé, j'ai constaté qu'il avait menti sur au moins deux aspects de sa fiche. D'abord, il était plus petit que moi et a passé une remarque sur mes talons, disant qu'il aurait préféré que je n'en mette pas d'aussi hauts. Ensuite, il avait précisé avoir quarante-huit ans, mais il en avait, en réalité, cinquante-cinq et en paraissait facilement dix de plus. J'ai regretté de pas lui avoir parlé au téléphone avant qu'on se rencontre… Il avait une vraie voix de « matante ». Même pas de « mononcle », vraiment « matante ». Haute, nasillarde. Chigneuse. Et il avait plein de tics. Il pinçait toujours les lèvres avec un petit claquement de langue déplaisant en clignant des yeux derrière ses lunettes. Je voulais tourner les talons, mais ça aurait été impoli. Heureusement, on était pas dans un resto chic où on en aurait eu pour des heures… J'ai donc décidé de rester et d'assumer. L'avantage avec ce gars, c'est qu'il était hyper méthodique. Aussitôt qu'on s'est assis à la table, il a regardé le menu et fait son choix. Pas de niaisage, bravo. J'ai fait la même chose. Puis, il m'a posé une série de questions, comme s'il avait eu une liste toute prête. J'avais vraiment l'impression de passer une entrevue pour un emploi. Depuis quand j'étais célibataire, si je voyais encore mon ex, pourquoi j'avais pas eu d'enfants, ce que je faisais comme travail. Il m'a même demandé si je gagnais bien ma vie et quelle sorte de voiture je conduisais. Je lui ai demandé pourquoi il voulait savoir ça, si c'était vraiment important pour lui. Vous savez ce qu'il m'a répondu ?

— Qu'il cherchait quelqu'un pour le faire vivre ? suggéra Maryse.

— Non, plutôt parce qu'il voulait s'assurer que c'était pas ce que toi, tu cherchais, hein ? ajouta Val.

— En plein ça, répondis-je. En mangeant sa lasagne, il m'a dit : « Y'a tellement de femmes qui veulent mettre la main sur un épais qui va les traiter comme des princesses, leur payer la traite à tout bout de champ, faut que tu saches que c'est pas mon genre. Je travaille fort pour me payer mes affaires, je vais pas payer la traite à une femme qui va me domper dès qu'elle va se trouver une autre bonne poire. »

— Il t'a dit ça de même ? Ça doit être vrai, pareil. Je suis pas si surprise, conclut Maryse. Des femmes à l'argent, y'en a quand même pas mal... Mais toi, t'as dit quoi ?

— Que j'étais fière d'être indépendante et autonome, que j'avais pas besoin d'un homme pour me payer quoi que ce soit, que j'aimais pas devoir quelque chose à quiconque. Il m'a fait un grand sourire et j'ai pu voir qu'il avait vraisemblablement pas dépensé son salaire chez le dentiste... C'est là qu'on dirait qu'il m'a regardée pour la première fois. Il m'a dit : « T'es vraiment jolie, t'as de beaux yeux. Tu me plais beaucoup. » Puis, il a continué à manger. Juste de même, comme s'il disait qu'il faisait beau dehors. Entre le plat principal et le dessert, il m'a parlé de son travail, de comment il trouvait passionnant de préparer des états financiers et combien il était content quand tout « balance à la cenne près ». Je le trouvais de moins en moins sympathique. Je l'ai laissé parler en l'écoutant à peine. Il mangeait aussi de façon très méthodique. Une bouchée de légumes, une de lasagne. Une de légumes, une de lasagne, qu'il découpait en petits cubes parfaits. C'était quand même fascinant, quelqu'un d'aussi caricatural. Au dessert, il a coupé son gâteau en petits morceaux égaux avant de les manger lentement, mais à un rythme continu, sans parler, je me demandais même s'il respirait. Puis, quand on a terminé, alors que la serveuse allait chercher l'addition, il a dit, et je vous jure, les filles, c'était comme s'il m'annonçait que j'avais été choisie parmi plusieurs candidats intéressants pour combler un poste vraiment convoité : « Bon, on va en venir aux choses pratiques. Moi, je me lève tôt, donc je me couche tôt aussi. Pas question de veiller jusqu'aux petites heures. Je ne bois que très peu, et la fin de semaine seulement, je m'attends à la même chose. Je suis libre le samedi et dimanche, surtout, mais je peux me libérer quelques soirs par semaine pour une activité plaisante. Je ne tolère pas la cigarette, alors si tu fumes, même juste de temps en temps, assure-toi que je ne le sente pas. Je déteste les retards, alors je te demanderais de respecter ça, c'est très important pour moi. Je n'aime pas tellement voyager, c'est gaspiller de l'argent, mais si tu veux faire des voyages avec des amis, c'est ton choix. As-tu des questions ? » J'aurais pas été surprise qu'il ajoute quelque chose comme : « Je vais te mettre à l'essai pendant un mois, voir si tu fais la job. On évaluera régulièrement pendant ta probation. »

Les filles me regardaient avec de grands yeux incrédules. Maryse me demanda :

— Ben voyons donc ! Tu me niaises ? Coudon, t'avais rien vu venir dans vos échanges avant de le rencontrer ?

— Rien du tout. J'te jure, il avait l'air parfaitement normal. Je trouvais qu'il avait de belles valeurs, il avait l'air d'un gars responsable, solide, fiable.

— Un peu *freak*, peut-être ? ? ?

Valérie ne disait rien. Elle avait l'air songeur. Moi, rien qu'à me souvenir de l'épisode, je m'énervais.

— Légèrement. Et l'arrogance ! Comme si ça allait de soi que parce que je lui plaisais, il me plaisait aussi. Il m'a même pas posé la question ! Je l'ai laissé payer sans même offrir de partager. Nous sommes sortis du resto et il a essayé de m'embrasser. Ouache ! ! ! J'ai eu un *flash* de me retrouver nue avec lui dans un lit et j'ai eu mal au cœur. J'en avais assez de ce crétin. Alors, je lui ai dit, le plus gentiment que j'ai pu : « T'sais, Yves, c'est bien flatteur, mais je pense pas que tu sois le gars que je cherche. Je suis pas tellement du genre à me faire dire quoi faire, et de toute manière, si tu commences tes relations en mentant sur ta grandeur, sur ton âge et sur toi seul sait quoi d'autre, et honnêtement, je tiens pas à le savoir, tu vas avoir de la misère à trouver quelqu'un qui va pouvoir te faire confiance. Je sais pas ce qui t'a fait croire que je pouvais avoir un intérêt pour toi, il me semble que mon attitude en disait assez long et si tu t'étais donné la peine de me le demander, je te l'aurais dit. En tout cas, merci pour le souper et bonne chance... » Il m'a regardée, surpris, comme si je venais de lui dire quelque chose d'incroyable. Puis, il m'a répondu : « Une autre. Vous êtes vraiment toutes pareilles. Tu me fais venir ici, me fais croire que t'es intéressée toute la soirée, t'as même attendu que j'aie payé le souper pour me dire que, finalement, Madame vaut mieux que moi. Tu te prends pour qui, au juste ? Tu penses que je suis pas assez bien pour toi, c'est ça ? Bonne chance à toi, maudite profiteuse ! » Je suis restée plantée là, dans le stationnement, la bouche grande ouverte comme le poisson que j'aurais pu pêcher avec Serge, le champion de quilles. Wow !

— Et moi, je me suis fait un autre vingt piasses ! s'exclama Maryse avant de rire de bon cœur et de nous resservir du vin.

— Moi, à ta place, j'aurais sûrement pleuré en m'excusant, ajouta Valérie.

Elle avait sans doute raison, mais j'étais étonnée de cette soudaine lucidité. Valérie se sentait toujours coupable de tout. Elle s'excusait constamment d'exister. Je savais qu'elle travaillait fort pour changer cet aspect de sa personnalité, et c'était ce qui m'agaçait le plus chez elle. Je n'avais pas cru qu'elle en était consciente, mais apparemment, elle l'était. Maryse la prit dans ses bras et lui dit :

— Ça, c'était l'ancienne Val. La nouvelle est en train de changer tout ça. De toute manière, on serait venues à ta rescousse et on l'aurait envoyé promener.

Je nous imaginais arrivant dans un stationnement avec des capes de superhéros disant à ce moron de disparaître. *Cute*. Sauf que je lui ai dit ce que je pensais vraiment :

— T'sais, c'est à toi de décider si la nouvelle Val est aussi comme ça, moi je pense que non. Si tu le réalises, c'est que t'as choisi de changer. Tu peux choisir d'être celle que t'as envie d'être et t'es super bien partie. De toute façon, me semble que le beau Robert est pas du genre à te faire *feeler* de même !

— Oh non, tellement pas ! Il est tellement fin ! En fait,

j'me demande chaque jour c'est quoi la pogne. Il est parti hier et je m'ennuie déjà...

— Y'est pas obligé d'y en avoir une, pogne, ajouta Maryse. Peut-être que c'est juste un bon gars qui aime bien la fille que tu es.

— Tu m'as déjà dit la même chose y'a pas longtemps, Maryse... dis-je, pour la taquiner.

— Oui, c'est vrai. Mais vous pouvez pas me blâmer de penser qu'il y a encore des gars corrects, quand même ! C'est pas parce que t'es tombée sur des pas d'allure, Julie, qu'ils sont tous de même.

— Non. En tout cas, Julie, ajouta Valérie, moi je suis contente que ça ait pas cliqué avec Robert parce que moi, j'te jure...

Elle devint écarlate. Je ne pus me retenir :

— Tu nous jures quoi, Val ?

— Euh, ben... c'est juste que, en fin de semaine, chez lui, eh bien, on a...

Maryse et moi avons écarquillé les yeux et dit en même temps :

— Racoooonnnte !

— Ben non là, je vous raconte pas ça ! Je suis pas Julie, moi ! J'vais juste vous dire que j'me suis enfin décidée, presque quatre mois plus tard, à passer la nuit avec lui et que c'était... fantastique.

Nous l'avons prise dans nos bras. Nous étions énervées comme des poules mais, malgré nos questions, Val refusa d'ajouter le moindre détail. C'était très bien comme ça. Sa vie lui appartenait, après tout. J'étais vraiment heureuse d'avoir contribué à son bonheur. Nous étirions notre fondue dans une joie toute chaleureuse, mais Maryse n'avait pas eu son compte d'anecdotes.

— Bon, Julie. Et les six autres, ils étaient comment ? As-tu réussi à aborder ça de façon presque journalistique, comme t'en avais l'intention ?

— Oui, tout à fait ! J'ai pratiquement établi mon quartier général au petit café en bas de chez moi. C'était drôle, c'est moi qui avais l'impression, cette fois, de faire passer des entrevues. J'ai développé toute une technique d'interrogatoire qui a vraiment l'air naturel. Je les laisse parler, en fait, c'est super facile. Le plus dur, c'est de retenir qui a écrit quoi quand on échangeait des messages. Je voulais quand même pas prendre des notes devant eux… mais ça devient mélangeant à la longue ! Je peux mieux comprendre que des gars m'aient écrit plusieurs fois sur le site sans se souvenir que je les avais déjà flushés ! Sur les six, y'en a quatre qui avaient de l'allure. Pas mon genre du tout, mais de l'allure quand même. C'est une bonne moyenne, non ?

— Tu veux dire quoi, par « de l'allure » ? demanda Maryse, les yeux brillants.

— Je veux dire, d'abord, qu'ils ressemblaient à leur photo, qu'ils n'ont rien dit de *weird* ou de déplacé, que c'est des « bons Jack » ; bref, ils m'ont convaincue. Trois ont des enfants, en garde partagée ou pratiquement des adultes, et m'ont dit que c'était civilisé ou même amical avec leur ex. Pas de demande bizarre, pas de passe-temps étrange. Juste des gars ordinaires. Certains avec un bon sens de l'humour, d'autres un peu timides, mais vraiment, normaux, gentils, *sweet*, même.

— OK, c'est quasiment plate, ton affaire. C'est *l'fun* de savoir qu'il y en a, mais je m'attendais à des histoires plus savoureuses…

— Les deux autres étaient pas pires dans le genre épais. Le premier, d'abord, voulait qu'on se rencontre dimanche matin à neuf heures.

Les filles rirent, sachant que je n'existe tout simplement pas, le dimanche matin, à cette heure-là. Même si, par un extraordinaire hasard, je ne dors plus, on ne va surtout pas me demander d'être habillée, présentable et souriante avant, au mieux, onze heures. C'est ce que j'avais répondu à mon correspondant.

— Je lui ai plutôt proposé onze heures, onze heures et demie et il m'a dit : « Ah, je vais essayer de déplacer quelque chose. » Il m'a rappelée pour me dire que c'était arrangé. C'est plus tard, assise au café avec lui, que j'ai su que ça avait été « compliqué ». En fait, je le cite : « C'est que j'avais quatre rendez-vous aujourd'hui, et hier aussi. Je veux " régler " le premier bout en fin de semaine, pour être fixé la fin de semaine prochaine. » Je n'étais pas sûre de comprendre. Je lui ai demandé, naïvement : « Régler quoi ? C'est quoi, le premier bout ? » Et là il m'a dit : « Ben, éliminer les moins intéressantes, la première ronde, quoi. »

— La première ronde ? Vraiment comme des entrevues ? Ouf ! C'était sa tâche de la fin de semaine ? demanda Maryse, incrédule.

— Oui. Il avait sélectionné une dizaine de filles qui lui plaisaient, avait échangé des messages avec elles pour la forme et les rencontrait pour sélectionner les chanceuses qui lui plaisaient davantage. Et après...

— Quoi, après ? Comment il fait son choix ?

— Ah, ça c'est le meilleur bout. Il m'a dit, tout candidement : « Il faut bien baiser, ensuite, pour voir si y'a de la chimie, sinon, on perd notre temps ! »

Valérie pâlit. D'une voix blanche, elle me demanda :

— Penses-tu vraiment que c'est ce qu'il faisait ? Penses-tu que Robert est comme ça et que, maintenant qu'on a...

euh… ben, il va décider si oui ou non on va plus loin ?

J'aurais dû prévoir qu'elle penserait une telle chose :

— Non, Valérie, Robert est pas comme ça. Vous avez pris ça avec une lenteur épouvantable, c'était quand même pas pour passer à autre chose tout de suite après ! Non. C'est débile, l'autre, comme façon de faire, mais au moins, il a eu l'honnêteté de me le dire. C'est le seul point positif. Mais franchement, c'est pas fort ! Le pire, c'est que je peux pas faire autrement de me dire que pour un gars qui l'avoue, un paquet d'autres doivent faire la même chose sans le dire. Brrr ! Ça me donne froid dans le dos ! En tout cas, je lui ai dit qu'il pouvait m'éliminer, je ne suis pas du genre à prendre un numéro. Il m'a regardée, a haussé les épaules et est parti sans rien ajouter. Ark !

— Ark, mets-en ! Pis l'autre ?

— Ah, l'autre ! Lui, c'était le genre *douchebag* de cinquante ans. Arrogant, il arrêtait pas de me regarder les seins en me parlant. Il était passablement attirant en photo, mais en personne, ça faisait dur. Il se trouve beau et musclé, mais il a encore de la job à faire de ce côté-là. En plus, il va régulièrement au salon de bronzage et a pris une belle teinte orange. Mais faut que je dise que lui aussi, au moins, a été assez honnête. Après quelques minutes, il m'a demandé : « Est-ce que c'est tes vrais seins ? »

Les yeux de Maryse et de Valérie en disaient long sur leur étonnement.

— T'as dit quoi ? demanda Maryse.

— Ben j'ai dit que oui. Sans rire, ce qui était difficile. Et là, il a continué : « Est-ce que tu aimes sucer ? Moi, ce qui m'allume, c'est la lingerie. T'sais une p'tite femme qui se met des p'tites jarretelles pis une brassière en dentelle pour faire son ménage, ça m'allume solide ! »

Valérie était aussi abasourdie que Maryse mais elle pensait que je les faisais marcher. J'ajoutai :

— Je lui ai répondu que oui, dès que j'arrive à la maison, après une longue journée de travail, je me dépêche d'aller revêtir mon p'tit kit *sexy* pour faire à souper et que pendant que mon homme mange, moi je le suce en dessous de la table. J'en rêve toute la journée, et rendue au soir, j'me peux plus.

Mes amies se tordaient de rire. Elles répétaient des bouts de ma réplique et riaient de plus belle. Maryse jubilait, littéralement :

— Tu lui as vraiment dit ça ? T'es mon idole ! Maudit niaiseux ! Seigneur, ça fait dur ! Qu'est-ce qu'il a pensé de ta réponse ?

— Pendant quelques secondes, j'te jure, je pense qu'il m'a crue. Mais en me regardant bien attentivement, il a compris que je le niaisais. Il s'est levé et est parti, comme l'autre tarla. De toute façon, les filles, mon cahier de recherches commence à être vraiment bien garni. Bientôt, je vais pouvoir structurer tout ça.

— Bientôt ? demanda Maryse. Tu vas en rencontrer encore beaucoup, de même ?

— Je dirais encore cinq ou six. J'en ai déjà retenu quelques-uns. Je vais faire une section « bon gars », une section « bon potentiel, mais pour femme avertie » et une section « karma ».

— Les deux premières sont pas mal claires, mais la dernière, c'est quoi ? demanda Valérie, intriguée.

— Ça, je pense que ça va être ma préférée. Là, je vais mettre les épais, les menteurs, les écœurants, les dangereux, les profiteurs, ceux qui méritent de manger une claque en arrière de la tête ou, mieux, sur la gueule. T'sais, genre, les gars mariés qui rôdent sur les sites en cachette ? Les épais qui cruisent et baisent tout ce qui bouge ou qui sortent avec plusieurs filles en même temps ? Ceux qui mentent sur leur âge ou qui sont juste malhonnêtes ?

— Karma, dit Maryse, songeuse. Il va y avoir pas mal de monde là-dedans... Mais j'y pense, ça ferait un bon titre pour ton blogue, ça.

— Oui, mais faudrait quelque chose de plus, sinon, ça va avoir l'air d'un blogue de yoga, ou quelque chose du genre, nota Valérie.

— Ouain, je suis d'accord, ajoutai-je. Karma, c'est bon. Moi-même, je pensais que ma destinée m'attendait sur un site. Mais il manque l'élément rassembleur de tout ce beau monde. Le sexe, j'pense, parce que ça revient pas mal toujours à ça. Hmmm.

Le silence s'installa pendant un moment, chacune de nous cherchant de l'inspiration dans la troisième bouteille de rouge qui se vidait tout doucement, mine de rien. Après de nombreuses suggestions telles que « Sexy karma », « Rencontres karma » et « Sexo karma » qui faisaient soit site de sexologue flyé, site porno, ou alors site de rencontre à saveur ésotérique ou cochonne, Maryse suggéra :

— Je l'ai ! Karma sutra !

J'aimais le son, j'aimais la connotation, j'adorais la symbolique. Avec un sous-titre explicatif, du genre : « Le blogue qui vous épargne des *dates* décevantes » ou « Vos éventuelles *dates,* testées par de vraies femmes ». Ça pourrait bien marcher.

Quelque chose d'intéressant se profilait sans aucun doute à l'horizon.

— On en a déjà parlé, dit ensuite Maryse, mais j'ai pas mal de temps, ces jours-ci, je pourrais te donner un coup de main pour mettre ça sur pied. Je me débrouille bien, je suis pas mal organisée, et ça me changerait les idées du bordel d'Oli et de sa blonde...

— Oui, c'est vrai ! lui répondis-je, un grand sourire aux lèvres. T'as travaillé assez longtemps en informatique, tu pourrais me monter des beaux p'tits tableaux, m'aider à classer l'information...

— Moi, ajouta Val, je pourrais t'aider à sélectionner les gars, au moins quand Robert est parti. Ça me changerait les idées et ça serait drôle !

Oui. Ce serait parfait. Nous devrions penser à la formule, établir une méthode à la fois simple, efficace et facile à tenir à jour. Il nous faudrait également être prudentes sur la façon de transmettre l'information et ne pas rendre publics des détails méchants ou mesquins envers de vraies personnes. Hmmm. Tout ça nécessitait beaucoup de planification, mais c'était super excitant. Ce serait un service communautaire, d'abord et avant tout, mais je ne perdrais pas de vue mes propres intérêts. Je me doutais qu'avec la bonne diffusion, je n'aurais éventuellement plus besoin de faire toutes les rencontres moi-même puisque les témoignages d'autres femmes garniraient admirablement la base de données. C'était bien parce que, à la longue, je craignais de me décourager des hommes à tout jamais.

Ma nouvelle entreprise ? Peut-être. Avec l'aide de mes amies, tout était possible. J'avais déjà des idées de grandeur...

14

Bon. En voyant la fiche d'Andy, j'ai eu un petit tressaillement. Il me plaît, beaucoup. Wow! J'ai rendez-vous avec lui ce soir, après une semaine d'échanges. Celui-là n'entre pas que dans la catégorie « recherche », je pense qu'il a un bon potentiel. Pour le reste, j'ai cinq autres rendez-vous au cours de la semaine mais je ne suis pas tellement optimiste… Avec Andy, par contre, c'est prometteur! J'ai même fait un rêve tout à fait cochon et très humide, hier soir. Si Andy arrive à me faire le dixième de ce qu'il m'a infligé dans mon rêve, je vais être comblée. Je ne ferai cependant pas l'erreur de m'exciter, cette fois. Ça suffit. Je vais le rencontrer, on va prendre un verre et on décidera sur place s'il y a une suite ou non. Je verrai bien… mais mon Dieu que ça ferait du bien de tâter et de manger de l'homme!

Maryse me félicita de mon sang-froid :

— Ça devenait ridicule, ton affaire. Chaque fois, ou presque, t'étais déçue et tu le regrettais. Pour une fois, bravo ! Va prendre un verre, si par miracle vous décidez de continuer la soirée ensemble, tant mieux !

— Exact. Ça va faire, les attentes qui foirent. Mais t'sais, j'ai quand même eu des bons moments, avec Simon. J'aimerais ça y croire encore. J'ai hâte de le rencontrer, et c'est super agréable ce qui se passe, là. On se parle presque chaque jour, sinon il me texte très souvent pour me faire sourire quand il se passe quelque chose d'amusant à sa station de télé ; aussi, il m'envoie des courriels avec des photos de lui qui, même croquées au naturel, sont plus avantageuses les unes que les autres. Chaque fois que je reçois un message ou que je vois son nom sur l'afficheur de mon téléphone, je deviens tout excitée. Je commence à me demander si c'est pas ce que je préfère, attendre, espérer. Me faire des idées, même si je sais que c'est loin d'être gagné… Oui, j'ai hâte de lui voir la binette, mais j'ai pas envie que l'attente finisse. Bizarre, hein ?

— Oui, bizarre certain ! C'est sûr que c'est *l'fun,* l'anticipation, tant que tu t'imagines pas, à chaque fois, que c'est LE gars que tu cherches. Ça devenait un peu ridicule !

— Je sais. Y'a une partie de moi qui peut juste pas s'empêcher de se dire « tout d'un coup ? », t'sais ?

— Ouain. Au fond, on sait jamais, hein ?

— Tu veux pas parier, encore, là ?

— Non, ça serait pas juste, je gagne tout le temps. Comme d'habitude, j'vais juste attendre que tu me racontes ta soirée… Au pire, je pourrai conclure avec un « j'te l'avais bien dit » !

Je le rencontrai dans un pub un peu bruyant, mais à l'ambiance chaleureuse et décontractée. Andy était absolument à croquer. Réalisateur à la télé, il portait sa jeune cinquantaine avec aplomb, arborant d'épais cheveux gris, une mâchoire carrée, un teint basané, une belle voix avec un léger accent anglais et un style d'une élégance relaxe que j'adore. La conversation était facile, il me faisait rire, j'en faisais autant. Il s'intéressait à toutes sortes de choses passionnantes, et j'adorais son humour parfois mordant sur le monde du spectacle et son métier en général. Il racontait des anecdotes drôles et fascinantes sur les vedettes qu'il côtoyait chaque jour, et j'aimais qu'il dise détester le côté superficiel de cet univers. Ses yeux brillaient et je sentais les miens pétiller. Malgré mes bonnes intentions, je m'imaginais déjà en train de me pavaner à son bras lors d'événements mondains et tout à fait glamour, avec des stars et des personnalités de tous genres. Je frétillais. Mais au-delà de tout ça, fidèle à moi-même, je nous imaginais trop facilement déjà nus, l'un contre l'autre, ses mains parcourant mon corps frissonnant, à un point tel que j'avais du mal à suivre la conversation. Il me demanda si j'étais pressée ou si je voulais manger avec lui. Pressée, moi ? Pas du tout. Installés à une table, nous poursuivîmes la conversation. Plongeant ses yeux dans les miens, il me frôla la cuisse, me caressa la main, m'effleura le cou. Je sentais que cette soirée allait se terminer de bien agréable façon. Je serais allée chez lui avant même de manger. Mon estomac pouvait attendre. Mon ventre, lui, en privation depuis ma dernière nuit avec Simon, n'en pouvait plus. Andy interrompit le cours de mes pensées :

— Ça va ? On dirait que t'as la tête ailleurs, là…

Je me sentis rougir furieusement et me contentai d'un petit sourire gêné en lui confiant :

— Oui, en effet, excuse-moi. C'est que tu m'attires vraiment…

Et là, il se pencha vers moi et m'embrassa. Pas un baiser

passionné, mouillé ou impétueux, non. Juste un baiser plein de curiosité, un peu hésitant au début, comme s'il me demandait la permission avec sa langue. Puis, plus assumé. Dé-li-cieux. Il embrassait divinement bien et mes sens en étaient tout aiguisés. Notre conversation reprit son cours, comme si nous étions temporairement soulagés par cette petite intermission. Mais son visage resta sensiblement plus près du mien, sa main sur ma cuisse se posa plus fermement. Il me sourit et me dit :

— J'aimerais vraiment te revoir...

Je ne savais pas trop comment interpréter ça. J'étais un peu déçue, parce que ça voulait sans doute dire que nous ne finirions pas la nuit ensemble... J'allais le lui demander quand il poursuivit :

— J'ai un rendez-vous super important très tôt demain matin. C'est dommage, j'aurais bien étiré cette belle soirée, mais si tu veux, on pourrait planifier quelque chose la semaine prochaine ?

Je souris à mon tour. Oui, ça me laisserait du temps pour anticiper, désirer, attendre avec impatience en me représentant comment ce serait de faire l'amour avec lui. Je n'avais rien contre ce genre d'attente, au contraire. Ça n'en serait que meilleur.

En arrivant à ma voiture, il m'embrassa avec une passion nettement plus soutenue que la première fois. Je revivais l'envie que j'avais ressentie avec Stéphane, le gars marié qui m'avait fait tant d'effet, mais aussi mon désir ardent pour Simon et Fernando. Étais-je réellement en train de sentir une petite envolée de papillons ? Pas encore, mais ce serait très, très probable dans un avenir rapproché. Un peu malgré moi, je restais sur mes gardes tout en me consolant avec la pensée que ce n'était qu'une question de jours avant qu'il assouvisse enfin cette envie pressante que j'avais d'être pénétrée, conquise.

Nos baisers devenaient insoutenables. Je sentais son érection impétueuse, je voulais toucher sa queue, la goûter, mais je n'allais tout de même pas me donner en spectacle en pleine rue. Sa main s'était faufilée sous ma jupe et tentait de s'immiscer sous ma culotte dont l'humidité trahissait mon excitation. J'avais le souffle court, j'allais perdre tout contrôle s'il n'arrêtait pas. Retrouvant enfin mes esprits, je le quittai sur la promesse de faire de beaux rêves, peuplés de la suite imaginaire de ces caresses prometteuses.

Je fis le trajet jusque chez moi dans un nuage rempli d'images XXX. Ses textos, plus tard ce soir-là, m'incitèrent à me caresser en l'imaginant encore mieux, et c'est après un orgasme d'une intensité presque monstrueuse que je finis par m'endormir. L'attente de quelques jours allait rendre le reste de cette semaine presque insoutenable, mais absolument délectable.

Je fus étonnée de ne pas avoir de nouvelles le lendemain mais, comme il avait mentionné son fameux rendez-vous, je me contentai de lui texter un petit mot : *« J'espère que tu as passé une bonne nuit... et que c'était aussi bon pour toi que pour moi. Bonne journée ! xx ☺ »*

Je le plaignais de devoir travailler un samedi, mais, dans son métier, les fins de semaine ne comptent pas. Samedi soir, je n'avais toujours pas de nouvelles. Dimanche, je passai la journée en randonnée pour profiter de l'une des dernières fins de semaine estivales avec Valérie, et je laissai volontairement mon téléphone à la maison. Je ne voulais pas être celle qui attend, le cellulaire à la main, que Monsieur daigne lui faire signe. Mais en fin de soirée dimanche, je n'avais toujours rien reçu.

Lundi, en rentrant du travail, je lui envoyai un petit message :

> « Salut ! J'espère que ta fin de semaine s'est bien passée... Je voulais te remercier pour la super soirée, j'ai bien hâte de te revoir. Tu me diras ce que tu as envie de faire, on planifiera en conséquence. À bientôt ! xx »

Sa réponse arriva quelques instants plus tard :

> « Allô Julie, désolé de ne pas t'avoir donné de nouvelles. J'avais mon rendez-vous de samedi matin qui s'est étiré une bonne partie de la journée, c'était une longue randonnée en montagne. Ensuite, j'avais un souper avec une fille du site de rencontre samedi soir et une activité avec une copine que j'avais pas vue depuis longtemps dimanche. J'ai un peu de mal à gérer tout ça... et je manque d'énergie pour satisfaire tout le monde ! Je pense qu'on va devoir annuler notre rendez-vous de la fin de semaine prochaine, j'ai d'autres engagements. Désolé... »

D'autres engagements ? Satisfaire tout le monde ? Désolé ?

Incroyable.

Je copiai soigneusement cet échange de courriels dans un fichier intitulé « karma ». C'est là qu'il devait être classé.

Flush.

Au début, j'ai été insultée. Puis, fâchée qu'Andy m'ait fait perdre mon temps. Finalement, dégoûtée. Un autre avec qui il aurait fallu que je prenne un numéro pour avoir une petite place dans l'horaire – et le lit – surchargé ? Euh... non !

Le plus enrageant, c'est que je pensais bien avoir un peu de sexe dans les jours à venir. Ce ne sera vraisemblablement pas le cas et là, maintenant, j'en souffre sérieusement. Peut-être que c'est moi qui ne comprends rien et que je pourrais, moi aussi, me créer un réseau de divertissement ? Ou peut-être que Simon a raison, après tout, de penser que quelques nuits torrides de temps en temps, à défaut d'une vraie relation, ont au moins le mérite de calmer certains besoins ? Pas inintéressant, comme idée, au fond. Je devrais peut-être lui téléphoner, voir s'il a envie de me voir. Après tout, je suis pas mal certaine d'être suffisamment détachée de lui pour simplement prendre ce qu'il a à m'offrir et ne rien attendre de plus. Et Dieu sait que ce qu'il a à offrir, je m'en régalerais. Pourtant, quand je repense à mes nuits avec lui, ou même à mes escapades avec Fernando, je me demande si je suis vraiment de celles qui peuvent se contenter d'une bonne baise – très bonne, même – sans que ça veuille dire quoi que ce soit. Dans mon état de hornyness *actuel, sans doute. Mais après ? Arghhh. Pourquoi c'est si compliqué, bordel ?!*

Je vais me concentrer sur la suite de notre « Karma sutra ». J'ai déjà rencontré trois hommes, il m'en reste deux. Après, je vais prendre une pause parce que, vraiment, ces hommes sont d'un ennui mortel même si je sais qu'ils pourraient en combler une autre que moi. Des hommes corrects, du moins deux sur trois, mais ennuyeux. Puis, il y a Jean-Michel. Jean-Michel, le gentleman-motard et son allure de belle brute, totalement différent de ceux que j'ai l'habitude de fréquenter. D'abord mue par le désir d'échantillonner différents styles d'hommes pour voir s'il ne se cachait pas, en dehors de ma zone de confort, une perle rare, j'éprouve de la curiosité à un niveau plus personnel pour Jean-Michel. Un peu d'exotisme ne peut pas me faire de mal après tout. Jusqu'à maintenant, il m'étonne. J'apprends avec lui à me défaire de mes préjugés, à ne pas mettre d'étiquettes sur les gens même si certains ont l'air de faire exprès. Lui, vraiment, c'est un anti-cliché sur deux – très solides – pattes. Intrigant…

Il y avait trop longtemps que j'avais raconté quelque chose de drôle ou du moins de croustillant à mes amies. Nous n'avions même pas réussi à nous voir pendant nos vacances, ce qui était inhabituel ; Valérie avait profité de la présence de Robert pour passer le plus de temps possible avec lui tandis que Sabrina avait son tout premier emploi d'été, et Maryse avait réussi à organiser un voyage sur la côte Est des États-Unis avec Gilles et les enfants. À leur âge, Maryse considérait ça comme un privilège, malgré la présence quotidienne et quelque peu encombrante d'Oli. Les semaines s'étaient donc écoulées sans que nous puissions nous voir et, de mon côté, les mésaventures s'étaient accumulées. Il me tardait d'entendre rire mes amies, de retrouver notre complicité lors de nos soupers. De plus, il était temps de passer aux choses concrètes avec notre idée de blogue. J'avais suffisamment de matériel désormais et j'avais besoin d'une pause des sites. Ce fut donc avec une joie partagée que je leur racontai mes rencontres avec David, Marcel et Ronald autour de notre fondue traditionnelle.

— Bon, David a quand même bien commencé la série. C'est un gars rêveur, un artiste. Doux comme un agneau. Lui, il aime prendre soin d'une femme, la dorloter, cuisiner pour elle, c'est un grand romantique.

— Tu y crois ? demanda Maryse, dubitative.

— Oui, il est très convaincant. Il m'a même apporté une rose et m'a remerciée de lui accorder du temps parce que, a-t-il dit, les femmes n'avaient pas l'air de s'intéresser à lui. J'étais étonnée ; on est très, très loin de Johnny Depp, mais quand même. Il est pas laid, juste… un peu beige. Le genre de gars qui ne fait pas de sport, il est pas *top shape*, mais bien quand même. Bref. Quand je lui ai demandé pourquoi il avait cette impression, il m'a confié que même s'il avait rencontré plusieurs femmes qui se montraient intéressées, le fait qu'il soit à la recherche d'un emploi, qu'il habite un demi-sous-sol sur la Rive-Sud, qu'il n'ait pas de voiture ni de compte en banque bien garni jouait contre lui.

— Sérieux ? demanda Valérie, visiblement incrédule. C'est pas important, ça, si le gars est moindrement attirant, avec des qualités de même, me semble…

— Voyons Val, intervint Maryse. Imagine le gars qui a pas une cenne pour sortir et qui vit à l'autre bout du monde dans un trou, c'est pas super attirant…

— Moi, ça me dérangerait pas !

— Toi, non, mais y'a beaucoup de femmes qui cherchent tout le contraire, quitte à ce que le gars soit moins gentil. Pourquoi tu penses qu'il y a autant de pitounes avec des vieux croûtons pleins de *cash* ? En tout cas. On a parlé, et quand j'ai su ce que je voulais savoir, je l'ai remercié à mon tour en m'excusant de ne pas le trouver assez attirant pour avoir envie de le revoir. Il m'a répondu un timide : « Je m'en doutais bien, une belle femme comme toi… » Je me suis empressée de lui dire que ça n'avait rien à voir avec sa situation, mais que pour moi, c'était important de ressentir des papillons. Il a accepté gentiment.

— On peut pas s'obstiner contre les papillons, hein Julie ? conclut Maryse avec un ton dégoulinant de sarcasme.

— Ben non, on peut pas. De toute façon, j'avertis toujours les gars de ça avant de les rencontrer, alors ils s'y attendent…

— OK, *next* ?

Valérie dit ça d'un ton presque amer. Je savais qu'elle avait pitié du pauvre David. Elle avait beau s'être transformée et poursuivre sa relation avec Robert en toute béatitude, je ne la changerais jamais. Et c'était bien ainsi.

— *Next* ? Marcel, poursuivis-je. Lui, il en déplace de l'air. Un grand costaud, malheureusement pas juste du muscle, mais avec une grosse voix et un rire qu'on pourrait entendre à deux coins de rue. C'est un Monsieur Jovial. Je pense que ses dents sont trop parfaites pour être naturelles, mais il sourit tout le temps et les montre en masse. J'ai commencé par lui demander ce qui l'avait d'abord attiré dans ma fiche. « C'est simple, qu'il m'a répondu. Je travaille tout près d'où tu habites, ça serait pratique d'avoir un pied-à-terre à Montréal vu que ma maison est dans les Basses-Laurentides. »

Petits rires de la part de mes amies. Je continuai :

— J'ai répondu : « OK, c'est pas super romantique, ton affaire ! » Et là il m'a dit : « Ah, t'es une de ces femmes qui cherchent le prince charmant, c'est ça ? J'vais te dire une chose, moi, c'est une partenaire que je cherche, pour jouer au golf, sortir, avoir du *fun* et jaser. Je crois pas à ça, l'Amour avec un grand A, c'est plus de notre âge. À vingt ans, on y croit tous, mais là, sérieusement ? T'es encore là-dedans ? *Come on* ! » J'admirais sa franchise, mais il riait de façon condescendante comme si j'avais été une petite fille naïve et idiote. Je lui ai dit : « Sans que ce soit l'Amour avec un grand A, comme tu dis, me semble qu'il faut qu'il y ait du désir, de la passion, des papillons, faut que ça soit excitant, non ? » « Ah oui, c'est toi, ça, la fille aux papillons. Moi, avoir une p'tite femme ben fine dans mon lit, c'est ça mes papillons, ça me suffit. » On a arrêté ça là.

— Et tu penses que Marcel il en trouve facilement des « p'tites femmes ben fines à mettre dans son lit » ? demanda Maryse.

— Malheureusement, je serais pas si surprise que ça. Après tout, il est honnête, a un bon sens de l'humour et est pas compliqué. Apparemment, ça pogne sur le site... Bon... Ronald, maintenant. Ronald, c'est Monsieur Organisé. Un petit homme maigre, sec, habillé comme une carte de mode... de chez Bovet, t'sais, le genre hyper *straight* ? Pour prendre un café ? Imaginez-vous qu'il est arrivé avec une liste de questions, cent fois pire que mon comptable de l'autre fois. On s'est salués, il s'est assis et a commencé : « Est-ce que c'est ton vrai âge que tu as indiqué sur ta fiche ? Est-ce que tu bois de l'alcool plus de deux fois par semaine ? Est-ce que tu prends de la drogue ? As-tu des problèmes de santé ? De santé mentale ? Aimes-tu regarder la télé ? Quelles émissions ? Quel poste de radio écoutes-tu ? Quels journaux lis-tu ? Qu'as-tu fait comme études ? Es-tu aussi à l'aise en robe qu'en jeans ? As-tu une voiture ? Quelle marque et quelle année ? Tes parents sont-ils toujours en vie ? En santé ? Des frères et sœurs ?

Tu les vois souvent, ils habitent loin ? Pour qui as-tu voté aux dernières élections ? » Ça, ce sont les questions qui me viennent en tête. Y'en avait d'autres. Et il cochait sa liste au fur et à mesure, en faisant des petits « hu-hum, ah bon » chaque fois. C'était... déconcertant. Il manquait juste le gros spot et les menottes, je me serais crue en interrogatoire au poste de police.

— Ayoye ! Et il t'a dit pourquoi il était aussi direct et... frette ? demanda Maryse.

— Apparemment, au cours de ses dernières relations, il a connu une femme dépressive *borderline* alcoolique, une autre qui lui faisait honte parce qu'elle était accro d'*Occupation double* et de toutes les autres téléréalités et ne parlait que de ça en plus de s'occuper de son père malade, et une troisième qui l'a mené en bateau et lui a vidé son compte de banque. Il était méfiant, c'est le moins qu'on puisse dire. Au moins, il niaisait pas avec la *puck*. Droit au but, j'aime ça de même !

— Pis, as-tu passé le test ? s'enquit Valérie avec un petit sourire en coin.

— Apparemment. Mais rendue là, j'avais mal à la tête et je lui ai dit que, finalement, ça laissait pas grand place à la découverte et aux papillons, son affaire. Et là il m'a dit : « Ça fait des années que je suis sur les sites, *on and off*. J'ai plus le goût de perdre mon temps. » J'ai dit : « OK, bien noté. » Il se doutait pas à quel point je disais ça littéralement.

— Bon, encore du bon stock pour le blogue. Mais tu nous as pas parlé du beau Jean-Michel, la belle bête, grrr !

Maryse en salivait presque. Je lui avais décrit la bête en question mais ne lui avais rien dit d'autre. J'attendais d'avoir plus à leur raconter puisque rien de concluant ne s'était encore produit.

Je me languissais moi-même d'avoir quelque chose de vraiment juteux à leur raconter…

Elles pouvaient bien attendre elles aussi !

15

Mon Dieu. Tant d'attente... J'ai bien fait de ne pas parler aux filles de Jean-Michel. Vaut mieux attendre de voir la suite parce qu'elles vont peut-être, surtout Maryse, essayer de me décourager d'aller plus loin ou, au moins, de me calmer le pompon. Elles vont me dire que c'est pas un gars pour moi, que je fitterais pas dans son monde, que je me tannerais après un bout de temps. Peut-être. Puis ? Moi, tout ce que je veux c'est toucher, goûter, me calmer le pompon, oui, mais pas le même pompon auquel Maryse fait allusion !

Je commence à me demander sérieusement si je suis normale. Il est temps que je voie Jean-Michel ; vraiment, je n'en peux plus. C'est pire que jamais parce que je sais que ça va réellement arriver, la promesse de délices sexuels n'est pas qu'une probabilité, mais bien une certitude. Le soir, dans mon lit, j'imagine toutes sortes de positions, ses gros bras qui me soulèvent, ses larges mains qui me caressent, rudement, de façon différente de tout ce que j'ai connu jusqu'à maintenant. Il sera dominant, je le sens, je le devine. C'est sa façon d'être, son assurance. Et sa manière d'embrasser est révélatrice. Envahissant, conquérant, il fera de moi ce qu'il voudra et je vais en redemander. Sa queue doit être aussi imposante que le reste. Autant que celle de Danny? Miam! J'espère. Je suis prête, en tout cas, à l'avaler tout rond, littéralement.

Seulement quelques petits jours... 😐

— Bon, on va finir par le savoir, ce qui s'est passé avec ton motard, ou non ? Je peux pas croire que tu sois attirée par ce genre de gars. Vraiment ? Toi, la plus *clean* des pounes que je connais ?

Valérie et Maryse n'avaient évidemment pas oublié le récit que je devais leur faire de ma conquête la plus atypique à ce jour. Elles avaient attendu assez longtemps et n'en pouvaient plus. Il est vrai que je n'avais jusqu'alors été attirée que par des hommes disons plus « conventionnels », mais celui-ci avait vraiment piqué ma curiosité. Maintenant que j'en savais plus à son sujet, je pouvais leur dire où j'en étais. L'histoire était pour le moins divertissante, quoique je ne savais pas ce qui allait suivre parce que l'épisode avait connu un dénouement plutôt inattendu. J'étais quelque peu dépitée et confuse, mais si elles voulaient une histoire, j'allais leur en raconter une.

— Attends, il est pas comme tu penses, je t'assure. Moi-même, j'ai du mal à le croire. Je regrette d'avoir déjà pensé que tous les motards étaient des durs à cuire, rustres, machos jusqu'à l'os. Eh non ! Surprise, surprise ! On s'est rencontrés il y a presque deux semaines. On s'était écrit, parlé, et, même si j'avais des réserves, il m'intriguait par sa curiosité, son ouverture et sa simplicité. Il est *cute*, aussi. Une belle pièce d'homme, grand, baraqué, et « mâle ». Pas crotté du tout, au contraire. Il porte une eau de toilette sublime, s'habille vraiment bien ; il a un visage de boxeur, le genre de gars qui a sans doute reçu un bon coup de poing ou deux, mais je trouve que ça lui donne un style. Ah oui, et il a l'air très à l'aise, financièrement.

— Pas à cause de magouilles, j'espère ? s'enquit Maryse, une touche d'inquiétude dans la voix.

— Voyons donc ! C'est pas parce qu'il a une Harley et des tatouages qu'il trempe dans des magouilles. Arrête de juger !

Elle ne parut qu'à demi convaincue. J'enchaînai :

— Il m'a invitée à souper dans un resto vraiment bien.

— T'es allée souper avec lui en plus, et tu nous as rien dit !

Maryse avait l'air découragée.

— Ben oui, je suis allée manger et j'ai rien dit parce que j'avais pas envie que tu me fasses la morale ! Bref. Il a des goûts raffinés, tant pour la bouffe que pour le vin. Il est super direct, mais au moins, lui n'avait pas apporté de liste de questions ; il m'a semblé plus curieux qu'inquisiteur. Il m'a raconté sa vie, les conneries qu'il a faites, et qu'il m'a avouées sans scrupule, en insistant sur le fait que c'est quand son père lui a demandé de se calmer, sur son lit de mort, qu'il s'est assagi. Il m'a avoué que, pour lui, l'essentiel dans une relation était le respect et la transparence. Après tout, a-t-il dit : « On est plus des enfants, on devrait être capables de se dire les vraies choses ! Pour moi, c'est super important. » C'est rafraîchissant, hein ? Et écoutez ça : il fait du bénévolat pour les sans-abri et les handicapés.

— Wow ! Une brute sensible… beau mélange ! Je pensais pas que ça existait pour vrai…

Valérie avait les yeux rêveurs. Je la comprenais, j'avais moi aussi été conquise. Je continuai à lui en mettre plein la vue :

— C'est pas le plus incroyable. Tenez-vous bien, il fait partie d'une association d'hommes qui donnent des ateliers pour les aider à comprendre et à exprimer leurs sentiments et leurs émotions. C'est adorable, non ?

— OK, là, tu me niaises ! s'exclama Maryse.

— Non, j'te dis, ça existe pour vrai, je suis allée voir sur le Web. Il m'a avoué qu'il n'avait aucun problème à pleurer quand il était triste ou touché, c'est vraiment super ! Il m'a aussi dit que même s'il avait jamais eu d'enfant, il a été beau-père du fils d'une de ses blondes pendant des années. Apparemment, les derniers temps, la fille en question avait des problèmes de jeu compulsif et c'était l'enfer. Mais il s'était tellement attaché au garçon qu'il est resté avec elle pour s'en occuper parce qu'elle en était incapable. C'est beau, non ?

— Awww… C'est pas juste les femmes qui restent dans des relations pourries pour protéger les enfants, tu vois Maryse ? intervint Valérie. Moi, en tout cas, je l'aime déjà, ton Jean-Michel. C'était même pas son fils, en plus. Impressionnant !

— Exactement, dis-je. Je trouve aussi que c'est beau, même si Maryse est pas d'accord. On a continué à discuter, et il m'a dit comment il trouvait ça spécial les sites ; il est là parce qu'avec son travail – il a une entreprise en construction – il rencontre pas beaucoup de femmes et qu'il en a assez d'être seul. Ses amis lui disent tout le temps qu'ils comprennent pas qu'un gars comme lui n'arrive pas à rencontrer une femme intéressante, intelligente, et pas « matante ».

— Exactement comme toi, quoi ! s'exclama Val.

Un peu plus, elle aurait applaudi comme une petite fille au dénouement heureux d'un conte. J'aimais son attitude, bien davantage que celle de Maryse qui, elle, dit :

— Un motard. Dans la construction. Et tu vas me faire croire qu'il trempe dans rien d'illégal ?

— Maryse, t'es tellement bornée, des fois !

J'avais parlé d'un ton plus sec que je l'avais voulu, c'était sorti tout seul. Tant pis. Regardant plutôt Valérie, je continuai :

— Après le repas, même s'il était encore tôt, il m'a dit qu'il devait aller se coucher parce qu'il allait voir sa mère à l'hôpital, à une heure de route, le lendemain matin. Il était inquiet, ça se voyait, parce qu'elle s'était blessée en tombant, et elle avait l'air confuse. Un début d'Alzheimer, m'a-t-il confié, la mine triste. On s'est quand même embrassés. Encore une fois à côté de mon auto, en pleine rue. J'ai eu envie de beaucoup plus. Il embrasse super bien et il avait l'air aussi impatient que moi qu'on se revoie. Il m'a invitée chez lui le lendemain. Je tripais ! Sauf que le lendemain, il m'a téléphoné pour me dire que sa mère allait vraiment pas bien, qu'elle était super confuse, agitée, anxieuse, et qu'il resterait à l'hôpital en attendant ses frères et sœurs. J'étais vraiment déçue, parce que j'avais passé la journée à me dire « Mon Dieu ! Je vais baiser ce soir ! CE SOIR ! ! ! », et l'aperçu que j'en avais eu me donnait l'eau à la bouche.

— Maudite cochonne ! Tu penses juste à ça !

Maryse avait pris un ton outré qui n'avait aucune crédibilité malgré ma précédente réplique un peu sèche. Elle savait bien que ça devenait urgent. Valérie, elle, beaucoup plus compréhensive, me supplia de continuer :

— Pauvre toi ! Pauvre lui, aussi. As-tu été fine, au moins ?

— Ben oui, j'ai été fine. Je lui ai dit que c'était pas grave, que sa mère était ce qui était le plus important. Il m'a dit : « Merci de comprendre, t'es vraiment gentille, je l'apprécie. » Alors j'ai continué à être gentille, et l'état de sa mère a continué d'empirer au fil de la semaine. On s'est parlé et texté quelques fois, il appréciait ma sollicitude. Quand je lui ai dit que je comprenais que ce qu'il vivait devait être vraiment difficile, il m'a répondu : « Je vois ça comme une occasion d'apprendre à devenir une meilleure personne. » Avouez que c'est quelque chose ! Bref. Elle a fini par prendre du mieux et on a décidé de se voir mercredi soir de la semaine prochaine.

— Pauvre gars, il va passer au *cash* ! fit Maryse avec un clin d'œil.

— Effectivement, j'étais assez mûre. Un peu déçue que ce soit un soir de semaine, mais je n'allais pas faire ma difficile. De toute manière, j'aurais pas passé la nuit avec lui, pas la première fois. J'avais hâte.

— Des papillons ? murmura Valérie.

— Hmmm. À ce moment-là, pas encore, non. Je voyais un potentiel pour ça, mais je voulais qu'on apprenne à se connaître avant de me faire une idée. J'avais juste envie de le déshabiller et de lui faire toutes sortes d'affaires. Mais j'avais aussi envie de parler avec lui, d'en savoir plus. Il m'intriguait, mais c'était quasiment trop beau pour être vrai, un gars de même.

— Bon, contente de te l'entendre dire. Je suis d'accord avec toi, c'est quand même un peu louche. Un peu *trop*... J'avais peur que tu sois déjà tombée en amour, toi, là, vu la manière dont t'en parlais !

— Maryse, arrête. Avant que je tombe en amour, tu vas avoir le temps de me brasser comme il faut. En attendant, donc, j'avais vraiment, mais vraiment hâte au mercredi.

C'était peu dire. Il y avait longtemps que je m'étais trouvée dans un tel état d'excitation. Depuis Simon et Andy. J'avais plein d'images en tête, j'essayais d'imaginer comment ce serait avec lui, son corps massif et solide contre le mien, sur le mien.

— Pourquoi j'ai l'impression que ça s'est pas passé comme tu pensais ? demanda Valérie.

— J'y arrive. Ce matin, Jean-Michel m'a téléphoné vers onze heures et demie. Il m'a demandé si j'avais des plans, parce que lui était libre et quittait justement l'hôpital.

— Ce matin ? Tu veux dire que t'étais avec lui tantôt ? Ouuuh, c'est tout frais !

Maryse était tout excitée.

— Oui, ce matin. J'étais tout énervée. Je me suis empressée de l'inviter à venir dîner chez moi, j'avais trop hâte de le voir. Dîner. Bien sûr. Je n'avais pas l'intention de lui servir autre chose que moi-même. J'ai un peu paniqué, parce que j'étais en jogging, avec mes vieilles bobettes confos et ma brassière de ménage, mes cheveux étaient tout croches et mes ongles pas faits. J'étais pas maquillée et il fallait aussi que je me fasse les jambes et tout le reste. Et j'avais juste quarante-cinq minutes devant moi ! Je me suis dépêchée de retourner sous la douche. Puis, me précipitant d'une pièce à l'autre, j'ai rangé le condo avec une énergie tout hormonale. Après tout, on en était encore aux premières impressions, je voulais que tout soit impeccable. Je me suis bien demandé si c'était intelligent de l'inviter chez moi alors que je le connaissais si peu mais, encore une fois, mon degré d'excitation l'a emporté sur la prudence. Quand même, j'en savais plus sur lui que l'inverse ; je connaissais son nom de famille, ce qui n'était pas son cas, l'adresse de sa compagnie, et j'avais vérifié sur sa page Facebook si ce qu'il m'avait dit était vrai. Ses détails n'étaient visibles que pour ses « amis », mais il y avait tout ce que je voulais savoir. Puis, j'ai mis des p'tites choses *sexy* sous une robe courte et je l'ai attendu.

— Bon, t'es pas aussi tête en l'air que je pensais, bravo.

Maryse n'avait l'air qu'à demi rassurée, appréhendant ce que j'allais ajouter.

— Merci, contente de te surprendre. Donc, il est arrivé à l'heure prévue, et je l'attendais de pied ferme. Aussitôt que je lui ai ouvert, il m'a embrassée, caressant mon corps de ses mains puissantes, comme s'il définissait son territoire. J'en faisais tout autant, m'émerveillant de la rigidité de ses muscles, de la force de son corps entier. On était, tous les deux, dans un état d'urgence. Il m'a dit, le souffle court : « T'as pas idée combien j'avais hâte à ce moment ! J'te prendrais ici, contre ta table de cuisine... » J'avais rien contre, la chambre me semblait beaucoup trop loin. Ça pressait, j'vous dis... J'étais pratiquement nue alors que lui était tout habillé. J'ai vraiment eu envie de le voir, le toucher, le goûter, le savourer. J'ai essayé de m'agenouiller devant lui pour défaire son pantalon, mais il m'a retenue en disant : « Non, c'est moi qui te fais plaisir, aujourd'hui. »

— Ouuuh. Il continue d'être étonnant ! s'extasia Valérie.

Oui, étonnant. En pensée, je revis comment il m'avait caressée avec toute la merveilleuse rudesse que j'avais imaginée. Il avait défait facilement mon soutien-gorge et s'était emparé de mes seins, les léchant et les palpant avec empressement. Puis, sa main s'était faufilée jusqu'à mon sexe moite et, d'un doigt, l'avait pénétré avec détermination, m'arrachant un soupir de soulagement. J'en avais été là : avide, désespérée de jouir. Un deuxième doigt avait rejoint le premier et m'avait caressée avec force, tandis qu'une chaude moiteur se propageait en moi. De son autre main, il avait massé mon clitoris assoiffé et je ne pus retenir le torrent de jouissance qui s'écoula de moi. Oui, quelques minutes avaient suffi pour que je me transforme en ruisseau sous ses mains. Me faisant grimper sur la table, il avait plongé le visage entre mes cuisses, s'abreuvant de moi, faisant instantanément naître de nouveaux frissons. Sa langue était aussi impétueuse que ses doigts et j'avais senti de fabuleux tremblements me parcourir. Je le voulais en moi et l'avais supplié de soulager mon attente.

— Euh Julie ? Youhou ?

— Oups, désolée, j'étais comme dans la lune. Qu'est-ce que je disais ? Ah oui, il voulait s'occuper de moi. Eh bien, c'est ce qu'il a fait, et avec beaucoup de talent. Mais finalement, je voulais, euh, sa queue, et là...

— Là ? Arrête de niaiser ! ajouta Maryse, impatiente.

— Ben là, il a détaché son pantalon, j'ai vu une queue... minuscule. J'ai fait comme si j'avais pas remarqué, mais, disons que ma bulle venait de crever.

Je me souvenais trop bien de la suite. Oui, la déception avait été inversement proportionnelle à la taille de son organe. Il l'avait frotté contre moi, pensant m'agacer. J'avais essayé de l'attirer en moi, mais Jean-Michel m'avait plutôt retournée et je m'étais prise à espérer que, dans cette position, je ressentirais tout de même une certaine plénitude. Je ne me possédais plus tant j'en avais envie. Je l'avais enfin senti glisser en moi. Ou presque. En fait, justement, je ne sentais presque rien.

Moi qui avais imaginé son pénis du même calibre que le reste, j'en pris pour mon rhume. C'était catastrophique. Ses doigts m'avaient fait cent fois plus d'effet que sa petite queue ridicule. La sensation n'en fut que plus frustrante. Derrière moi, il s'activait avec ardeur.

— Vraiment minuscule, t'exagères pas un peu ? demanda Valérie.

— Non, j'exagère pas. Microscopique, en fait. En tout

cas, je sentais pas grand-chose. Lui, il avait l'air bien content parce qu'il m'a murmuré : « Je te baiserais tous les jours ! » Moi, je savais pas quoi répondre, mais comme il avait l'air excité, j'ai joué le jeu et dis que c'était la même chose pour moi. Mais vraiment, l'idée ne m'enchante pas tellement. Par contre, si tout ce qu'il m'a raconté est vrai, ça fait quand même de lui un gars pas mal plus intéressant que la plupart de ceux que j'ai rencontrés... Est-ce que j'arriverais à me contenter de ça ?

— Ben, tu disais qu'avec ses mains et sa bouche, il avait du talent...

— Ouain, t'as raison Maryse, mais c'est pas tout. Ça faisait à peine deux minutes, et je l'ai entendu me dire qu'il allait jouir. J'en revenais pas. Vite de même ? En plus d'avoir une queue de chihuahua, il était pas capable de se retenir davantage ? Wow, un éjaculateur précoce au pénis nain. Quelle chance !

Les filles éclatèrent de rire et ça me fit du bien. Je revis comment il avait joui avant de se retirer. J'avais espéré qu'il ait la délicatesse de me caresser encore un peu pour compenser, mais sa petite queue pendouillait et il avait l'air satisfait, lui. Je poursuivis mon récit, la voix pleine d'un dépit mal contenu :

— Vous pouvez rire, mais c'était insultant. Moi qui avais attendu aussi longtemps ! Il a vu que j'étais pas exactement en extase et s'est empressé de me dire : « Wow, je m'excuse, ça s'est passé un peu vite, je suis juste trop excité, j'imagine, ça m'est jamais arrivé avant ! » Bon, admettons. Il a ajouté : « T'en aurais pris encore, hein ? Attends... » Il m'a caressée comme il l'avait fait plus tôt mais il manquait assurément quelque chose, le charme était rompu. C'était pas ce que je voulais, mais il faudrait que je m'en contente...

À ma grande surprise, j'ai vu qu'il se masturbait et que sa miniqueue semblait reprendre une certaine vigueur. Voulant me montrer compréhensive, même si je n'en avais pas vraiment envie, je me dis que quelques caresses de la langue seraient peut-être les bienvenues. Au bout de longues minutes, j'ai été récompensée d'un soubresaut, puis d'un durcissement relatif. Je me suis appliquée de plus belle, vraiment étonnée de l'effet que me faisait un si petit membre dans ma bouche. Chose certaine, je ne risquais pas de me décrocher la mâchoire avec lui !

— Euh, Julie, c'est un peu trop de détails, là !

Valérie était rouge comme une tomate tandis que Maryse contenait mal son fou rire. Je revis mentalement la façon dont je l'avais léché, de mon mieux, l'agaçant à mon tour avant de l'aspirer plus solidement jusqu'à ce qu'il atteigne enfin une rigidité plus convaincante.

— OK, désolée, je vais m'en tenir aux faits, d'abord ! Donc, comme il était prêt à reprendre du service, Jean-Michel s'est réessayé.

Il m'avait soulevée et fait asseoir sur la table de nouveau, s'était enfoncé en moi avec un grognement victorieux.

— Tout fier, il m'a dit : « Tu vois combien tu m'excites ? Ça t'a pris deux minutes à me faire rebander ! » Mais c'était tout aussi irréel que la première fois. Il me fallait presque vérifier qu'il était bien en moi, sinon j'étais sûre de rien. Encore une fois, au bout de quelques instants, fini.

Oui, terminé. Il projeta quelques gouttes hésitantes sur mon ventre et ce fut tout. Je ne savais que penser.

— Au moins, elle était travaillante, sa petite queue, deux fois de suite, c'est mieux que rien…

Maryse voulait se montrer encourageante mais mon désenchantement était évident.

— Oui, il a récupéré vite, mais disons que ça m'inspire quand même pas un désir à tout casser. C'est un obstacle majeur, p'tit de même...

— Je comprends, mais paraît que c'est dans les petits pots que sont les meilleurs onguents... Pour le reste, c'est peut-être juste parce que c'était votre première fois ensemble que ça s'est passé vite de même ? dit Val, tentant de me consoler.

Ouais. Petits pots, n'importe quoi ! Mais peut-être que, en effet, l'anticipation avait tout simplement été trop forte pour lui permettre des prouesses exceptionnelles. Je n'avais qu'à voir ce que l'avenir nous réservait, mais je n'y croyais qu'à moitié.

— On verra bien. Peut-être. Après tout ça, j'ai essayé de l'embrasser pour éviter toute forme de malaise, mais il m'a repoussée doucement pour aller à la salle de bains. Je me suis rhabillée et l'ai attendu sur le divan. On aurait au moins un petit moment d'intimité, genre, question de lui montrer que j'avais hâte de connaître la suite. Il est revenu, s'est approché de moi et m'a dit : « Désolé, il faut que je parte. J'ai un match de football tantôt, j'ai oublié de te le dire. Je m'excuse tellement ! J'avais probablement trop hâte de te voir... Je joue dans moins de deux heures, je dois y aller... » Je suis restée sans voix un moment. Puis je me suis réveillée et je lui ai dit : « Pour vrai, là ? Tu me niaises ? » Il était mal à l'aise : « Ben non, j'te niaise pas ! J'te jure ! Voyons, pourquoi je te raconterais quelque chose de même ? »

— T'es pas sérieuse ?

Maryse n'en revenait pas.

— Eh oui. Je me suis demandé si sa pitoyable performance le perturbait au point qu'il ait envie de partir au plus vite, mais je me suis souvenue de tout ce qu'il m'avait dit au sujet du respect et de la transparence. Je lui ai laissé le bénéfice du doute, quoique difficilement. Je lui ai dit : « Faut quand même que je te dise que c'est plate que tu sois venu ici pour me baiser et repartir aussitôt. J'avais pas envie que ça se passe de même… » Il a répondu : « Moi non plus, crois-moi, j'me sens mal. Mais je vais me reprendre jeudi, d'accord ? »

— Jeudi ? Je pensais que c'était mercredi, votre souper ? souligna Valérie.

— Moi aussi, et c'était bien ce qui était prévu. Quand je le lui ai dit, il a répondu que c'était impossible, qu'on avait dû mal se comprendre, puisqu'il devait aller à l'hôpital. Je lui ai souhaité bonne chance et l'ai laissé partir en disant que la prochaine fois nous allions prendre notre temps, et qu'en attendant j'allais penser à lui. « Oui, c'est sûr et moi aussi, je vais penser à toi ! » Puis, il est sorti et je l'ai suivi jusqu'à son auto. Mais même si j'avais tout fait pour éviter un malaise, il y en avait tout de même un qui flottait. J'ai eu l'impression qu'il avait hâte de partir et je ne sais pas trop comment interpréter tout ça. Finalement, je me suis dit que si j'étais à sa place, avec ma mère malade, je serais sûrement perturbée aussi. Je suis rentrée et j'ai pris quelques minutes pour reprendre mes esprits. Tout s'est passé tellement vite ! J'étais pas satisfaite et quelque chose m'achale depuis sans que je sache vraiment quoi.

— T'es sérieuse ? Tu sais pas quoi ?

Maryse semblait fâchée. Valérie ne comprenait pas mieux son attitude que moi. Elle l'interrogea :

— Ben quoi ? C'est plate comme première fois, mais elle a pas envie de le flusher juste pour ça. Normal que ça l'achale, non ?

— Vous faites exprès, ou quoi ? *Come on*, les filles. Le gars arrive chez vous, te baise et se pousse juste après avoir remis ses jeans. Vous trouvez ça normal, vous autres ? Julie, voyons, réveille !

— Quoi, réveille ? Tu penses qu'il voulait juste ça ? C'est pas ça, Maryse. Il est pas comme ça, pas lui. Et puis on se revoit jeudi, j'vous raconterai. Tu vas bien voir que tu te trompes !

— J'espère, Ju. J'espère vraiment...

Moi aussi je l'avais espéré. Ardemment. Je n'eus pas de nouvelles jusqu'au mercredi après-midi. Ce n'était pas grave. Je voulais lui laisser de l'air, surtout ne pas répéter l'erreur que j'avais faite avec Simon en étant impatiente. Mais là, j'aurais quand même aimé savoir ce qui se passait pour notre souper. Je ne voulais pas le déranger au travail en lui téléphonant, alors je lui envoyai un texto pour lui demander à quelle heure il m'attendait le lendemain et ce qu'il souhaitait que j'apporte. Sa réponse me parvint quelques instants plus tard :

Je suis désolé, j'ai un souper avec des clients demain... ☹

Hmmm. Ma première réaction en fut une d'incrédulité. Il pensait me le dire quand, au juste ? C'était prévu depuis quand, ce souper avec les clients ? Grrr ! Me souvenant des doutes de Maryse mais ne voulant pas sauter trop vite aux conclusions, je lui répondis :

OK, dommage. Mais tu me le dis, si je suis supposée comprendre autre chose, hein ? ☺

Et là, rien. Pas de réponse. Il devait être pris par ses occupations, normal quand on gère une entreprise. Mais plus l'heure passait, plus j'enrageais. Avant d'aller au lit, ce soir-là, n'y tenant plus, je lui écrivis :

J'aurais vraiment pensé que t'aurais pris deux minutes pour me répondre. Ton attitude était pas claire samedi, mais là, on dirait qu'elle le devient... Je me trompe ? À +

À mon réveil, le lendemain, j'avais un message de sa part m'expliquant qu'il n'avait pas vu le mien, qu'il était vraiment avec des clients et qu'il en était désolé. Je me sentis mal d'avoir réagi aussi fortement. C'était bien possible, au fond. Il avait la tête ailleurs, ce n'était sans doute qu'un moment de distraction. Alors je m'excusai à mon tour, lui expliquant que de mauvaises expériences m'avaient rendue méfiante. Il me retourna un sourire. J'étais soulagée, mais encore sur mes gardes. Je laissai quelques jours passer et tins bon jusqu'au samedi suivant pour tout raconter à Maryse et Valérie.

— Euh, j'espère que t'étais sur tes gardes ! dit Maryse dont l'indignation montait d'un cran à chaque minute. J'espère que je te dirai pas « j'te l'avais bien dit », hein ?

— ...

— Merde. Bon, ça a fini comment ?

— Ça a fini qu'il m'a pas donné d'autres nouvelles, m'a même pas proposé un autre soir pour se voir. Arrivée au vendredi, j'en avais assez mais je ne voulais plus texter. Je lui ai demandé s'il me rejoindrait quelque part pour prendre un verre. J'allais lui dire ce que je pensais en pleine face, au moins ça serait clair. Évidemment, il ne pouvait pas, puisqu'il devait se rendre à l'hôpital. Comme il ne me proposait pas, là encore, un autre soir, j'ai enfin compris que quelque chose n'allait pas. Le dimanche, je lui ai texté : « *Bon, je pense qu'il est temps d'arrêter de niaiser et se dire bye, hein ? Je vois bien que tu souhaites pas aller plus loin avec moi et moi, si ça veut absolument rien dire comme ça en a l'air, ça ne m'intéresse pas non plus...* » Et vous savez ce qu'il m'a répondu ?

— Que tu te trompais, mais qu'il était trop mal à l'aise d'être un éjaculateur précoce et d'avoir une p'tite queue ? répondit Valérie, pleine d'espoir.

— Qu'il s'excusait, mais qu'il ne pensait pas, finalement que vous étiez faits pour aller ensemble, hasarda Maryse. Il aurait pu le dire avant, me semble.

— Non. Vous l'avez pas ni l'une, ni l'autre. Il m'a juste répondu : « Bye. »

Là, l'indignation de Maryse atteignit son apogée, égalée par celle de Val. Des « Quoi ? » « Tu me niaises ? ! » « Ben voyons ! ! ! » « Quessé ça ! » se succédèrent tandis que je me remémorais ma propre consternation.

— J'espère que tu l'as engueulé ? cria presque Maryse.

— Non, ça aurait été trop facile et trop d'énergie gaspillée. Je lui ai juste écrit : « Wow ! Bravo, champion. T'es fort avec ton *speech* sur le respect, la transparence et le reste, j'y croyais presque. Si toi tu te crois, c'est que t'es encore plus *fucké* que je pense ! » Évidemment, il n'a pas répondu et moi, j'ai supprimé son contact.

— Après, les gars se demandent pourquoi les filles sont méfiantes !

Valérie était dépitée.

— Oui. Moi je commence à me dire que, finalement,

les partenaires de baise, et juste de baise, c'est peut-être la meilleure solution, hein ?

— Ahhh, t'abandonnes ? Tu vas pas laisser tomber le blogue, quand même ? demanda Maryse, inquiète.

— Non, je vais pas laisser tomber le blogue. Et Jean-Michel va se retrouver au top de la section « karma », sans aucune hésitation. Mais pour ce qui est de me trouver un gars avec qui triper pour autre chose que du sexe, oui, je pense que je vais abandonner. Ça donne rien et j'en ai vraiment assez que des gars me disent ce qu'ils pensent que je veux entendre juste pour baiser. Quand c'est supposé être juste ça, au moins c'est clair. Et du cul, au moins, ça fait du bien. Si je m'attends à rien d'autre, je peux pas être déçue ou, comme dans ce cas-ci, dégoûtée.

— Tu sais, c'est souvent quand on arrête de chercher qu'on trouve...

— Ah, Maryse, tu m'aurais dit ça avant, je t'aurais peut-être crue. Mais là... pas sûre. Pas sûre pantoute.

J'avais la larme à l'œil. Certainement pas pour un con tel que Jean-Michel, mais pour mon petit cœur. Je me demandai à nouveau si la tendresse, l'affection et le bien-être devaient être relégués au rang des doux souvenirs, ou même du mythe...

Ce fut sur une embrassade monstre que j'aidai mes amies à vider notre troisième bouteille.

16

Je fais quoi, là ? Je supprime mes fiches et reviens à la case départ, ou je fais comme j'ai dit aux filles et je me contente de sex-dates*? Je jette la serviette pour de bon ou je me retrousse les manches et j'essaie de me convaincre qu'il existe encore des hommes qui sont réellement comme ils le prétendent? J'ai vraiment du mal à le croire et il vaudrait peut-être mieux, avant de perdre toutes mes illusions, que je passe à autre chose. « C'est souvent quand on arrête de chercher qu'on trouve », a dit Maryse. Mouais. Elle a sans doute raison. De toute manière, j'en peux plus.*

La question qui me taraude est la suivante : suis-je vraiment capable d'avoir des relations avec des hommes juste pour la baise ? Sans espérer autre chose, même inconsciemment ? Il y a un an, j'aurais certainement répondu non. Mais là, je pense bien que oui. Sérieusement. Et puis qui sait ? Tout à coup qu'en cherchant du cul je trouverais enfin autre chose ? Ça aurait le mérite de me calmer le body *un peu. Parce que là, j'en ai vraiment assez de me soulager moi-même. Ça fait carrément plus la job. J'ai besoin de peau, de poils de barbe qui m'écorchent, de muscles, d'un corps d'homme, quoi. Si au moins le fiasco Jean-Michel m'avait procuré un minimum de soulagement… mais on est loin de là, au contraire !*

Allez, Jujube ! Secoue-toi un peu ! Va au plus urgent, après t'auras les idées plus claires… 😐

Étrangement, je digérai mieux mon quarante-septième anniversaire que le précédent. La veille, je m'offris un petit bilan de l'année écoulée, tranquille chez moi, et constatai que mon âme était, malgré mes récents déboires, moins amochée que l'année précédente. Certes, rien n'avait été concluant, loin de là, mais j'avais tout de même vécu de beaux moments avec Simon et, malgré l'incroyable perte de temps et les imbécillités de Jean-Michel, j'arrivais encore à voir le bon côté des choses. Le souvenir de Danny, sans s'estomper, était de moins en moins imprégné d'idéalisme et je reconnaissais que je m'étais accrochée à lui par dépit. Oui, il avait été important pour moi, seize ans ne s'effacent pas d'un coup de baguette magique, mais, avec le recul, je comprenais enfin que l'amour que j'avais eu pour lui n'existait plus bien avant notre rupture.

Valérie était heureuse en partie grâce à moi ; elle resplendissait et c'était beau à voir. Physiquement, je me sentais mieux que jamais et, le plus souvent, je prenais le parti de rire de mes déconvenues plutôt que d'en pleurer. Presque. Mon optimisme était secoué, mais au moins, je refusais, avec effort et encouragement, de me laisser abattre.

Je ne retournai pas sur le site de toute la semaine suivant le fiasco avec Jean-Michel. J'attendais d'être un peu plus solide avant de voir si quelqu'un de relativement équilibré s'y cachait. Or, le lendemain du traditionnel repas d'anniversaire chez mes parents, qui se déroula sans déprime apparente et seulement entre nous trois – ce qui me permit de m'éclipser rapidement –, j'allai y faire un tour. Après tout, mon abonnement prenait fin sous peu, il me fallait au moins en profiter jusqu'au bout.

Je lus mes messages, les supprimant à mesure, armée d'une toute nouvelle détermination. J'avais atteint les limites de ma patience et me sentais apte à parcourir cette jungle le plus efficacement possible. Fini, les romantiques qui cherchent une complice, une compagne douce, féminine, au passé réglé. Exit, les hommes gentils qui veulent « bâtir une relation basée sur l'amitié et se développant dans le respect ». Dégagez, les Messieurs fidèles, tendres, honnêtes. Rien à foutre, au suivant. Les huit premiers messages n'avaient pas le moindre intérêt, même pour une aventure d'un soir ou deux. Trop vieux ; trop petit ; vraiment trop loin de chez moi ; trop beige ; trop laid ; vraiment trop gros ; trop maigre ; trop con. Puis, enfin, l'avant-dernier : Luckycharm01. Un peu de chance, vraiment ? Je lus son message avec intérêt :

> « Bonjour Jujube, voilà, je te trouve très jolie et attirante. Je refuse de te dire que je cherche l'amour de ma vie, ce serait te mentir. Je suis un homme passionné qui a simplement envie d'être bien et passer de bons moments avec une femme qui n'a pas peur de dire ce qu'elle pense et ce qu'elle veut, dans la vie comme au lit. Pourquoi chercher midi à quatorze heures ? On se rencontre, on se plaît ou pas, la suite, s'il y en a une, arrivera d'elle-même. Qu'en penses-tu ? »

Ahhh ! Enfin quelque chose de simple, de direct et d'intrigant. Pas la moindre faute d'orthographe, en plus ! Deux autres messages suivaient, un de la part d'un veuf désespéré et un autre de celle d'un dégénéré de soixante-huit ans, obèse et d'un aspect plus que douteux qui, torse nu à l'appui, m'offrait la baise du siècle parce qu'il n'avait rien à faire ce samedi. Finalement, un second message de Luckycharm01 :

> «Je suis désolé d'avoir l'air d'insister, mais plus je lis ta fiche, plus je regarde ta photo, plus j'ai l'impression qu'on s'entendrait bien. Tu as l'air d'une femme sensuelle, allumée, intéressante. Je sais, c'est pas très original comme approche, après tout, on en dit bien peu sur nos fiches, mais si jamais tu en as envie, je serais très, très heureux d'échanger avec toi. À bientôt, je l'espère... Luc»

J'échangeai donc quelques messages avec lui, timides d'abord, mais qui devinrent vite assez... intimes. Il me plaisait bien, Luckycharm01, Luc de son prénom. Ses nombreuses photos montraient un homme attirant sans être parfait, rieur, spontané et d'une franchise désarmante. Il dégageait le charme d'un homme sûr de lui mais non arrogant, direct et sans la moindre timidité. De toute évidence, la sensualité prenait une grande place dans ses champs d'intérêt, et ça tombait pile. Au fil du temps, il m'expliqua que, pour lui, le sexe était simplement une manière d'utiliser ses sens, tous ses sens ; il prétendait aimer autant toucher que sentir, écouter gémir sa compagne que la regarder s'abandonner au plaisir. Il me confia aimer en parler. Écrire à ce propos aussi. Il caressait même l'idée d'un roman. Moi, ça m'émoustillait mais je gardais une certaine distance. Je n'avais vraiment pas envie de m'exciter pour quelqu'un pour me rendre compte, en le voyant, que ça n'y était pas. C'était pourtant tentant, Luc était doué avec les mots même si je trouvais qu'il y allait un peu fort. Il pouvait très bien être déçu en me voyant, lui aussi, mais son attitude nous laissait très peu de marge de manœuvre au cas où l'un ou l'autre ne souhaiterait pas passer à l'acte, et ça me mettait un peu mal à l'aise. Je n'avais pas de barrière quand il s'agissait de parler de choses sexuelles, mais je n'avais pas non plus envie de raconter mes fantasmes à un étranger, et c'est ce qu'il aurait souhaité. Au moins, il ne me demanda pas de photos explicites ou de spectacles à la webcam ! Quoique… si ça avait été le cas, ça aurait été clairement plus approprié d'au moins ralentir la cadence un peu, voire de couper les ponts.

Au fond, ces échanges étaient bien inoffensifs et assez amusants. Mais je n'allais jamais bien loin. Pas par pudeur, mais par prudence. Nouveau sur les sites, Luc ne comprenait pas ma réserve et me croyait plus prude que je l'étais… Il ne perdait rien pour attendre ! S'il s'avérait à mon goût, il devrait subir les effets de ma trop longue abstinence. Si j'en croyais tout ce qu'il me racontait, il serait tout à fait apte.

Par contre, et ça me plaisait vraiment, il n'était jamais question, avec lui, de fréquentations formelles, d'engagement de part ou d'autre, de questions plus personnelles sur nos aspirations sentimentales mutuelles. C'était rassurant. Avec lui, je ne risquais pas de m'aventurer en territoire dangereux. J'acceptai donc de le rencontrer en personne dans un bar à vin près de chez lui.

Dès l'instant où il franchit la porte, je sus que j'allais terminer la soirée dans son lit. Le reste n'était que formalité, ou préliminaire. Ah, il était charmant, charmeur, me complimentait sans cesse, plongeait ses yeux dans les miens avec un désir flagrant qu'il n'essayait même pas de cacher.

Exactement ce qu'un bon médecin m'aurait prescrit dans mon état. Ce n'était pas la même chose qu'avec Simon, mais si l'un manquait en mystère, l'autre gagnait en séduction. Pas de subtilité chez ce Luc, pas le moins du monde, mais pas de questionnement non plus. Après deux verres d'un délicieux rouge sud-africain, il m'embrassa en plein bar, devant des couples blasés qui nous regardaient avec nostalgie, des groupes qui nous épiaient avec envie et d'autres qui faisaient semblant de ne rien remarquer mais qui, j'en étais certaine, ne manquaient rien de notre rapprochement. Puis, tout naturellement, il me proposa de poursuivre la soirée chez lui. Le désir flottait dans l'air, tant de sa part que de la mienne, mais c'était un désir exempt de toute attente, de tout espoir en dehors du moment présent, et je trouvais ça totalement grisant. Je ne voulais pas savoir si et quand je le reverrais; je ne me projetais pas dans un avenir plus ou moins rapproché à ses côtés. Ne m'importaient que son regard et son langage corporel si éloquent.

Chez lui, la conversation se poursuivit, tandis que nous retirions peu à peu nos vêtements. Pas d'élan sauvage, juste une amusante séduction qui se déployait, remplie de promesses. Des baisers de plus en plus intenses, accompagnés de caresses plus précises. Un torse qui s'offre aux caresses, des seins qui se dévoilent pour lui permettre de les apprécier, les toucher et enfin les goûter. Une main qui glisse sous ma jupe puis sous ma culotte pour pénétrer ma chair ruisselante; la mienne qui dégage son membre gorgé d'un pantalon devenu trop étroit. Enfin, sur un divan, une étreinte lascive, impatiente mais contrôlée. J'étais heureuse de constater que les belles paroles de Luc n'étaient pas de la frime, il était aussi doué qu'il me l'avait laissé entendre. Attentif, il voulait s'assurer de me plaire et m'interrogeait sur mes préférences. J'aurais préféré qu'il tente de deviner davantage, qu'il me laisse manifester mon plaisir autrement que par des paroles explicites, mais je n'avais pas du tout l'intention de protester. Avec une habileté irréprochable, il me fit jouir, s'émerveillant de l'exubérance de mon plaisir coulant sur sa main. Il n'avait rien vu encore, le pauvre. J'eus soudainement envie – non, besoin – qu'il s'enfonce en moi ; je voulais qu'il se taise et fasse ce qu'il avait à faire, qu'il me surprenne. Il le comprit. Ce fut sublime. Il m'emplit au-delà de mes espérances, et en aurait fait pâlir plus d'un d'une jalousie tout à fait légitime.

Après une longue session énergique, spontanée et délirante de sensualité, je partis, au milieu de la nuit, sur la promesse de le revoir bientôt. J'en avais envie autant que lui.

Dès le lendemain matin, j'avais un message de luckycharm01 :

« Qu'est-ce qui fait monter ton désir, chère Jujube ? Je te voyais te trémousser d'envie, assise au bar, hier soir. T'étais belle... Moi, j'observais ta poitrine gonfler et tes seins qui pointaient sous tes vêtements. J'avais juste envie de tendre la main. J'imaginais l'odeur sucrée de ta culotte, aussi...

Je suis sûr que t'étais aussi curieuse de savoir comment était ma queue... Tu l'aurais avoué, si je te l'avais demandé, hein ? Tu l'as aimée, ma queue, autant que j'ai aimé te faire jouir comme une folle les quelques heures qu'on a passées chez moi. Dommage que tu sois partie, j'aurais continué jusqu'au matin. Je t'aurais donné encore du plaisir, et j'en aurais retiré autant à sentir... à regarder ma queue glisser dans ton sexe bien luisant encore et encore.

Évidemment, j'arrête pas de penser à ta bouche, à combien j'étais dur entre tes lèvres, ta langue que tu glissais de tout son long pour m'agacer, t'amuser, varier le plaisir… T'es une championne, ça se voit que t'aimes ça. Je te ferais la même chose : je te goûterais, t'agacerais, te lécherais là où ça coule jusqu'à ce que tu exploses. J'adore ça quand t'exploses dans ma bouche… »

Hum. Je reconnaissais bien son style qui avait le mérite d'être clair. Nous ne nous étions vus qu'une seule fois ; apparemment je lui avais fait de l'effet ! Ça tombait bien, Luc m'avait fait la même chose. Rare, quand même, un homme aussi franc, structuré et direct. Je me demandais si ça ne deviendrait pas un peu trop, à la longue… Trop c'est comme pas assez, non ? Je devais tout de même avouer que ça me faisait un petit velours. Il est toujours agréable de susciter le désir et, si une femme m'affirmait le contraire, je la traiterais de menteuse. Encore fallait-il que l'envie de répéter l'expérience de la veille soit partagée. Et ça, pour l'instant, j'en étais certaine.

Tout au long de la semaine, les messages de mon nouvel amant se multiplièrent. Tantôt amicaux teintés d'un agréable flirt, d'autres fois carrément pornographiques. Très, très explicites. Du genre : « Ta vulve me manque, j'ai envie de la sentir couler dans ma bouche… » ou « J'ai hâte de sentir ma queue entre tes lèvres gourmandes, aspirée jusqu'au fond de ta gorge, ta langue qui s'enroule autour, toute chaude et douce… » C'était… excitant, mais parfois un peu trop intense. Il m'envoyait ces messages pendant que j'étais au travail et se mit même à y joindre des photos de ladite queue, fièrement dressée, n'attendant qu'une caresse de ma part. J'éclatai de rire en pensant à la tête qu'aurait faite Josée si je lui avais montré ça. Josée la *straight* serait sûrement tombée dans les pommes ! Et Guillaume, lui ? Croyait-il que je n'avais jamais remarqué la façon dont il me regardait la poitrine et les jambes ? De me voir aussi excitée en regardant de telles photos, il en aurait été sans doute tout chamboulé !

Je n'étais pas choquée, il m'en fallait bien davantage, mais je n'étais pas certaine d'avoir envie de me lancer dans ce petit jeu aussi rapidement. Oui, nous avions passé un moment riche en sensations très agréables, mais de là à s'envoyer ce genre de pensées, je n'étais pas trop sûre que ça me plaisait tant que ça. Par contre, notre soirée ensemble m'avait fait le plus grand bien et, même si ma tête hésitait, mon corps, lui, était aux abois.

La semaine s'égrena avec une lenteur agonisante. Luc me racontait ses séances de masturbation avec moult détails et me demandait d'en faire autant. Pour dissiper le malaise que je sentais sourdre, je lui répondis que je préférais m'abstenir, et conserver toute mon excitation pour le samedi suivant, ce qui risquait de provoquer des épanchements plutôt extravagants de ma part. Il trouva l'idée excellente et me promit d'essayer de faire de même. Il ne tint que deux jours… Flattée par le désir qu'il avait de moi, je finis par me laisser fléchir et lui envoyai, moi aussi, quelques photos de diverses parties de mon corps – mes seins, ma main entre mes cuisses laissant deviner les caresses que je m'accordais en pensant à lui – alors que ses messages et sa voix me mettaient dans un état d'excitation purement animal. À ma grande surprise, une fois ce pas franchi, je compris que ça ne faisait qu'exacerber le désir, l'attente que j'avais de reprendre les choses où nous les avions laissées. L'idée que j'allais passer la majeure partie de la nuit avec un homme qui me plaisait, ce que je n'avais fait qu'avec Simon en un an et demi de célibat, m'excitait au plus haut point. J'avais un bon pressentiment, ce serait une soirée mémorable.

Dès que je franchis le seuil de son appartement, il me saisit et m'embrassa, glissant sa main entre mes cuisses, faufilant ses doigts sous ma culotte déjà humide. J'étais flattée d'un tel désir et j'avais envie de me prêter au jeu. Ça débordait de passion mal contenue. Inutile de nous rendre à sa chambre, le tapis du salon fit parfaitement l'affaire. Il me coucha au sol, retira mes vêtements et se jeta sur moi, sa bouche léchant mon sexe presque violemment et je ne tardai pas à jouir sous ses caresses. Ses doigts s'enfonçaient en moi, préparant le passage à son membre bien prêt à me pénétrer. C'était intense, presque douloureux, merveilleux.

Il me dit tout ce qui lui passait par la tête, tout ce qu'il ressentait, c'était assez déstabilisant sans être désagréable. Des murmures de contentement, des demandes précises auxquelles je répondais par les gestes demandés et qui portaient leurs fruits. J'aimais bien lui faire plaisir et il appréciait mes efforts en ce sens, de toute évidence. Je suivais ses consignes et découvrais avec curiosité le plaisir que mes doigts, mes lèvres et ma bouche pouvaient lui procurer. Il jouit à son tour, gêné d'avoir été aussi excité et me précisant qu'il avait attendu ce moment toute la semaine. Que la prochaine fois serait encore meilleure, plus douce… Je n'avais rien contre.

Après que nous eûmes passé la soirée à apprendre à nous connaître, je le suivis dans son lit. Autre baise élaborée, un peu bavarde, presque acrobatique, durant laquelle j'utilisai son corps après lui avoir noué les poignets à la tête de lit.

Je jouais d'audace pour son plus grand plaisir, me caressant devant ses yeux ébahis sans qu'il puisse intervenir, le chevauchant à un rythme varié selon que je souhaitais faire grimper ou plutôt calmer son état d'excitation. Je pris plaisir à être tour à tour en contrôle et victime. Je jouis comme je ne l'avais fait depuis longtemps et mon corps se régala de tant d'attentions.

Moi qui avais toujours détesté l'expression « baiser », j'en comprenais enfin la justesse. Nous ne faisions pas l'amour, non. Nous baisions, purement et simplement. Il était fringant, Luckycharm01, c'était le moins qu'on puisse dire. Ce fut intense, époustouflant, même. Il me prit dans des positions parfois extravagantes, parfois plus conventionnelles mais tout aussi efficaces et stimulantes. Il me fit gémir, supplier, m'exclamer ; sut trouver les touchers qui me faisaient pratiquement hurler de plaisir et, de mon côté, je le laissai ébahi devant mon appétit et mon savoir-faire.

Malgré tout ça, plus les heures passaient, plus je me demandais ce que je faisais là. Ce qui m'avait pourtant semblé évident m'apparaissait tout à coup comme un mystère. Le charme s'était rompu sans que je comprenne pourquoi.

Quand vint le moment de nous détendre, épuisés, tremblants et toujours ivres, je me trouvai incapable de me blottir dans ses bras et de me laisser aller à une bienveillante torpeur et à un merveilleux assoupissement, même si j'en avais envie. Quelque chose clochait. Ce n'était pas lui, j'en étais convaincue. Il était charmant, attentionné, intelligent, tout ce que j'avais espéré, mais… l'envie purement physique n'y était plus, et rien ne vint la remplacer. Je ne ressentais plus qu'un vide indescriptible. Je me mis à pleurer. Inexplicablement, implacablement, les larmes s'écoulaient de mes yeux en silence. Trop de vin, encore une fois, sans doute. Trop de plaisir du corps ? Je ne voulais pas que Luc s'en rende compte. Il me faudrait expliquer, justifier ce que je ne pouvais comprendre moi-même. Subitement, je voulus être ailleurs, m'enfuir, ne plus être là. Luc n'était pas en cause ; il n'avait rien fait de mal, au contraire. Il m'aurait sans doute manifesté une attention empreinte de tendresse, et là, je me serais vraiment écroulée. C'était la seule chose dont j'étais certaine. Pour le reste, je n'avais aucune idée de ce qui provoquait un tel épanchement en moi, mais les larmes devenaient constantes, inondant l'oreiller de la même façon que ma jouissance avait inondé les draps quelques instants plus tôt.

Attendant qu'il soit endormi, ronflant doucement du sommeil du combattant, je ne pus m'empêcher de me sauver comme une voleuse. Comme une méprisable salope qui, une fois son plaisir obtenu, s'en allait sans même un baiser. Un peu, au fond, comme Jean-Michel l'avait fait avec moi. Qu'est-ce qui me prenait ? Les pires salauds m'avaient-ils, sans que je m'en rende compte, contaminée, transformée en une de leurs semblables ?

Merde.

17

Comment ai-je pu être aussi stupide ? Qu'est-ce qui m'a pris de lui envoyer ces photos ? Même si nulle part on ne voit mon visage, je déteste le fait de savoir qu'il peut toujours avoir en sa possession ces images des moments où je me suis caressée dans le seul but de jouir, sans sentiment, sans autre pensée que celles de l'imaginer en moi, ou de ses mains palpant mon corps comme il le faisait si bien. La vidéo, c'est une autre histoire. Bien que l'image soit floue, et qu'il soit presque impossible de m'identifier de façon formelle, la simple idée qu'il l'ait toujours en sa possession et qu'il puisse en faire ce que bon lui semble me rend malade. Mon impuissance devant cette situation ne fait qu'empirer les choses. Comment n'ai-je pas douté un seul instant qu'un vidéaste puisse avoir l'idée aussi tordue de filmer ses prouesses sexuelles ? Je n'y peux strictement rien. Je me revois, agenouillée devant lui, m'appliquant à le sucer avec ardeur pour le faire jouir… Je le sens encore m'éclabousser comme si je n'étais qu'une vulgaire actrice porno. C'est ça que je suis devenue, sans le savoir ? Arghhh.

Mais, mais, mais… s'il m'a avoué nous avoir filmés, c'est probablement parce qu'il n'a pas l'intention d'utiliser cette vidéo autrement que pour son propre plaisir... N'est-ce pas? Comment en être certaine? Je me console en constatant que lui, sur les photos qu'il m'envoyait, est facilement reconnaissable; même si l'attention se trouve sur une autre partie de son anatomie, on distingue tout de même son menton, sa barbe. Ce n'est qu'une bien maigre consolation. Je peux toujours utiliser ces photos comme une petite police d'assurance au cas où il lui viendrait la sordide idée de diffuser quoi que ce soit... Mais je le saurais comment, au juste?

Grrr! Et dire que je me suis moi-même mise dans cette situation. Quelle conne je peux être! Bravo, Julie...

Luc prit très mal ma désertion. Il me téléphona au milieu de la nuit, exigeant des explications. Je lui dis la vérité: j'étais incapable de comprendre, encore moins d'expliquer ma façon d'agir, je concevais que ça pouvait sembler dégueulasse, mais je n'avais pourtant pas eu l'intention de le blesser. Ça avait été purement instinctif et je ne savais pas moi-même ce qui m'était passé par la tête. Il m'accusa de m'être servie de lui, de lui avoir fait croire que j'avais envie de développer quelque chose de plus concret et conclut que je n'étais qu'une pute qui voulait seulement du sexe. Venant de lui, c'était tout de même assez étonnant, étant donné la saveur érotico-pornographique de nos échanges qu'il avait lui-même induite! Je soulignai que s'il avait cru en autre chose de ma part, ce n'était que son imagination, car jamais je ne lui avais laissé espérer quoi que ce fût. Il admit que c'était la vérité et se calma quelque peu avant de me proposer de le rejoindre plus tard dans la matinée dans un café afin que nous puissions parler de vive voix et voir où nous en étions. Je n'en avais pas envie, mais j'acceptai tout de même.

Il avait les cheveux en bataille, les yeux cernés et me regardait avec méfiance, comme un animal blessé. J'aurais voulu disparaître. Il attaqua en premier :

— Qu'est-ce que j'ai fait pour te déplaire à ce point ? Faudrait que tu me dises, ça m'aiderait peut-être, plus tard…

— Rien ! Rien du tout, je te jure ! C'est pas toi…

— Oh, je t'en prie, sers-moi pas la fameuse phrase « c'est pas toi, c'est moi », je vaux mieux que ça, quand même.

Il était hargneux et la moutarde me monta au nez. J'avais été sincère en lui disant que je n'avais pas voulu le blesser, mais, d'un seul coup, toutes les frustrations de la dernière année me montèrent aux nerfs. Je pris une longue inspiration afin de lui répondre le plus calmement possible :

— Écoute, Luc. On a été clairs tous les deux, il était pas question de devenir un couple ou quoi que ce soit, tu le sais très bien. On voulait se donner du plaisir, et c'est ce qu'on a fait, j'en avais autant envie que toi. Honnêtement, je sais pas ce qui s'est passé. Je le sentais plus, c'est tout. Des fois y'a juste pas d'autre explication. Si je pouvais revenir en arrière et décider, je ferais les choses autrement, mais ça change rien au fait que toi et moi, ça ira pas plus loin. T'es un gars super, attirant, drôle, un amant fantastique, mais je ressens juste rien. On en a déjà parlé, tu le sais, on peut pas forcer ça, c'est là ou pas…

C'était tout de même ironique que ce soit moi qui tienne ce genre de discours. J'étais tout à fait sincère. J'estimais Luc, il aurait pu être quelqu'un avec qui j'aurais souhaité, autrefois, tenter quelque chose. Mais plus maintenant, cette époque était révolue. Il demeura silencieux. Abattu. Comment peut-on être aussi déçu après seulement deux rencontres ? En ayant cette réflexion, je me souvins de Simon. Je savais pertinemment que c'était possible, j'étais passée par là. Et ça m'avait fait mal de me rendre compte que ce n'était pas réciproque.

Luc me regarda intensément sans rien dire, puis il me tendit son téléphone. Sans comprendre, je le pris et regardai l'écran. Je cessai alors de respirer. Devant mes yeux, nos ébats de la veille défilaient, sans son, heureusement. Le salaud nous avait filmés ! Je me souvins tout à coup des photos échangées et je me sentis blêmir. J'étais hors de moi. J'allais lui sauter à la gorge, l'assassiner ici même, devant tous ces gens.

— Comment as-tu osé faire ça ? C'est dégueulasse ! Qu'est-ce que t'as l'intention de faire avec ça ?

— Tantôt, avant qu'on se voie, j'avais envisagé de l'envoyer sur un site porno. Ça pogne, les vidéos amateurs. Mais je pense que t'es sincère, alors j'vais la supprimer. Les photos aussi, inquiète-toi pas. De toute manière, j'ai pas envie de garder ça. Ça veut plus rien dire. Probablement que tu faisais semblant, de toute façon.

— Seigneur, Luc ! Non, je faisais pas semblant. Mais si j'avais su que tu nous filmais, je serais partie bien plus tôt, après t'avoir fait avaler ta caméra ! ! !

— C'est vrai, j'aurais peut-être dû te demander la permission.

— Peut-être ? ? ? Je pourrais porter plainte contre toi !

Je ne savais pas si c'était le cas ou non, mais ça me semblait crédible. J'étais dégoûtée, mais je ne voulais surtout pas contrarier Luc de peur qu'il change d'idée.

— Arrête, c'est pas comme si j'en avais des copies et que

j'avais l'intention de les vendre. Je voulais juste quelque chose pour patienter jusqu'à notre prochaine rencontre. Mais comme y'en aura pas d'autres, on dirait, ça me sert plus à rien.

Il appuya sur la touche « supprimer », et fit de même avec les photos que je lui avais envoyées et qu'il avait téléchargées sur son téléphone. Je n'étais qu'à demi soulagée. Comment être certaine qu'il n'avait pas d'autres copies ? Je n'avais que sa parole et, à cet instant, elle ne valait rien à mes yeux.

— Je pense qu'on a plus grand-chose à se dire, hein ?

— Non, en effet. C'est vraiment dommage, Julie. On aurait pu avoir ben du *fun,* mais si tu le « sens pas », y'a rien que je peux faire. Fais attention à toi.

Il sortit en me laissant l'addition de nos deux cafés.

Mouais. J'avais un goût amer dans la bouche, qui n'avait rien à voir avec le cappuccino. J'allais devoir lui faire confiance et espérer de tout cœur que cette vidéo ne se retrouve pas sur le Web. J'en avais la nausée.

Merdemerdemerdemerde.

Je ne racontai pas cette nouvelle déconvenue à mes amies. J'avais honte de m'être laissée piéger de la sorte ; je n'avais pas envie, ni besoin, d'entendre leurs commentaires, leurs conseils ou leur jugement. Ce serait quelque chose qu'il me faudrait gérer toute seule. De toute manière, Robert était en ville, Valérie n'était donc pas libre ; Maryse se prétendait trop fatiguée pour que nous soupions ensemble malgré l'absence de Val, et je dus avouer que j'en fus soulagée.

Ma conviction qu'il valait certainement mieux m'en tenir aux ébats superficiels – aussi superficiels que peuvent l'être les échanges de fluides entre deux adultes consentants – se renforçait chaque jour. Espérer autre chose ne ferait que m'infliger des souffrances inutiles. C'était triste et pitoyable, mais la colère et la rancune que j'avais ressenties envers Luc étaient infiniment plus faciles à gérer que la douleur et la déception. En somme, être légèrement dépravée et assoiffée de sexe était beaucoup plus sûr que de rêver d'amour et de passion.

Encore une fois, je me demandai pourquoi j'étais incapable de me contenter d'une jolie petite relation tranquille, douce, harmonieuse, sacrifier les flammèches, la passion et le désir qui rend fou pour un peu de sérénité et de tendresse. Ce serait tellement plus simple !

Finalement, après plusieurs semaines d'une cure maison faite de gâteries décadentes – vin, poutine, chocolat, encore un peu de vin et quelques vêtements achetés à crédit – mon naturel positif revint au trot. Je n'avais plus de nouvelles de Luc, et, avec son souvenir, la menace qui planait de le voir disposer de photos ou de vidéos de manière bien peu élégante se dissipait. Mon optimisme se réveilla. Ou était-ce plutôt ma libido ? Je n'en étais pas certaine. Quoi qu'il en soit, malgré les excès dégoûtants dans lesquels je m'étais vautrée, il m'apparut tout à coup évident qu'une seule personne pouvait m'apporter le plaisir qu'il me fallait sans m'imposer d'exaspérantes complications. Celui que j'avais écarté pour de simples raisons de principes était le seul, parmi tous ceux rencontrés au cours des derniers longs mois, avec qui j'avais connu un bien-être complet. Trop bref, certainement, mais complet le temps que nous étions ensemble. Je me privais de ce que Simon savait me procurer simplement parce qu'il avait, sans le savoir et par ma seule faute, blessé mon orgueil. C'était stupide. Oui, avec lui c'était toujours trop peu, trop rare, trop sporadique, j'en ressortais immanquablement avec la faim plus aiguisée qu'apaisée, mais au moins, je savais à quoi m'attendre. La désagréable sensation de vide qui m'avait assaillie avec Luc ne faisait que s'amplifier et menaçait, ironiquement, de m'écraser. J'étouffais de manque même si ma dernière soirée avec lui ne datait que de quelques semaines, et je me sentais ratatiner comme une vieille pomme oubliée sur un comptoir. J'étais convaincue que ce vide venait du fait que le sexe seul ne me suffisait pas, qu'il me fallait, pour l'apprécier réellement, pouvoir me laisser aller complètement, avoir et donner aussi un peu de tendresse, d'affection et de plaisir. Et ça, je l'obtenais avec Simon, malgré tout le reste. Les jours froids et pluvieux, qui nous menaient inexorablement vers un hiver que j'abhorrais, ne faisaient que me donner envie de passer des heures à suer d'agréable manière au contact d'un corps aussi chaud que le mien. Le sien, en l'occurrence. Une flambée dans la cheminée de son condo, nous deux entortillés dans d'épaisses couettes à même le sol, c'était ce qu'il me fallait, rien de moins, mais surtout rien de plus.

Étais-je en train de me mentir ? Je ne le croyais pas. Il valait au moins le coup d'essayer. Je n'avais plus la moindre illusion ni d'attentes envers lui et je me sentais totalement détachée. C'est donc le cœur moins lourd que je lui écrivis. Un message léger au ton insouciant qui ne faisait aucune allusion au passé, sauf déplorer le nombre de mois écoulés depuis notre dernière rencontre. Sa réponse rapide me réjouit. Sans aucune ambiguïté, il me faisait savoir qu'il avait bien envie, lui aussi, de reprendre là où nous nous étions interrompus, tout en sachant que je n'espérais rien de plus que de passer de bons moments. Il fut convenu de nous voir la fin de semaine suivante, chez lui.

Mes amies réservèrent un accueil mitigé à cette nouvelle. Le scepticisme de Maryse était flagrant :

— Tu vas essayer de me faire croire que tu ressens plus rien pour lui ?

— Plus rien ? Non. C'est sûr que je ressens quelque chose, sinon j'aurais pas envie de le voir. Mais j'ai plus l'espèce de tiraillement dans le ventre, ni l'impatience fatigante que j'avais avant. Et le fait qu'il en ait autant envie que moi me donne encore plus le goût de le revoir. Au fond, ça fait tellement longtemps, presque huit mois, déjà... Peut-être que je vais être déçue ? On verra bien.

— J'te crois pas. Je pense que tu te racontes des histoires et que t'as réussi à te convaincre juste parce que t'as besoin d'une excuse pour le revoir, conclut Maryse.

Elle m'irritait. Pouvait-elle avoir raison ? Non, j'en étais bien certaine. Valérie, elle, avait une tout autre opinion :

— Moi, je trouve que tu fais bien. Chaque fois que tu l'as vu, ça t'a fait du bien, au moins sur le coup. Si tu dis que t'es pas engagée émotivement, j'te crois, moi. Paie-toi la traite, Julie. Moi je dis que c'est peut-être justement ça qu'il faut pour que vous deveniez plus proches et qu'il ait envie d'aller plus loin avec toi.

— Mais je veux pas aller plus loin avec lui ! Autant il me fait triper, autant son indécision m'énerve. C'est chronique, chez lui, une vraie girouette. Et j'me suis juré que je voulais plus de relation compliquée où il fallait que je devine ce que l'autre pense ou veut. Et lui, c'est ça, tout le temps.

— Peut-être, mais s'il se sent pas menacé, c'est peut-être là qu'il va se laisser aller…

— Il est incapable de faire ça, je te le garantis. Sérieusement, j'aurais un peu de misère à lui faire confiance, je pense. Je me demanderais toujours à quel moment il chokerait. En tout cas, on parle pour rien, là. J'ai juste envie d'avoir du plaisir sans me casser la tête et c'est le gars parfait pour ça !

Oui, c'était bien ça. Évidemment, depuis que nous avions fixé un moment pour nous voir, je n'avais que ça en tête. Il me tardait d'être nue avec lui, de retrouver son impétuosité, de sentir son corps tout contre le mien, mais aussi de rire, de me détendre et tout le reste. En me couchant, chaque soir, je constatais à quel point la moindre parcelle de mon corps se souvenait de lui. Je pouvais presque sentir son odeur, goûter sa peau, toucher ses cheveux, et tout ça m'indiquait à quel point j'avais hâte de le revoir. Je me demandais s'il s'en doutait et s'il attendait ce moment autant que moi, mais je ne m'y attardais pas. Je m'inquiétais bien de cette impatience presque démesurée que j'avais de lui, mais j'étais bien résolue à tenir tout sentiment à l'écart. Excitation, oui. Totalement. Sentiment ? Oh, que non ! Juste pour m'assurer que je ne glisserais pas vers une émotivité déplacée, je solidifiai mentalement le mur que j'avais pris soin d'ériger autour de mon cœur et je pris, ô combien péniblement, mon mal en patience.

Le vendredi arriva enfin. En ouvrant les yeux, ce matin-là, j'étais déjà excitée. Je m'étais préparée la veille afin de pouvoir partir chez Simon dès la fin de ma journée de travail et prêtai une attention spéciale, en cette glorieuse matinée, à me pomponner de la tête aux pieds. Comme il me fallait traverser toute la ville pour me rendre chez lui, j'avais même fait quelques heures supplémentaires la veille pour pouvoir quitter le bureau avant l'heure de pointe et ainsi éviter le pire de la circulation. Je m'en félicitai car une première chute de neige, épaisse et lourde, s'était abattue sur la ville. Qu'à cela ne tienne, quelques centimètres de neige ne me faisaient pas peur. Je voulais profiter de chaque instant puisqu'ils étaient comptés. Une vraie obsédée ; j'en avais le rouge aux joues rien qu'à penser à ce qui m'attendait à quelques dizaines de kilomètres du bureau, et rien, pas même la tempête du siècle, n'aurait pu m'empêcher de me rendre chez Simon ce soir-là. Tous les souvenirs de nos précédentes nuits peuplaient les heures où j'étais censée travailler, comme ils avaient envahi mes rêves de la semaine. Chaque parole échangée, chaque confidence voilée, chaque geste et chaque toucher me brûlaient comme un fer chaud. J'avais peine à croire que j'allais enfin retrouver ce bien-être sans qu'il soit terni par mon désir de le voir évoluer vers autre chose de plus contraignant. Je flottais littéralement d'envie de Simon, de toutes ses facettes.

Je quittai donc le bureau après avoir refait une petite toilette, retouché mon maquillage, brossé mes dents, déposé quelques gouttes de parfum aux endroits stratégiques… ça y était enfin.

Le drame survint dès que j'appuyai sur l'accélérateur, sur le boulevard me menant à l'autoroute. Un bruit, qui s'intensifiait à mesure que j'accélérais, me fit lâcher un chapelet de jurons digne du plus vulgaire des charretiers. Me disant que ce n'était que de la neige accumulée autour des roues, je continuai mon chemin, mais comme le volant était stable, il devait s'agir d'autre chose. Mes connaissances en mécanique automobile étant nulles, je me sentis désemparée. C'est donc en état de panique et avec une bonne dose d'hystérie que, retournant à mon lieu de départ, j'appelai Maryse à mon secours.

— Maryse ! Je capote ! Ma voiture me lâche ! ! ! Elle fait un bruit d'enfer ! Pourquoi là, pourquoi fallait que ça arrive maintenant ?

— Bon, calme-toi, ma belle. Quelle sorte de bruit ? As-tu des voyants allumés sur ton tableau de bord ?

— Euh… non, pas de voyants. C'est un bruit de claquement, qui empire quand j'accélère, ça vient de l'avant. T'sais, c'est comme un Khh-Khh-Khh-Khh…

— Comme des freins ?

— Non, non, ça crie pas Hiiiii, c'est Khhhh, j'te dis. Comme si quelque chose frottait sur mes roues.

— De la neige ou de la glace ?

— Non, mon volant shake pas, c'est stable.

— As-tu regardé, au moins, si quelque chose d'autre frottait, une pièce quelconque, je sais pas, moi ?

— Ben là ! Je suis en robe et en talons, y'a d'la slush, j'vais quand même pas me mettre à quatre pattes !

— OK, mais qu'est-ce que tu voudrais que je fasse ? Que moi, j'me mette à quatre pattes ? T'es où, là ?

— Ben non, mais t'es meilleure que moi, pour ces affaires-là. Pis je suis pressée ! ! ! J'peux pas attendre, sinon, j'vais être prise dans les bouchons, j'perds beaucoup trop de temps, là ! Je suis au bureau. J'étais partie, mais en entendant ça, j'voulais pas tomber en panne sur l'autoroute alors je suis revenue.

— Tu peux pas aller au garage ?

— Ahhh non ! J'veux juste m'en aller ! Simon m'attend ! Merde ! Peux-tu me prêter ton auto ?

— Non, désolée, je l'ai prêtée à Oli... Écoute, trouve-toi quelque chose à mettre à terre, penche-toi comme une grande, pis regarde en dessous de ton auto. C'est peut-être juste une niaiserie.

Je retournai à l'intérieur en pestant. Pourquoi ? Ça aurait pu arriver n'importe quand, mais non, il fallait que ce soit aujourd'hui. Mon collègue Guillaume me regarda rentrer avec étonnement. Je décidai de mettre mes talents d'actrice à l'essai.

— Je cherche un carton ou un plastique pour mettre par terre, j'ai un problème avec mon auto, on dirait que quelque chose frotte, mais il faut que je regarde et, t'sais, habillée comme ça...

J'avais honte de moi. Je disais tout ça avec un air piteux, en battant presque des cils. Presque. Le vieux truc de la femme en détresse fonctionna hyper bien, comme je l'avais anticipé. Guillaume sauta sur l'occasion de montrer sa virilité en m'assistant dans mon malheur. Peu m'importait, pourvu que je puisse partir au plus vite.

— Quelle sorte de bruit, ça fait ?

— Ben t'sais, un Khhh-Khhh-Khhh.

Il sourit avec juste ce qu'il fallait de condescendance. Cependant, ce n'était pas suffisant pour m'empêcher d'avoir recours à ses services. Je levai les sourcils avec une petite moue de découragement.

— Attends, je vais aller voir ça.

— Vraiment ? T'es troooop gentil, merci !

Sur un nouveau battement de cils et un « *Yes* ! » intérieur bien senti, je suivis Guillaume à l'extérieur après qu'il eût trouvé une boîte de carton à plat et revêtu son manteau.

Il se pencha près de ma voiture et se releva aussitôt :

— C'est rien de grave, juste le dessous de ton parechoc qui est déclippé. Attends, je t'arrange ça tout de suite, au moins pour que ça tienne un bout de temps, mais tu iras le faire réparer comme il faut...

— Ah ! ! ! Super ! C'est pas mécanique, alors ? Je risque pas de tomber en panne ? C'est que je m'en vais de l'autre côté de la ville, là...

— Non, pas du tout.

En quelques minutes, Guillaume avait reclippé le morceau en question. Je le remerciai chaleureusement et pris enfin la route. J'eus presque envie de le récompenser en lui montrant le genre de sous-vêtements que je portais, la boîte de condoms et l'huile à massage qui étaient dans mon sac... mais je crois qu'il ne s'en serait jamais remis.

Je réussis à éviter les bouchons et me retrouvai sur l'autoroute sans avoir pris trop de retard. La circulation était dense, mais pas immobilisée, c'était déjà ça. Il me restait environ trente minutes à parcourir lorsque le Khhh-khhh-khhh se fit de nouveau entendre. Seulement, c'était maintenant un kh-kh-kh-kh-kh-KHHHH. Je lâchai un autre juron pas très élégant en me demandant quoi faire. Appeler Maryse ? Elle ne pourrait rien pour moi. Apparemment, le morceau s'était à nouveau déclippé. Guillaume n'avait pas été, après tout, très efficace. J'avais tellement hâte d'arriver que je sentais ma culotte moite. Pas question d'essayer de trouver un garage. Là, maintenant. Alors, la seule solution intelligente s'imposa.

J'augmentai le volume de la musique au maximum et appuyai sur l'accélérateur.

18

Simon, les retrouvailles. Mes pensées, avec lui : Ça fait au moins trente minutes qu'on bavarde dans son espace salon. Il a fait un feu, comme je l'espérais, et il fait bon. Trop chaud pour rester habillée, selon moi… J'en peux plus. Je l'écoute à moitié, trop occupée que je suis à l'imaginer m'arracher mes vêtements, remonter ma jupe et s'enfoncer en moi par-derrière. Là. Maintenant. J'ai l'impression qu'un petit filet de salive me coule aux commissures de la bouche tant j'en ai envie. Et je ne parle pas de mes jambes qui se croisent et se décroisent, par dépit de ne pouvoir plutôt s'écarter.

Il se lève pour nous servir du vin et je n'ai plus aucune autre volonté que le suivre. Je l'embrasse enfin et il répond à mon baiser par une fougue que je n'osais pas espérer. Ses mains me tombent dessus comme si, tout comme moi, il s'était retenu, lui aussi. C'est ça que je voulais. Très exactement ça. Les papillons volent dans mon ventre, j'ai encore plus chaud. Une chaleur qui n'a rien à voir avec le feu, ni avec le vin. J'ai chaud de lui. J'ai déjà le souffle court alors que ses mains relèvent brusquement ma jupe et plongent entre mes cuisses. Ah, il en a autant envie que moi, je suis flattée de le constater. Il est dur, cette queue que je connais mais qui m'excite comme la première fois trépigne d'impatience. Pauvre elle! Je la libère, j'ai envie de la goûter mais il m'en empêche. Il me retourne, mon ventre heurte le comptoir de la cuisine et le voilà en moi, aussi loin, aussi dur, aussi impétueux que dans mon souvenir. Meilleur encore. Plus gros? Peu m'importe. Chaque coup qu'il me donne me déstabilise, je me hisse sur la pointe des pieds pour lui permettre de mieux me posséder. Plus fort. Plus vite. Plus tout. Je voudrais toucher mes seins, me faire jouir pendant qu'il me pénètre mais il le fait à ma place, comme s'il voulait être partout à la fois. Parfait. J'ai l'impression de me liquéfier... Les battements de mon cœur s'affolent, ma respiration est laborieuse, je tremble de partout. J'ai envie qu'il me malmène et il exauce mon souhait pendant de longs et savoureux instants. Sa main empoigne mes cheveux et je sais qu'il va jouir en moi. Je reconnais son souffle, ses halètements qui m'annoncent qu'il abdique et voilà, sa sève se mélange à la mienne, laissant une abondante trace au sol, entre nos pieds emmêlés. Mon Dieu. C'était d'une intensité incroyable. Non, mais, une vite aussi passionnée ne vaut-elle pas des millions de longues plates? ☺

On est the day after. *Je ne sais pas quand je vais revoir Simon. Ça n'a pas d'importance.*

Enfin, presque pas d'importance. Si peu... mais juste assez pour que le souvenir de la veille me hante. Chaque seconde de chaque minute est colorée des sensations indescriptibles ressenties tout au long de ma nuit avec lui. Nos corps se sont retrouvés et semblaient affamés l'un de l'autre, comme si les mois passés sans se voir n'avaient fait que nous creuser l'appétit.

Comme retrouvailles, ce fut assez spectaculaire. Toute la soirée et toute la nuit, de même qu'au réveil, nous fîmes l'amour. Je refusais d'employer le verbe « baiser » cette fois, même si dans ce cas « amour » était relatif. Chaque pause était ponctuée de caresses paresseuses, de rires, de musique, de bonne bouffe et de trop de vin. C'était d'une telle simplicité... Je ne cultivais plus d'espoir ni d'attentes envers Simon, c'est probablement pourquoi je ressentis un tel abandon, tant de ma part que de la sienne même si, par moments, je le sentis malgré tout quelque peu distant. Mon détachement ne fit que rendre cette soirée plus détendue et merveilleuse puisqu'aucune tension ne subsista. Je me félicitai d'avoir repris contact avec Simon, après tout. Il nous serait encore plus facile d'être ouverts l'un envers l'autre et de se dire les vraies choses, ce qui me plaisait énormément.

Le lendemain soir, sagement seule à la maison, je me laissai bercer par les souvenirs de la nuit précédente. Toutes les sensations et les images que j'avais sciemment enregistrées pour tenter de les conserver jusqu'à notre prochaine rencontre refirent surface et je m'empressai de les consigner dans mon journal.

Le souffle court. Le rythme cardiaque qui se calme tout doucement. La petite flaque de sperme tiède sur mon ventre. À mes côtés, Simon qui récupère, respirant profondément. Son membre au repos, ayant déchargé son ardeur trois ou quatre fois plutôt qu'une, je ne sais plus, comme en témoigne ladite flaque.

Il semble paisible, repu. Son corps chaud m'attire comme un aimant et j'ai l'irrépressible envie de me coller contre lui, de savourer cet instant, de le faire durer parce que je le sais éphémère. Je m'endors doucement tout contre lui, son souffle m'aide à me détendre, à calmer mon corps fiévreux. Puis, au petit matin, sa rigidité se faufile entre mes cuisses, m'envahit sans prévenir et moi je l'accueille, l'absorbe avec avidité. Délicieux, le meilleur réveil qui soit.

Comme toujours, avec lui, cette soirée est… wow! Intense, passionnée, humide. Je jouis à torrents, et il aime sentir, goûter ma jouissance, la provoquer sans cesse tout en me laissant me régaler de chaque parcelle de son corps. Comme toujours, avec lui, ce moment sera trop vite passé, oublié. Afin de s'assurer que cette constante ne changera pas malgré les nouvelles circonstances, il me donne à nouveau la preuve qu'il est de ces mâles humains célibataires qui se refusent tout sentiment, tout attachement, aussi passager soit-il. Question de ne pas se mettre en danger, me répète-t-il.

Comme si je ne le savais pas.

Les règles du jeu, telles qu'il les avait établies dès notre première nuit ensemble, étaient claires. Tout m'indiquait qu'elles n'avaient pas changé et je ne m'attendais pas à ce qu'il en soit autrement. Les rires avaient ponctué l'évocation de nos récentes aventures respectives et je ne ressentais aucun scrupule à me dévoiler, non plus qu'à entendre ses anecdotes. Non seulement ça me convenait, mais ça me prouvait que, sans la tension provoquée par mes enfantillages d'antan, nous pourrions sans doute développer une forme d'amitié ou de complicité qui compenserait amplement toute forme d'engagement.

Malgré ma bonne volonté, il ne fallut que quelques jours pour que je recommence à avoir envie de le revoir. Ce n'était pas ma faute et c'était prévisible. Comme autrefois, j'étais restée sur ma faim. « L'appétit vient en mangeant », m'avait dit Simon, en souriant entre deux gorgées de vin, son beau visage éclairé par la flambée qui brûlait dans l'âtre. Oui, tout à fait. Moi qui croyais m'être rassasiée de lui et de tout ce plaisir, je me retrouvais plus affamée que jamais. *Big surprise*…

Je n'eus pas de nouvelles de Simon pendant une dizaine de jours, et je n'en donnai pas davantage. Ça ne me perturbait pas le moins du monde. Puis, un bon jour, alors que je ne m'y attendais plus, un message me parvint. Drôle, intéressant, chaleureux. Surtout, Simon manifestait l'envie de me voir. Comme il était à l'extérieur de la ville, ça n'était pas possible avant la fin de la semaine suivante, au mieux, mais ça n'altéra pas mon plaisir. Les messages et conversations téléphoniques plus agréables les uns que les autres se multiplièrent. Les vacances de Noël approchaient et je me réjouissais d'avance. J'eus envie de lui proposer des activités : escapade de ski, peut-être, séjour dans une jolie auberge, que sais-je encore. La furieuse envie de passer plus d'une nuit avec lui me tenaillait. En effet, nos rencontres précédentes n'avaient jamais duré plus de dix-huit heures – je les avais comptées – et il me semblait que ce serait désormais possible puisque l'enjeu ne supposait aucune lourdeur. Malheureusement, Simon devait partir aux États-Unis deux fois au cours de mes semaines de congé. J'étais déçue mais pas démontée. Je me contenterais d'une nuit, ça valait mieux que rien. Sans confirmer quoi que ce soit, nous continuâmes à nous parler et à nous écrire sporadiquement, évoquant un prochain moment ensemble avec anticipation. La tension montait, le désir se faisait plus pressant. Puis, un bon soir, alors que je me mettais au lit, il me téléphona. Il rentrait de New York et je perçus dans sa voix une certaine lassitude. Il me parla de différentes choses, des sujets légers, mais sa voix me semblait tout de même teintée d'une proximité nouvelle. Pour une rare fois, il mentionna le mot « solitude », me confiant que le fait de toujours rentrer chez lui dans un lieu vide devenait lourd. Puis, graduellement, ses mots se firent plus suggestifs. Ça n'avait rien à voir avec les divagations pornographiques de Luckycharm01, loin de là. C'était plus intime, plus vrai. Il me parla assez précisément de ce qu'il me ferait si j'étais à ses côtés, mais aussi de certains de ses fantasmes, ce qu'il aimerait découvrir, explorer. J'en fis de même. C'était naturel, grisant. Pour la première fois depuis que je le connaissais, j'avais enfin l'impression qu'il se livrait à moi sans retenue. Était-ce le téléphone, la distance qui lui procurait la « protection » dont il se prévalait généralement ? Avait-il bu quelques verres de vin avant de me parler, lui permettant de mettre de côté ses habituelles réserves ? Quoi qu'il en soit, il me sembla, au cours de cette conversation qui s'étira pendant plus de deux heures, que nous étions plus proches que nous ne l'avions jamais été et je m'en réjouissais. Simon était suffisamment à l'aise pour enfin me laisser entrevoir une facette de lui que je n'avais jamais eu le plaisir de deviner. Au fil des mots, des images qu'il évoquait et de quelques photos explicites échangées, il me guida dans mes caresses et j'en fis autant, lui intimant d'imaginer ma langue le léchant comme une petite chatte boit son lait, avant de l'engloutir avec gourmandise. Je lui expliquais quelle sorte de succion j'appliquais pour le faire durcir entre mes lèvres et j'entendais son souffle raccourcir. Au bout de plusieurs très longs et langoureux moments, je sentis entre mes doigts mon sexe palpiter puis se secouer de plaisir tandis qu'à l'autre bout du fil un grognement m'indiqua que mon correspondant atteignait, lui aussi le paroxysme.

Rien à voir avec Luc, rien du tout. Je connaissais mieux Simon, bien sûr, mais je me sentais également beaucoup plus proche de lui. J'avais l'impression d'avoir franchi une étape importante et décisive dans ma relation avec lui. Une espèce de *breakthrough*, ou un « casse à travers », comme il se serait amusé à traduire.

Hourra !

Je me sentais bien, avec l'impression que Simon m'avait laissée l'apprivoiser quelque peu. Rien de romantique, loin de là. Mon fameux mur était plus solide que jamais, il en faudrait bien davantage pour qu'il cède. Cependant, une forme de complicité me semblait tout aussi intéressante, sinon plus, que quelque autre développement. Après tout, si Simon me faisait assez confiance pour me faire part de ses pensées lubriques, c'était qu'il me faisait également confiance pour me donner l'heure juste à tout propos, sans inquiétude. Au fond, c'était ce qui m'importait le plus.

Mais… Comment peut-on atteindre une telle complicité des corps, une intimité aussi naturellement partagée sans que survienne le manque, l'envie, le désir en l'absence de l'autre ? Comment peut-on penser s'abandonner aussi entièrement à des jouissances répétées, attendues, savourées pour ensuite occulter et ignorer l'appel pourtant irrésistible des sens ?

À la suite de cette conversation mémorable, donc, il devint primordial de consolider cette belle avancée *live*. L'occasion se présenta enfin, et c'est le cœur battant et le ventre impatient que je me rendis une fois de plus dans son loft du vieux quartier. J'aurais préféré sortir, passer quelques heures à le titiller et voir comment il se comporterait avec moi hors de son repaire. Je me voyais déjà le caresser du pied sous la table du restaurant ou lui faire goûter, du bout du doigt, entre l'entrée et le plat principal, la sève sucrée que j'aurais recueillie discrètement entre mes replis humides. Ou alors, je nous imaginais nous agacer mutuellement dans une salle de spectacle, faisant monter le désir à coup de touchers subtils et d'allusions murmurées au creux de l'oreille. Je l'encouragerais à me caresser alors que, nue sous ma jupe, mon corps s'ouvrirait à son toucher. J'aurais eu envie de le rendre fou de désir, le sentir dur au point d'éclater, et retarder l'étreinte ultime jusqu'à ce que nous soyons contraints de nous posséder l'un et l'autre dans le premier espace venu, des toilettes ou un corridor peu fréquenté. Mais ce serait pour une autre fois. Ce n'était vraiment pas grave puisque je pouvais désormais entrevoir, avec joie, une récurrence accrue de nos soirées ensemble. Pour le moment, son loft ferait l'affaire. Évidemment, il me serait difficile de ne pas me précipiter sur lui dès mon arrivée et je ne croyais pas qu'il m'en empêcherait.

« J'apporte autre chose que du vin ? » lui demandai-je avant de prendre la route pour venir le rejoindre, l'entrejambe déjà moite et les seins gonflés d'anticipation. « Toute toi-même », me répondit-il. C'est ce qu'il aurait. Moi, entièrement.

Je ne voulais plus penser aux dénouements précédents. Je ne voulais plus appréhender qu'au lever, dès que nous serions rhabillés, la même distance qu'il installait autrefois apparaisse, et que la complicité s'évapore. Que je n'entendrais plus parler de lui jusqu'à ce qu'il ait de nouveau envie de mon corps. Quand ? Deux semaines ? Un mois ? À la prochaine pleine lune ? Non, ça, c'était avant. À l'époque où moi, en parfaite idiote, j'accourais, heureuse de prendre les quelques heures qu'il voulait bien me concéder, les rares moments qu'il daignait m'accorder. Cette époque encore où moi, toujours aussi idiote, j'en ressortais frustrée et déçue.

Je savais que j'allais tout de même passer les jours suivants à combattre les *flashes* ; sa main qui me saisit les cheveux pour mieux me soumettre à son rythme endiablé, ses dents dans mon cou qui me laissent des traces de notre passion. Mes hanches qu'il empoigne solidement pour se ruer le plus loin possible en moi alors que je coule, liquéfiée devant l'assaut. Le goût de sa langue sur la mienne, le vin qui passe de ma bouche à la sienne. Ces multiples éclairs de la soirée ne me laisseraient aucun répit et je n'aurais d'autre recours que d'essayer de me soulager sans lui puisqu'il serait absent. Ça, c'était inévitable, et je savais bien qu'il ne deviendrait pas, du jour au lendemain, plus disponible qu'avant. Aucun problème. Parce que là, au moins, tout serait clair, fluide, transparent.

Je n'étais pas amoureuse, ni même près de l'être. Tant de choses me plaisaient chez lui, ça aurait pu être possible, éventuellement, mais je n'étais plus celle qu'il avait connue. Mon cœur était devenu tout aussi inaccessible que le sien. Je n'étais pas jalouse non plus. Je me doutais bien que je n'étais pas la seule femme qu'il « voyait », mais j'étais convaincue de posséder un petit avantage sur les autres, peu importe qui et combien elles étaient.

Cette soirée me sembla tout aussi savoureuse que les autres, mais moi, devant lui, je n'étais plus tout à fait la même. Plus à l'aise encore que je l'avais été deux semaines plus tôt, plus détendue. Nos ébats ne furent pas plus élaborés, quoique, selon moi, ils furent teintés d'une audace qu'une nouvelle confiance mutuelle permettait. Des touchers plus intimes, plus aventureux, tout aussi fantastiques. Malgré cela, tout n'était pas exactement comme je l'avais souhaité. Les yeux de Simon, trop souvent clos alors que je le chevauchais avec fougue, m'isolaient de son imaginaire alors que j'aurais aimé y plonger, le partager concrètement avec lui. Ses mots se faisaient rares, discrets, alors que j'aurais espéré qu'il me confie sa jouissance, ses envies, ses attentes. Alors, même si je ne voulais pas la voir, une minuscule ombre se profila au-dessus de nos corps enflammés. Juste une impression ?

Pas sûre.

Après nos ébats matinaux, j'aurais voulu étirer ce bien-être, rester au lit toute la journée ou la passer avec Simon, peu importait où, puisque je n'avais pas la moindre idée du moment où je le reverrais et que j'avais tout mon temps. C'était impensable, bien sûr. Un jour, peut-être, mais il était encore trop tôt. Je m'en accommodais parfaitement bien. Nous déjeunâmes ensemble ; la distance que j'appréhendais ne s'installa que petit à petit, au moment de nous quitter. Je me permis de l'embrasser et de me blottir dans ses bras un bref instant, chose que je n'aurais osé faire, autrefois. Il répondit bien à mon étreinte, mais je le sentais déjà ailleurs.

Puis, trop vite, je partis. Son odeur de même que celle de nos jouissances mutuelles étaient tatouées sur ma peau, sur chaque millimètre de mon corps et c'était merveilleux. Humant mes doigts, je combattis l'envie de les lécher, de glisser ma langue sur mes mains et mes bras, même, pour y retrouver ne serait-ce que le fantôme du goût de Simon.

Je flottais sur une espèce de nuage. Je ne ressentais pas le besoin de lui parler, ni même de prévoir un prochain rendez-vous, j'avais confiance : notre relation, bonifiée de ce nouveau petit quelque chose d'indéfinissable, allait enfin m'apaiser et m'apporter, du moins en partie, ce dont je rêvais. L'ombre que j'avais cru voir apparaître au cours de la nuit n'était plus qu'un vague souvenir. J'avais compris qu'entre nous, il ne serait question que d'être des amis-amants, formule tout de même plus jolie que le fameux *fuck friends*, même si elle voulait dire la même chose.

Pendant que je vivais mes dernières aventures et que je folâtrais avec Simon, Maryse, de son côté, travaillait à mettre le blogue sur pied. J'avais envie de m'investir, moi aussi. Maintenant que je savais que ma relation avec Simon était arrivée à une espèce de « stabilité » toute relative, et n'ignorant pas qu'il ne serait pas très disponible avant un moment, je me sentais prête à me consacrer à autre chose. J'avais confié mes notes à mon amie pour qu'elle monte une « banque de données ». Maryse n'avait pas chômé. Pour mieux comprendre les enjeux, elle s'était même inscrite à un site de rencontre, sans photo et avec une fiche des plus floues, à l'insu de Gilles. « T'imagines comment il réagirait s'il s'en rendait compte ? » Ça la faisait rire en même temps que ça la distrayait. Je me doutais même qu'elle trouvait ce petit jeu dangereux des plus stimulants. Si ça l'amusait, tant mieux. Mon intérêt s'amplifiait devant tant d'enthousiasme. Après avoir vérifié que les spécimens répertoriés étaient toujours sur les sites, elle les classa par catégories et en fit une brève description. Curieuse, je me rendis chez elle pour voir comment et de quelle façon elle progressait.

— C'est vraiment *l'fun,* je m'amuse. Je pense que le mieux serait de ne partager cette liste qu'avec celles qui s'abonneront à notre blogue et qui voudront faire une minienquête sur un pseudo qui les intéresse. T'es d'accord ? Je les ai placés par ordre alphabétique ; voici ce que ça donne.

Elle me présenta une série de fiches résumant mes conquêtes de la dernière année :

Àdeuxcestmieux492: Prénom: Jean-Louis (Guénette). Attention, ses photos datent d'au moins dix ans. Style «mononcle». Ment sur son âge, a au moins soixante-deux ans. Gentil, mais beaucoup moins actif et en forme qu'il le prétend.

Amantpourtoi: Prénom: Réjean. Style décontracté, actuel. Assez attirant physiquement. Présence sporadique sur les sites. Technique: prendre huit, dix rendez-vous en une fin de semaine pour «régler la première ronde». Ensuite, baiser avec les plus prometteuses pour choisir. Et recommencer quelques semaines plus tard.

BeauSyl68: Prénom Sylvain. Séduisant, dans le style macho. Pas de mensonge détecté, photos conformes. Mais attention: cruise toutes les femmes qui l'entourent, même en présence d'une *date.*

Choixduchef: Prénom: Stéphane. ATTENTION HOMME MARIÉ. Dommage parce que très séduisant, intéressant, intelligent et cultivé.

Danstesyeux: Prénom: David. Style très décontracté. Artiste, doux, romantique, charmant. Très *cute.* Sans emploi et sans voiture. Peu sûr de lui et gentil.

Douxgalant21: Prénom: Serge. Style conservateur. Pas de mensonge détecté. Passion dévorante pour les quilles et la pêche, recherche quelqu'un d'aussi passionné.

HotBob: Prénom: Bob (Robert, je présume). Style *douchebag.* Monsieur Muscle, bronzé, tatoué. Regarde les seins en parlant à une femme, préfère les faux (seins). Aime qu'une femme fasse ses tâches ménagères en lingerie *sexy.*

Jetattends: Prénom: Ronald. Style «beige», conventionnel. Désillusionné, préparez-vous à répondre à une liste de questions. Intolérant parce que frustré par ses relations précédentes.

JMike777: Prénom: Jean-Michel. Style motard (mais soigné). Charmant, mais menteur jusqu'au bout des ongles. Dit ce qu'il croit être avantageux, utilise la maladie (probablement fictive) de sa mère pour expliquer sa non-disponibilité mais ne cherche qu'une baise (et une seule). Très petit membre (minuscule) malgré la stature de l'homme. Éjaculateur précoce.

LuckyCharm01: Prénom: Luc. Style décontracté cool. Charmant, gentil, courtois, très bon amant. Parle beaucoup (surtout pendant l'amour), un peu imbu de lui-même, mais très intéressant. ATTENTION: aime demander des photos *sexy* de vous et prend des vidéos à votre insu. Soyez vigilantes!!!

MarioGentil: Prénom: Mario (Lagacé). Style hyper conservateur. Ment sur son âge (cinquante-cinq plutôt que quarante-huit), en paraît soixante. Voix agaçante, personnage frustré. Très *straight*.

Nicopourtoi: Prénom: Nicolas. Séduisant et *sexy* dans le genre italo-macho. Galant, franc. ATTENTION: Exige au minimum deux relations sexuelles par jour (fellations appréciées).

Romanticnorm: Prénom: Normand (Bellavance). Séduisant, style plus conservateur qu'en photo. Extrêmement romantique, très timide. Conversation difficile. Dépendant affectif. Trop intense, à moins de chercher rapidement un colocataire. Accepte difficilement le rejet, tenace.

Tempus23: Prénom: Andy. Style décontracté. Pas de mensonge détecté, pas très transparent non plus. Aussi séduisant qu'en photos. Actif sporadiquement sur les sites. ATTENTION: fréquente plusieurs femmes en même temps pour «choisir» par la suite et a du mal à «satisfaire tout le monde».

Toietmoi99: Prénom : Marcel (Laroche). Aucun mensonge détecté. Jovial, prend beaucoup de place, imposant. Cherche confort, ne croit plus à l'Amour. Cherche quelqu'un près de son travail.

Cette liste me déprima. Devant mes yeux s'étalait l'inventaire de mes échecs, de mes déceptions ou de mes pertes de temps des onze derniers mois, « dans une coquille de noix », pour traduire l'intraduisible expression *in a nutshell.* Il y en avait eu d'autres, mais Maryse n'avait conservé que les hommes encore actifs sur les sites. Au total, j'avais rencontré, quoi, vingt-cinq, trente hommes depuis ma rupture avec Danny ? Des hommes que j'avais crus intéressants, sans m'attarder suffisamment, j'en convenais, mais qui représentaient tout de même un échantillonnage assez représentatif de ce qui existait comme hommes libres, ou qui se prétendaient tels. Heureusement, j'y avais tout de même trouvé Simon, ce qui rachetait une part immense de l'incroyable gaspillage d'énergie encouru. Mais peut-être avait-il justement fallu que je perde tout ce temps pour finir par mieux comprendre et accepter l'ambiguïté de mon amant ? Un an auparavant, j'étais idéaliste, naïve. Je n'aurais pas accepté ses états d'âme changeants, son ambivalence. Désormais, non seulement j'accueillais Simon beaucoup plus favorablement, mais je le comprenais et, même, j'adhérais à cet état. Que de chemin parcouru !

J'en revins au sujet qui nous occupait. Maryse avait indiqué, pour chacun des pseudos, le site sur lequel ils traînaient.

— Imagine-toi donc que j'ai déjà créé la page Facebook et que je l'ai annoncée sur la mienne. J'ai demandé à celles qui voulaient partager leurs infos, des mésaventures ou des déceptions, de m'envoyer les détails avec les pseudos et tout. J'ai déjà eu trente-cinq réponses !

— Depuis quand ?

— La semaine dernière, t'imagines ? Ça me donne des frissons dans le dos.

— Dans quel genre ?

— Ben, dans le genre de ce que t'as vu, des Jean-Michel, en masse, des Bob, et plein d'Andy et de Normand. Des menteurs, des peureux, des magasineux, des cheaps, des chokeux, des gars qui veulent rien manquer, et qui, même s'ils ont trouvé quelqu'un, restent sur le site au cas où quelqu'un de mieux se présenterait.

— Tu te rends compte du temps qu'ils font perdre à un nombre incroyable de femmes, ces innocents-là ?

— Oui. Mais si ça peut te consoler, même si y'a plein de filles qui ont perdu encore plus de temps que toi, plusieurs m'ont envoyé des commentaires sur des gars qui ont l'air vraiment correct, mais avec qui ça avait juste pas cliqué. Y'en a, tu le sais t'en as rencontré, toi aussi. Mais ce qui me surprend le plus, c'est combien celles qui se sont fait niaiser ont envie de se venger…

— Se venger ?

— Oui. Y'a une femme qui m'a demandé la liste des gars mariés. Elle veut s'arranger pour que leurs femmes le sachent…

— Une autre. Tu me fais penser qu'avec tout ça, j'ai jamais réglé son compte à Stéphane, le con marié que j'ai rencontré au printemps… On pourrait peut-être faire d'une pierre deux coups ! T'as répondu quoi ?

— Que je lui reviendrais quand le blogue serait en ligne, je savais pas trop. C'est vrai qu'il faudrait faire quelque chose pour ton cuisinier. J'te jure que ça m'enrage et il a l'air d'y en avoir pas mal, comme lui. Même ma p'tite voisine, Jessica, est passée par là. Tu sais de qui je parle ?

— Oui, la belle brune avec ses deux petits. Qu'est-ce qui se passe avec elle ?

— Imagine-toi donc que son mari vient de la laisser pour une autre femme.

— Hein ? Ils avaient l'air tellement amoureux ! Elle est super *sweet*, en plus !

— Eh oui. *Sweet*, belle, intelligente, elle a, à trente-quatre ans, un *body* qui ferait damner beaucoup de filles pas mal plus jeunes qu'elle ! Mais l'épais l'a dompée pour une fille de vingt-huit ans.

— Ben voyons donc ! Sont tous pareils, maudits cons !

— Tellement pareils, même ceux dont on douterait jamais. Ça lui a pris un an avant de le dire à Jessica. C'est quand même dégueulasse…

— Oui, certain. S'ils sont trop cons pour le dire à leur femme, ils méritent de manger une claque ou deux. Ou pire. J'espère donc que le karma va les rattraper !

— Ça serait un bon service à rendre à la société de donner un coup de pouce au karma. Beaucoup de femmes nous remercieraient ! En tout cas. Je reçois quand même plusieurs messages de femmes qui me demandent des infos sur les bons gars, ou qui pensent qu'elles en ont un pas pire et qui veulent vérifier si y'a pas un « vice caché ».

— Matcher des bonnes filles avec des bons gars, ça aussi ça serait une affaire de karma. Le bon côté de la chose. Ça serait cool, non ?

— Très, un peu comme t'as fait avec Robert et Valérie ! Tu le sais pas, mais t'as ça dans le sang, ma belle !

C'était drôle. J'avais ça dans le sang, oui. Pour d'autres, mais pas pour moi ! Je me réjouissais pour mon amie Val qui semblait plus épanouie que jamais. Peut-être, en effet, que j'avais un certain flair qui fonctionnait dès qu'il ne s'agissait pas de moi et qu'il me serait possible de mettre à profit. Pourquoi pas ? Je consultai mon « assistante » :

— Hmmm. Tu penses que tu pourrais monter des fiches pour les femmes qui vont nous écrire aussi, celles qui le veulent bien, évidemment ?

— Oui ! Comme ça, on pourrait jouer avec leur karma, c'est ça ?

— T'as tout compris !

Je me mis au travail le soir même.

19

Plus je lis les témoignages reçus par Maryse pour le blogue, plus je suis heureuse de ne plus avoir à vivre ce genre de déceptions. Il était temps que ça « débloque » avec Simon. Ce qui me frappe le plus est la proportion effarante d'hommes mariés ou en couple qui fréquentent anonymement – et impunément – les sites. Ils ne mettent pas de photos, restent très vagues sur leur emploi du temps ou inventent carrément des histoires d'ex et d'enfants en garde partagée. Beurk! Ils mériteraient tous de se faire pendre par les couilles. Ces femmes cherchent une vengeance et elles le méritent. Tous ces crétins devraient assumer les conséquences de leurs gestes. Sinon, c'est là que le karma devrait intervenir. What goes around, comes around, *genre. Comme dirait Simon, « ce qui va alentour vient alentour ». Hmmm. En attendant, tout ça me pèse et me fait douter. Je ne veux plus douter…*

Cependant, j'avoue que ces distractions m'empêchent de me morfondre pendant que Simon est encore à l'extérieur. Il me manque, terriblement, mais pas question de le lui avouer, il risquerait de s'enfuir, encore. Tout doux, Jujube. Je me concentre plutôt sur ce que je vais lui faire, la prochaine fois. Comment je vais me donner en spectacle, me laisser aller à être la jouisseuse qu'il connaît. Je vais le sucer violemment, le faire gémir, trembler d'excitation. Je vais l'attacher, je crois, en faire ma victime et le torturer jusqu'à ce qu'il me supplie de le soulager. J'en peux plus. Je le veux, là, maintenant. Now!

Toute à ma bonne volonté de laisser les ailes de Simon se déployer à leur guise, je me laissai engloutir par les nombreux contrats à terminer avant les vacances en rêvassant de lui sans m'imposer. Il me tardait de le revoir et, dans cette perspective, je ne pouvais m'empêcher d'échafauder des scénarios plus excitants les uns que les autres. Les vacances approchaient et, même si je savais qu'il n'aurait peut-être qu'une nuit à me consacrer, je m'en réjouissais tout de même.

Il ne se manifesta pas durant presque deux semaines après notre dernière rencontre. Sachant qu'il travaillait dur à un congrès d'intellectuels « ennuyeux à mourir qui ne font que s'écouter parler », je lui fis parvenir un petit message coquin. Pas pour le harceler, simplement pour lui signifier mon état hormonal. Il ne daigna pas y répondre. Je ne m'inquiétai pas; je savais que son horaire était extrêmement chargé.

Puis, quelques jours plus tard, devant son silence persistant, je l'interrogeai joyeusement sur son retour et sur ses projets ou disponibilités au cours des semaines suivantes afin de pouvoir lui proposer quelques-unes de mes idées. Sa réponse laconique me fit l'effet d'une douche froide. Il venait d'accepter un autre contrat et serait occupé chaque jour de mon congé. Il me souhaitait de bonnes vacances.

Ah bon ? Qu'en était-il donc, alors, des projets de randonnée en raquettes évoqués avant son départ ? De sorties en ville ? Plus la moindre mention. Plus de mention de rien du tout, en fait.

Je n'arrivais pas à le croire. Après toutes les montagnes russes, tous les allers-retours, nous revenions à la case départ. J'étais abasourdie. « Bonnes vacances. » Comme dans « j'ai pas l'intention de te revoir d'ici l'an prochain », « j'ai pas le temps ni l'envie de trouver un moment à passer avec toi jusqu'à nouvel ordre ».

C'était on ne peut plus clair. Une fois de plus, mon instinct s'était planté. Avais-je trop vite sauté à des conclusions qui faisaient mon affaire ? M'avait-il tout bêtement dit ce qu'il croyait que je voulais entendre simplement pour m'attirer dans son lit ? N'avais-je été qu'une fille de plus à baiser parce que le besoin était trop pressant et qu'il était à court d'options ? Qu'étais-je pour lui, au fond ? Je ne lui avais jamais posé la question, pour ne pas avoir l'air de celle qui scrute. Je savais qu'il avait au moins une, sinon plusieurs « amies » avec qui il lui arrivait de passer la nuit. Mais moi, je cadrais où, dans sa petite vie de célibataire sans attaches ? Je n'étais pas une amie, car avec des amis, on garde le contact, on maintient une certaine forme de communication. La complicité tout amicale que j'avais cru deviner n'était donc qu'une chimère de plus à ma collection ? Je n'étais *pas* une amie. Je n'étais que celle qu'il baisait de temps à autre quand il avait envie de varier.

Là, j'en eus assez. Il me sembla que le brouillard qui m'avait aveuglée jusqu'alors se levait enfin. Je me sentis utilisée. Il était temps que je comprenne : dans la notion ami-amant que j'avais cru partager avec lui, la portion « ami » ne lui importait aucunement. Il n'était vraisemblablement intéressé qu'à la portion « amant », et encore, seulement lorsqu'une occasion facile et pratique se présentait. Outre cela, il m'ignorait carrément. Et ça, c'était ce qui m'enrageait le plus et que je trouvais inadmissible. Les seules personnes qu'il m'était arrivé d'ignorer étaient des hommes qui insistaient alors que je leur avais clairement indiqué qu'ils ne m'intéressaient pas, comme Normand le dépendant affectif, ou alors quelqu'un qui me dérangeait ou me tapait sur les nerfs. Est-ce que j'appartenais à l'une ou l'autre de ces catégories, pour Simon ? J'avais vraiment cru le contraire. Qu'il ait d'autres occupations, soit. Qu'il ait envie d'espace, *fine*. Mais qu'il m'ignore ? Qu'il passe de l'homme super concerné à celui qui s'en fout en l'espace de quelques heures, sans avertissement et sans explications ? Non. Qu'il ne prenne même pas quelques instants pour prendre ou donner des nouvelles, manifester la moindre envie de communiquer avec moi ou le plus infime intérêt ? Inacceptable.

J'avais beau n'avoir aucune attente sentimentale envers lui, j'en avais toutefois envers les personnes que je côtoyais, ce qui incluait mes amants, et surtout le seul avec qui j'avais tout de même passé plusieurs nuits et avec qui j'avais partagé une foule de fantasmes lors d'une conversation téléphonique mémorable. Je m'attendais, au moins, à une parcelle de courtoisie, de savoir-vivre qu'il ne se donnait même pas la peine de me témoigner. Oui, c'était inacceptable. Et insultant.

Cette fois, je n'allais pas laisser ces frustrations m'étouffer sans rien dire. Je lui fis part, calmement, de ma difficulté à le comprendre. Il demeura tout aussi muet, me signifiant ainsi qu'il n'avait que faire de mon incompréhension, que mon malaise ne lui importait pas le moins du monde.

Lui qui m'avait pourtant promis de me donner l'heure juste en tout temps me décevait au plus haut point. Son silence était plus éloquent que tout ce qu'il aurait pu essayer de me faire avaler et la déception fit place à une colère sans appel. Après avoir pesté pendant presque une heure, je conclus enfin qu'il n'y avait plus rien à espérer de lui. Il était temps pour moi de passer à autre chose. Je me rendis chez Maryse ce soir-là, dans un état lamentable.

Maryse, bizarrement, cherchait à le disculper :

— Il était à l'extérieur. C'était peut-être un mauvais moment ?

— Je lui ai écrit ce matin. Ça peut pas être un mauvais moment toute la journée.

— T'es de mauvaise foi, là.

— De mauvaise foi ? Tu me niaises ? C'est quand même assez clair. Sinon, il aurait au moins pu écrire quelque chose du genre : « Je suis désolé, on s'est mal compris, j'aimerais qu'on se parle ! » Ça prend deux secondes. Il mange, pisse et dort ; il aurait le temps de faire au moins ça.

— Il pense peut-être juste que tu es en train de t'accrocher…

— *Hey*, non. Vraiment. Y'a pas eu plus cool que moi ces dernières semaines. J'ai pris mon espace, je lui ai laissé le sien. Je gagerais n'importe quoi que pendant ce temps-là, lui trouve du temps en masse pour se promener sur le site sur lequel on s'est rencontrés ou pour donner des nouvelles à ses « amies ». C'est clair qu'il a pas du tout envie qu'on soit même des amis.

— Voyons donc ! Il te le dirait, non ? Me semble qu'à nos âges, on fait pus de niaisage de même ?

— Ben oui, justement. S'il m'avait dit quelque chose comme « je suis super occupé les prochaines semaines, j'ai pas beaucoup de temps libre et j'ai envie de voir plein de monde que je vois pas assez souvent », j'aurais compris. Ou même « écoute, c'était super de te voir, mais compte pas sur moi avant le début de l'année », au moins, ça aurait été honnête et j'aurais apprécié. C'est qu'il passe d'un *mood* à l'autre du jour au lendemain et qu'il ait même pas les couilles pour le dire qui m'énerve !

— C'est pas donné à tout le monde, t'sais...

— C'est clair que non ! Pis là, je suppose qu'il va me texter, dans un mois ou deux, et me proposer quelque chose en s'imaginant que je vais sauter sur l'occasion !

— Euh... c'est pas mal ça qui se passe depuis que vous vous connaissez, non ?

— ... Ouain, c'est vrai, mais là, ça me tente plus.

— De le voir, ou d'attendre comme une épaisse qu'il ait envie de te voir ?

— Les deux. J'aurais juste envie de sentir que je compte un peu pour lui, que je suis pas juste un cul disponible sur demande qui se fait ignorer entre les séances de baise. J'veux pas le marier, ni le surveiller, je m'en fous de ce qu'il fait quand on est pas ensemble. Mais je pensais qu'on serait au moins des amis, qu'il me donnerait des nouvelles, comme quand on s'est connus et comme il le fait quand il a envie de baiser. C'est ma faute, t'as raison. J'ai pensé que ça serait différent, mais j'me suis trompée.

— Tu vas pas me faire croire que s'il te téléphonait là, maintenant, en s'excusant, en étant super gentil, charmeur, et qu'il te proposait une de vos soirées hallucinantes, tu dirais non ? Que s'il te disait qu'il avait envie d'un peu plus, avec toi, qu'il admettait qu'il avait pas été évident mais qu'il voulait essayer de voir où ça pourrait mener, tu l'enverrais promener ?

— Certain ! Ben… Arghhh ! En tout cas, je compte sur toi pour m'engueuler si j'hésite. Pis de toute façon, c'est vraiment pas son style, de s'excuser. Je suis sûre que dans sa tête, c'est ben normal tout ça, et que c'est comme ça que c'est supposé être et si ça fait pas mon affaire, c'est pas grave, il va trouver plein d'autres filles à baiser à ma place. Je te garantis que le jour où il va avoir envie d'aller plus loin avec quelqu'un, ce sera pas avec moi. S'il avait eu la moindre inclination à ça, je l'aurais senti. Dire que j'ai déjà pensé qu'il était sur les *brakes*. C'est pas ça pantoute, y'a juste pas de place pour moi, faut que je l'accepte, c'est tout et c'est vraiment pas grave, au fond. J'arriverai jamais à rien avec un gars de même, son mur est encore plus épais et solide que le mien. Il va toujours se garder une part secrète, privée, impénétrable, et ça, honnêtement, j'ai donné. Il a plein de qualités, mais son attitude fait chier. Pourquoi je pourrais pas triper sur un gars gentil et qui serait capable de dire et d'entendre les vraies affaires ? Pourquoi y'a fallu que je le rencontre, aussi ?

— Là, tu dis n'importe quoi. T'as passé des bons moments avec lui…

— Oh que oui !

— Ben c'est ça. On sait jamais, t'sais. Il est peut-être pas sorti de ta vie pour toujours. Tout le monde change, on pense qu'on sait ce qu'on veut, mais finalement, on sait rien du tout. Y'arrive quelque chose ou quelqu'un qui nous fait comprendre qu'on était dans le champ, que ce qu'on était sûr de vouloir, c'est pas ça pantoute… ou des fois on l'a, pis au bout d'un moment, on s'aperçoit que ça fait plus notre affaire. En tout cas…

J'eus la nette impression que la dernière partie de sa phrase ne me concernait plus, mais qu'elle me parlait plutôt d'elle-même. Encore une fois, elle avait ce ton mélancolique qui, je le savais, disparaîtrait rapidement pour faire place à son habituelle bonne humeur. J'étais incapable à ce moment de m'inquiéter de son sort, la frustration étant encore trop présente en moi. Mais qu'en était-il réellement du bonheur de mon amie, celui que j'idéalisais et dont je rêvais depuis tant d'années ?

Ce soir-là, je fis, en l'honneur de Simon, une cérémonie d'adieu toute personnelle. J'aurais opté pour la poupée vaudou, mais c'était trop de travail et je ne lui souhaitais pas de mal, au fond. Ce n'était pas sa faute si je n'avais pas suscité chez lui autant d'intérêt que cela avait été le cas pour moi. Je commençai par effacer nos échanges de courriels et de textos. J'allais supprimer sa fiche de contact, mais j'hésitai. Maryse avait peut-être raison : les gens changent, les choses aussi, on ne sait jamais. Je doutais y recourir un jour ; de plus, je craignais que le fait de voir Simon dans ma liste de contacts me donne envie de communiquer avec lui ultérieurement, négligeant encore une fois mon orgueil et ma déception, mais je me promis d'être forte. Enfin, une grosse boule de dépit me bloquant la gorge, j'écrivis son nom en grandes lettres sur une feuille de papier et, armée d'un marqueur, je le rayai plusieurs fois. Un gros X sur ce cas-là.

Je m'étais crue guérie de la déception et de l'amertume. J'avais pensé que me concentrer sur mes besoins strictement charnels me délivrerait de mes stupides espoirs. Car en dépit de mes belles paroles, j'en avais nourri, des espoirs, bien malgré moi. Très loin de ceux que j'entretenais autrefois, mais des espoirs tout de même. Même minimes, il semblait que c'était encore trop. Ce n'est qu'à ce moment-là que je me rendis compte à quel point j'étais profondément cynique, blessée, amère, et vraiment, vraiment découragée.

Je repensai aux fiches de Maryse, à ce qu'elles représentaient de ma dernière année, et un gigantesque cafard me submergea. Si j'avais su, alors, ce qui m'attendait, aurais-je tenté autre chose pour préserver ce que j'avais avec Danny ? Si je m'attardais à ce qui m'attendait encore, pouvais-je espérer trouver autre chose que des copies conformes plus ou moins reluisantes de tous ces hommes rencontrés récemment ? Cette perspective me donna la nausée. Avec Simon, mon rêve s'envolait, toujours plus inaccessible. J'avais cru à tellement de possibilités, m'étais imaginée que cet énorme compromis réglerait tout, mais je ne pouvais que constater que ce n'était pas le cas. La gifle en était d'autant plus douloureuse et le constat dévastateur. Par contre, je refusais de m'enliser et de répéter la nuit horrible qui avait suivi ma première rupture avec lui. Ce douloureux reflux de toutes mes angoisses et de mes anciennes blessures avait été trop intense, il n'était plus question que je m'y laisse glisser de nouveau.

Simon, en bout de piste, représentait mon échec le plus cuisant. On dit que tout le monde finit par frapper un mur, un jour ou l'autre. Simon avait été le mien. Les autres, les menteurs, les manipulateurs et ceux qui ne m'attiraient tout simplement pas, je voulais les oublier. Faire table rase. C'était évidemment impossible ; il fallait simplement que je m'assure de ne jamais m'y laisser reprendre. Les sites de rencontre n'avaient pas été la bonne avenue pour trouver ce que je recherchais, même si mes critères avaient changé au fil du temps. Du grand amour avec papillons grâce auquel je rêvais de perdre la tête, j'en étais venue à n'espérer qu'un corps d'homme qui m'apporterait les plaisirs de la chair avec, autant que possible, de l'amitié, une douce complicité.

Quelqu'un sur qui me coller après une séance athlétique ou sensuelle, qui me caresserait les cheveux, me chuchoterait des mots doux et dans les bras de qui je pourrais me blottir en toute sécurité, sans me poser de questions et sans craindre de souffrir. Un homme à qui je pourrais simplement dire « tu me manques » sans que ça devienne un prétexte à la fuite, et qui me répondrait la même chose.

Ça ne se produirait pas. Si d'autres avaient trouvé leur bonheur sur ces sites, tant mieux, c'était apparemment possible. Mais pour moi comme pour la majorité, tel qu'en témoignaient les épanchements des futures collaboratrices du blogue, ces sites n'étaient qu'un nid d'éternels insatisfaits qui, à la moindre anicroche ou découverte d'un trait de caractère qui leur plaisait un peu moins, allaient chercher quelqu'un d'autre qui leur conviendrait mieux, au moins temporairement. Tout le monde était interchangeable, rien n'allait au-delà du superficiel, aucun effort n'en valait la peine. Avais-je été si différente ? Il me déplaisait d'en douter et ça devait être le cas aux yeux de certains. Mais que tant de gens se contentent de papillonner d'une personne à l'autre sans essayer de créer ne serait-ce qu'un véritable lien me dépassait et me laissait perplexe. Je me sentais vaincue. Il me semblait de plus en plus clair que mes années à venir ne seraient peuplées que d'une série de baises sans le moindre engagement ou signification, prodiguées au gré des possibilités, sans risque de récidive avec quiconque. Sans risque d'attachement, d'attente, d'espoir ou de quelque autre folie. C'était toute une dégringolade, entre l'homme de mes rêves et la prochaine baise. Mais l'épisode Simon venait de me prouver sans l'ombre d'un doute que c'était la seule avenue possible.

Je compris également le pressant besoin de vengeance

que nos correspondantes ressentaient puisque je le sentais sourdre au plus profond de mon ventre. Je ne souhaitais pas me venger de Simon. Après tout, il ne m'avait rien promis et je ne pouvais, en toute honnêteté, lui reprocher autre chose que son manque de respect et d'intérêt. Je ne pouvais pas provoquer quelque chose qu'il ne ressentait pas. J'avais voulu éveiller quelque chose en lui, j'avais échoué, ce n'était la faute de personne. Mais parmi tous les autres, ceux que j'avais connus ou qui avaient blessé d'autres femmes, il s'en trouvait plusieurs qui méritaient de se faire mettre leurs gestes en pleine figure. Et ça, ça pourrait être amusant tout en leur rendant service. Sans être mesquine, je me sentais désormais suffisamment vindicative pour manipuler à mon tour et rendre la monnaie de leur pièce à ceux qui en avaient besoin.

Mais en attendant, mon corps criait son manque d'un toucher différent du mien. J'en avais assez des séances de masturbation ; elles n'étaient efficaces que lorsque je pouvais mettre un visage sur mes fantasmes, ce qui n'était plus le cas. C'était d'ailleurs là l'intérêt principal de multiplier les aventures : pouvoir revivre certains moments intenses sans qu'ils soient teintés de douleur ou d'amertume. Il était temps pour moi de mettre tous mes beaux espoirs derrière moi et de m'appliquer à régler ce qui pouvait l'être.

J'allais donc me trouver mes propres « passe-temps » interchangeables et variés avec des inconnus anonymes et, du même coup, m'amuser à mettre des bâtons dans les roues des pires imbéciles, aider les plus méritants et, peut-être, permettre à quelques femmes de s'épargner des moments pénibles.

J'y croyais presque.

Pour mettre un point final à mon rituel d'adieu à Simon, j'envoyai un courriel à Maryse pour la remercier de m'avoir écoutée, puis pour lui demander d'ajouter une minifiche à notre base de données.

Véritéàdeux: Prénom: Simon. Style décontracté, raffiné. Très séduisant, intéressant. Amant fantastique (mais non exclusif). ATTENTION: Inaccessible et impénétrable. Prétend rechercher passion et complicité mais s'enfuit au premier signe.

Ce n'était plus mon problème.

20

Je suis retournée sur le site pour essayer de comprendre ce que j'y avais vu d'excitant au début. J'ai repris mes critères de recherche initiaux, curieuse de voir les hommes qui s'y trouvent et comment je les perçois, maintenant que je vois clair. Je n'avais pas l'intention d'y rechercher Simon, mais il apparaît parmi les résultats de recherche. Ça n'est pas un choc, même si j'aurais préféré qu'il n'y soit plus. Or, non seulement il y est toujours, mais sa dernière connexion date de moins de vingt-quatre heures. Ça confirme donc tout ce dont je me doutais. C'était de la frime, toutes ses belles paroles. Il n'a jamais eu l'intention de poursuivre quoi que ce soit avec moi autrement que sous forme de baise occasionnelle. Pendant que je pensais à lui en rêvant de notre prochain rendez-vous, lui fouillait les fiches à l'affût de quelque chose que je ne lui procurais déjà plus. Conquête, nouveauté, whatever. *Plutôt que d'explorer différentes possibilités avec moi, il préfère demeurer en surface avec d'autres inconnues. Tant pis. Je lui ai prêté beaucoup plus de profondeur et de substance qu'il n'en a, en réalité. Finalement, il est aussi superficiel que tous les autres qui ne s'attardent qu'à un physique, qui se contentent d'à peu près n'importe quelle jolie fille sans chercher plus loin. Quelle conne je suis.*

Je connais par cœur les fiches qui défilent sous mes yeux. Comment ai-je pu autant frétiller, m'extasier devant ces hommes plus insignifiants les uns que les autres? Pfff! J'ai franchement fait le tour. J'y crois plus. S'il existe quelqu'un quelque part qui me fera battre le cœur, il n'est certainement pas ici. Pus capable!

Soyons pragmatique, Jujube, il en est plus que temps. Fuck *l'âme sœur,* fuck *la complicité,* fuck *l'idée de bâtir quelque chose avec quelqu'un qui m'appréciera pour vrai. Mon corps a faim de caresses et je ne peux tout simplement pas accepter de le voir se ratatiner sans plus jamais goûter les plaisirs d'une folle nuit de sexe. Je refuse.*

Mais pour le reste, j'abdique.

À mon tour de collectionner les aventures sans lendemain. Peut-être qu'au fond, le sexe est la seule chose vraie, celle où on ne peut ni mentir ni tricher? N'importe quoi! C'est aussi facile de mentir là qu'ailleurs. Ça fait juste moins mal. Et, bien franchement, c'est le moment ou jamais de vivre tous ces fantasmes fous que je me suis toujours refusés. Je n'attendrai certainement pas d'avoir soixante-dix ans! Et ça me permettra d'ajouter une section «coquine» au blogue, dans laquelle je décrirai les passades d'un soir. Tant qu'à donner de l'information valable, autant le faire jusqu'au bout... Pourquoi pas un genre de FuckAdvisor, *tiens?*

Ça mérite réflexion.

Je passai un Noël des plus ordinaires. Réveillon chez mes parents ; discussion tendue avec ma sœur, joie forcée de ma mère ; mon neveu qui n'aimait pas ses cadeaux, mon père qui jugeait en silence. Un Noël semblable à tous ceux dont je me souvenais, même enfant. Ma sœur jalouse de mes cadeaux, moi qui m'en foutais, ma mère qui jouait les victimes et mon père qui boudait. Ô joie ! Ensuite, souper chez Maryse avec sa famille, beaucoup plus agréable, malgré une tension palpable, surtout entre Gilles et Oli. Finalement, tournée des amis et de la parenté, sans événement marquant. Je dormis, je bus beaucoup de vin, avec mes amies et en solo, et je refusai aussi plusieurs invitations. Le temps des fêtes m'a toujours rendue hyper émotive et ce ne fut pas différent cette fois. À la télé, à la radio, partout, les témoignages d'amour, les touchantes histoires de retrouvailles, de petites familles heureuses réunies autour d'un repas gargantuesque, ou de conjoints qui se retrouvent me donnaient envie de me cacher sous une tonne d'oreillers pour resurgir en janvier. Il me semblait que tout le monde était heureux, amoureux, à part moi, et ça me rendait folle. Danny ne me traversa l'esprit que le temps d'un éclair. J'évitai toutefois de me morfondre en pensant à tout ce que j'avais eu envie de faire avec Simon, et ne lui fis pas parvenir le moindre souhait. Lui non plus d'ailleurs, ce qui me déçut et me soulagea en même temps.

Une fois la poussière de Noël retombée, je fis part à Maryse de mon intention de tout laisser tomber. Elle me donna raison sur certains points, comme la pertinence des sites, mais pas sur d'autres. Elle refusait de me voir abandonner ma quête initiale.

— *Come on*, Julie. C'est pas la bonne place pour chercher, c'est tout. T'en as quand même connu qui avaient de l'allure, avoue…

— Oui, mais malheureusement, tous les autres donnent mauvaise réputation à la race entière. Comment je suis supposée avoir envie de rencontrer quelqu'un, après tout ça ?

— C'est sûr qu'il faut que tu sortes de là au plus vite. C'est juste pas pour toi. D'ailleurs, tu croiras jamais ce que j'ai trouvé en faisant des recherches. Je voulais voir s'il existait déjà un blogue comme le nôtre, juste pour être certaine. Et je suis tombée sur un site pour « apprendre » la séduction aux hommes. Une vraie blague ! Regarde ça...

Elle me tendit plusieurs pages qu'elle avait imprimées, issues d'un forum sur lequel des hommes partageaient leur « technique » d'approche sur les sites. C'était très révélateur et tout à fait grotesque :

Style23 dit :

Conseils pour remplir ta fiche :

• *Il faut avoir l'air TRÈS SÛR de soi, même un peu arrogant.*

• *Il faut aussi que tu dises que tu es très sociable, actif et passionné, en précisant que t'as pas peur de t'engager. Les filles aiment ça quand on parle d'engagement.*

• *Sois assez exigeant dans la description de la fille que tu cherches. Dis quelque chose comme : « Je n'ai pas une image précise de ce que je veux comme blonde, mais je sais exactement ce que je ne veux pas. J'aime les femmes assez grandes, minces, féminines, etc. » Mais si t'aimes pas les grosses, dis que tu préfères les minces ; t'insistes sur ce que tu aimes, pas sur ce que t'aimes pas. Ça marche vraiment bien. Quand j'ai commencé à utiliser ma « technique », j'ai eu beaucoup plus de succès que quand j'avais un profil trop « gentil ».*

• *Et finalement, tu dois être agressif; les filles reçoivent jusqu'à cinquante messages par jour. Envoies-en beaucoup, et calcule un ratio d'une réponse pour dix messages expédiés.*

• *T'as juste à faire un message passe-partout. Après, tu finis par un copier-coller d'un extrait de son profil avec un commentaire ou une question drôle.*

— Maryse, tu me niaises ? C'est pas inventé, ça ?

— Non, Madame. Le site s'appelle « Séduction 101 » ou quelque chose du genre. Le pire, c'est que sur le nombre de messages que ces clowns-là envoient, ils doivent en « pogner » quelques-unes... Mais attends, continue, le meilleur s'en vient !

Je poursuivis cette lecture passionnante :

Le truc avec les sites de rencontre, c'est de te faire une fiche assez complète, y'a trop de gars qui écrivent presque rien. Tu mens pas, mais tu mets l'accent sur toutes tes qualités. Le reste, tu le mentionnes peu ou pas. Ajoute une photo récente, sur laquelle t'es à ton avantage. Trouve-toi un style cool, souris, prends une photo qui a l'air pro.

— Ça, j'avoue que je suis d'accord et que, malheureusement, y'en a pas assez qui suivent ce conseil !

— Oui, mais... Ça se gâte.

Ensuite, et ceci est la partie l'fun, *tu envoies un message à toutes les filles qui t'intéressent. Fais-le général, mais qui a l'air d'être juste pour elle. Dis que tu la trouves belle ou intéressante. Pour cent messages envoyés, dix vont te répondre. À ces dix-là, t'envoies quelques messages, tu leur donnes ton numéro et tu leur demandes le leur et voilà.*

Pourquoi étais-je aussi étonnée ?

Un autre homme ajoutait toutefois son grain de sel :

Y'a deux choses que les filles détestent :

1. Quand tu vas trop vite, t'as l'air d'un player *qui veut seulement baiser (les filles sont SUPER méfiantes). T'es capable d'attendre un peu, ça va valoir la peine si elles te font confiance.*

2. Un copier-coller. Donne-toi la peine de personnaliser ton message un peu.

DONC : Il faut être très, très patient. Et pour pas être obligé d'attendre trop longtemps, il faut approcher un maximum de filles en même temps. Comme ça, tu les rencontres au fur et à mesure, une ou deux par semaine. Après un bout de temps, t'as du choix. Le premier mois, c'est le plus dur, c'est pas le temps d'arrêter d'essayer de pogner dans les clubs.

Seigneur ! Alors, ce n'était rien d'autre qu'une stratégie beaucoup plus courante que je l'avais cru. Une stratégie absurde dans laquelle ces hommes ne semblaient rien voir de douteux, au contraire. D'autres exemples concrets étaient même offerts par les bons soins et la grande générosité de ce dernier correspondant :

Pour les messages, tu peux faire un copier-coller, mais reste général, sans faire référence à son apparence. Le mieux, c'est : « T'as l'air d'une fille cool… » Puis, le vrai truc c'est de copier une partie de son profil et de le commenter :

Dans son profil : « J'aime le cinéma… »

Dans ton message : « … Tu dis : « J'aime le cinéma »… pas les films d'horreur please *! ;-) »*

Commenter une phrase qui est au bas de son profil. Comme ça, elle a l'impression que tu l'as lu au complet. Dans le fond, tu l'as lu en diagonale parce que sinon, tu vas manquer de temps pour envoyer des messages. Oublie pas : plus t'en envoies, plus t'augmentes tes chances.

Je me souvenais de quelques messages de la sorte. Je m'étais dit, idiotement, que le gars avait réellement lu ma fiche et avait été vraiment attiré par ce qu'il avait lu... Ouf ! Ça, c'était avant de me demander si les hommes se donnaient vraiment la peine de lire. Devant ce tas d'inepties, je trouvai tout de même rassurant de constater que ce doute était tout à fait fondé. Il y avait plus.

Ne passe jamais, jamais trop de temps sur un message, même si tu penses que c'est la femme de ta vie ! Pas plus de deux ou trois minutes, sinon tu risques de passer à côté de quelqu'un d'autre. C'est comme dans la vraie vie : tu fais le premier pas dans la rue, dans les bars, c'est la même chose sur les sites. C'est toi qui dois tout faire. Au début, tu devras divertir et diriger la conversation pour que la fille accroche. Après, ça va mieux. Le problème, c'est que les filles reçoivent beaucoup trop de messages, donc elles ne sentent pas la nécessité d'aller chercher, elles n'ont qu'à faire la sélection.

Duh ? Si vous êtes des milliers à envoyer cent messages, c'est normal, non ?

Après, quand t'es dans leur sélection, si tu la gardes pas accrochée, c'est facile pour elle d'arrêter de te parler et de se concentrer sur les autres gars qui ont mieux à lui proposer.

Bien sûr, les exceptions existent, mais tu vas attendre longtemps pour rien si tu n'agis pas. Le retour sur investissement est beaucoup mieux si tu pars sur une chasse extrême.

Le « retour sur investissement ». Une « chasse extrême », me dis-je. Flushons tout de suite l'individualité, question de ne pas perdre de temps inutilement.

N'essaie pas de l'inviter à te rencontrer après juste un ou deux messages. Il faut échanger au moins trois ou quatre messages avant de penser à chatter ou parler au téléphone. Et elles sont pas pressées… Ça peut aller jusqu'à cinq jours avant qu'elles répondent à ton deuxième message.

Oublie jamais : les filles sont super méfiantes ! C'est normal, y'a des arnaqueurs partout.

Elles vont probablement te demander d'autres photos. Assure-toi d'en avoir quelques-unes à envoyer. Décourage-toi pas. Ça peut prendre plusieurs semaines avant de rencontrer une fille live. *Si tu planifies bien tes affaires, tu pourrais en rencontrer une ou deux chaque semaine, après environ un mois.*

Ouf ! C'était mille fois pire que ce que j'avais imaginé. J'avais la confirmation, au bout de quelques minutes de lecture, de tout ce qu'il m'avait fallu des mois pour comprendre. C'était une *game*, un jeu de hasard. Il n'y avait rien de prédestiné, la notion même d'âme sœur était une invention romantique totalement dépassée visant à nous enfermer dans un rôle stupide et passif, attendant LE bon. Quelle blague ! ! ! Je ne voulais plus me perdre en réflexions philosophiques sur l'amour. Être un couple ne signifiait plus pour moi que côtoyer une personne qui comblerait une partie de mes besoins plus ou moins grands et pressants, avec qui je partagerais certaines affinités sexuelles jusqu'à ce que quelqu'un de plus excitant croise mon chemin. Après, ça recommencerait. Encore et encore.

— C'est la preuve que c'est une vraie *joke*, tout ça.

Ça existe pas, trouver LA personne parfaite, la notion que notre destin est lié à une seule personne, unique et particulière. Une fois passé un certain âge, en tout cas.

— Es-tu en train de me dire que si on se sépare une fois qu'on est adulte, c'est fini ? Y'a plus moyen de trouver *The One* ?

Maryse semblait inquiète.

— Ben, ça veut juste dire que *The One* en question que tu pensais avoir l'était pas, finalement. Y'a peut-être juste des *Ones*. Temporaires. Je parle pas de toi et Gilles, évidemment. C'est pas pareil…

Le croyais-je vraiment ? Les raisons pour lesquelles ils s'étaient choisis, il y avait de ça de très nombreuses années, étaient-elles toujours valables ? Maryse n'avait-elle pas dit elle-même qu'elle ne le choisirait peut-être pas, quelque trente ans plus tard ? Je repoussai cette pensée qui bousculait trop mes croyances profondes d'antan. Même si ça ne l'était plus pour moi, je voulais que ce soit encore vrai pour Maryse, et j'avais peut-être semé un doute dans son esprit. Je m'en voulus.

— En tout cas, en ce qui me concerne, je vais me concentrer à m'occuper du plus pressant : mon *body*. Il a réellement besoin de sensations fortes. Ou de sensations tout court.

— Quelles sortes de sensations fortes, au juste ?

Maryse avait l'air à la fois perplexe et excité. Je me félicitai d'avoir su détourner la conversation vers quelque chose de plus léger.

— Je sais pas, moi. Un p'tit jeune, deux gars à la fois, un beau black, *name it* ! T'sais, pendant que je pogne encore…

— Tu ferais vraiment ce genre d'affaires ?

— J'avoue que je sais pas encore jusqu'où je serais prête

à aller mais, au fond, on a juste une vie à vivre... J'vais voir ce qui se présente. J'ai reçu des messages d'un beau jeune gars, il est insistant. Je l'ai presque flushé, mais là...

— Euh... jeune comment ?

— Vingt-trois ans. Tu te souviens des gars à cet âge-là ?

— Si je me souviens ? ! Olivier en a vingt et un ! J'avoue que ça me perturbe de t'imaginer avec un de ses amis, genre !

— Ben là ! Ils fantasment tous sur des femmes d'expérience. Même ton gars, j'en suis sûre !

— Arkeuuu ! Julie, t'es dégueulasse !

Malgré le pétillement dans ses yeux, je constatais que cette possibilité la mettait mal à l'aise. Je pouvais comprendre : imaginer son fils avec sa meilleure amie ne devait pas être évident ; de toute manière, jamais je n'aurais pensé à Olivier non plus. Il était certainement mignon, mais beaucoup trop maigrichon. Celui qui m'écrivait, par contre, était plutôt du genre athlétique. Ragoûtant. J'imaginais sans peine la fermeté de sa chair, et pas juste celle entre ses jambes. Rien de flasque ni de pendouillant sur ce corps-là, d'après les photos qu'il m'avait envoyées ! J'avais occulté ce genre d'envie jusqu'à tout récemment. Par principe, surtout, mais aussi parce qu'il n'y avait rien à retirer d'une telle relation. Je n'avais désormais que faire de ces considérations naïves et idéalistes. En fin de compte, ce pourrait être un soulagement que de ne plus rechercher la combinaison parfaite d'intelligence, de culture, d'intérêts communs et d'attirance. Rien que l'envie de baiser sans chercher plus loin. Ça simplifiait tellement les choses ! Pourquoi n'y avais-je pas songé avant ? J'avais perdu trop de temps et y avais laissé mon innocence.

Avant d'entrer en contact avec mon jeune athlète, je modifiai mes critères de recherche sur le site. Au lieu de cibler des hommes dont les buts étaient « amitié et amour », je recherchai carrément ceux qui n'avaient coché que la case « sexualité ». Pas les deux. L'un n'excluait pas nécessairement l'autre, mais autant je ne voulais pas d'attente envers quiconque, autant je ne voulais pas en créer non plus. Ce serait clair dès le début. Et s'il s'ensuivait autre chose, ce serait un bonus.

Le moteur de recherche me donna des résultats impressionnants. En y regardant de plus près, cependant, je compris que pour des aventures sexuelles, encore plus que des histoires sentimentales, la plupart des hommes recherchaient des femmes nettement plus jeunes. Ce n'était évidemment pas étonnant. Les hommes dans la quarantaine et plus qui cherchaient des femmes de dix-huit à trente ans étaient légion. À croire qu'après cet âge, une femme ne pouvait plus être excitante, sensuelle ou *sexy*. Que dire de celles de mon âge, alors ? Pfff ! Je pourrais leur montrer, moi ! Mais tant pis pour eux. Au moins, avaient-ils la décence de demeurer dans les limites de la majorité. Heureusement, il y avait aussi le contraire. Des hommes jeunes, de moins de trente ans, qui souhaitaient rencontrer des femmes de mon âge. Et pas des moindres ! Je pris conscience d'un autre avantage. Dans cette recherche d'un partenaire strictement sexuel, je n'entrais en compétition avec personne. Je serais une parmi d'autres, soit, mais il n'y avait pas la pression d'être choisie comme éventuelle « compagne ».

C'était le meilleur de deux mondes : je n'avais pas à être « meilleure » ni plus « *hot* » que les autres, mais je pouvais, en contrepartie, aller aussi loin que j'en avais envie dans l'exploration de mes fantasmes sans m'inquiéter de l'impression que je ferais.

Je scrutai attentivement les fiches qui défilaient devant mes yeux et je m'en trouvai ragaillardie. J'en salivais presque. Un certain « Rireetpassion007 » de vingt-neuf ans m'attirait particulièrement. À quand remontait mon dernier éclat de rire ? À Simon, évidemment. Il adorait m'entendre rire, c'était sans doute la chose la plus attachante qu'il m'avait dite, d'ailleurs. Et pour me faire rire, il savait y faire. Mais ça, c'était avant. J'avais maintenant devant moi un tout autre homme. Oserais-je vraiment foncer ? Maryse ne pourrait pas m'accuser de débaucher de jeunes hommes innocents de l'âge de son fils, et je pourrais ainsi me conformer à l'image de fonceuse qu'elle avait de moi, celle à laquelle je voulais également m'identifier. Après avoir réfléchi quelques instants, mais pas davantage au risque de me dégonfler, j'écrivis un message à Monsieur Rire et Passion. Je n'avais strictement rien à perdre et tout à gagner. Mon jeune athlète de vingt-trois allait devoir attendre.

21

Quand j'ai raconté à Maryse ma rencontre avec Maxime, elle m'a accusée d'agir de la même façon que certains hommes que je critique, mais ce n'est pas le cas. J'exprime clairement mes intentions, moi, et ce, dès le premier message. Je n'essaie pas de faire croire quoi que ce soit à quiconque, et je joue cartes sur table. Je n'ai rien à me reprocher. Le revoir ? On ne sait jamais, au fond. Pourquoi pas ? S'il me le propose, j'aviserai. J'aurai probablement envie de toucher une autre fois son corps parfait, jeune, ferme, sa queue si impatiente et vigoureuse. À moins que quelque chose d'autre de tout aussi alléchant se présente. Jujube la vieille cochonne, c'est moi ! J'ai une pensée pour Josée et surtout pour ma chère patronne. Comme j'aurais aimé qu'elle me voie en la compagnie de Maxime ! Ça aurait sans doute nourri les potins pendant des semaines ! La bitch aurait enfin eu une bonne raison de me traiter de courailleuse, et elle aurait été verte de jalousie. La prochaine fois, s'il y en a une, je pourrais donner rendez-vous à Maxime au bureau ? J'en ris déjà !

En attendant, il me tarde de poursuivre mon exploration. Maxime a trouvé que j'étais affamée, il n'a aucune idée à quel point il dit vrai. Le moment passé avec lui a ouvert une brèche d'où mon désir et mon appétit s'échappent à torrents, et j'ai bien l'intention de les satisfaire. Y arriverai-je jamais? Je n'en sais rien, je me sens totalement insatiable. Malgré l'étrange sentiment de vide qui m'a envahie, après coup, j'en veux davantage. Ce n'est probablement, après tout, qu'un moment de confusion passagère découlant d'une séance d'exercice physique vigoureuse. J'ai tout de même un peu peur de cette vague puissante qui me pousse vers des aventures qui, auparavant, ne suscitaient mon intérêt que marginalement. Aujourd'hui, tout me semble possible. J'ai envie de jouer à la pute, de voir et de goûter au plus grand nombre de queues possible. Allumer un tas d'hommes, les faire baver de désir et devenir la déesse qui les fera jouir, un après l'autre. Celle qu'ils voudront revoir, posséder, qui les fera bander d'un simple regard. Ils seront à mes pieds, heureux de satisfaire mes moindres envies. Suis-je en train de devenir nymphomane? Si c'est le cas, eh bien tant pis... ou tant mieux! Quel homme normalement constitué se plaindrait d'une femme qui ne pense qu'à baiser? Pas d'amour ici, non. Quel homme n'a jamais rêvé de se retrouver devant celle qui souhaite repousser ses limites plutôt qu'en imposer? Aucun, que je sache, de toute l'histoire de l'humanité. Tant mieux pour moi ☺

À suivre...

Nous nous étions donné rendez-vous dans un bar près de chez lui le dernier samedi de mes vacances. Les échanges avaient été fréquents, les photos nombreuses, et j'avais bien hâte de voir s'il était conforme à ce que j'attendais. Des images plus osées les unes que les autres envahissaient ma tête et je leur laissais libre cours. Mon ventre palpitait d'anticipation et c'était tout ce qui comptait. J'allais effacer toute trace de Simon sur mon corps, sinon sur mon âme, et il était temps. Le jeune homme que j'aperçus était encore plus séduisant que sur ses photos. Grand, baraqué, le teint basané, les yeux perçants. Wow ! Tout un spécimen. Il se leva et me détailla de la tête aux pieds, d'une manière qui aurait pu être arrogante n'eût été la raison de notre rencontre. J'en fis autant, après tout. Je ne me reconnaissais plus. Je jaugeais ce corps vigoureux sans scrupules comme s'il n'était qu'un objet de convoitise ; j'étais libre de le « consommer » ou pas. Satisfait de son examen, Maxime m'embrassa sur les joues, s'attardant pour sentir mes cheveux et humer mon parfum.

— Eh bien, t'es vraiment jolie !

Je souris et lui rendis le compliment, sachant que la partie était gagnée. Une partie que je n'aurais jamais cru jouer mais qui, curieusement, ne m'intimidait pas le moins du monde. J'avais besoin d'un verre pour oublier à quel point cette situation était étrange, frôlant l'absurde. Moi, une femme trop près de la cinquantaine à mon goût, avec ce beau jeune homme de dix-sept ans mon cadet, m'apprêtant à faire un acte que je qualifiais autrefois d'intime mais qui, désormais, n'était plus qu'utilitaire. J'eus une pensée pour Suzie et Manon, mes amies cougars du club de danse latine, et souris. Elles auraient été fières de moi ! Haussant les épaules, je bus une grande gorgée.

Après avoir échangé des banalités et discuté joyeusement de nos vies respectives, je commandai un autre cocktail, question de noyer mes dernières inhibitions. D'ici quelques minutes, je serais nue avec cet inconnu dans le seul but de baiser. C'était surréel et excitant à la fois. Il était charmant et portait son pseudonyme à merveille : il était rieur et passionné, en effet. En me parlant, il multipliait les petits gestes séducteurs. Une main sur ma cuisse, dans mon cou. Des compliments qui me faisaient un bien énorme et flattaient mon ego autant que ma confiance. Maxime était passablement imbu de lui-même, mais ce n'était pas grave, je lui en donnais le droit avec plaisir. Après tout, s'il se pensait aussi irrésistible et en abusait, je n'en profiterais que davantage. Un homme dont la vanité est flattée est bien plus apte à vouloir en mettre plein la vue, c'est bien connu. Si c'était pour multiplier mes orgasmes, c'était bien peu payer.

Je trouvai rassurant de constater qu'il n'était pas du tout le genre d'homme avec qui j'aurais envie d'avoir une autre sorte de relation, même si j'avais été plus jeune. C'était au moins quelque chose qui ne viendrait pas me hanter, plus tard. Les sujets de conversation s'épuisaient, nos intérêts communs étaient à peu près inexistants, son vécu très loin du mien. Physiquement, même s'il était très beau, il en faisait trop à mon goût. Le torse épilé, bien dévoilé par une chemise partiellement déboutonnée, laissait voir de beaux muscles bien dessinés. Sa mâchoire carrée était magnifiquement sculptée et ses yeux divins. Il aurait pu être mannequin ; et j'eus l'impression qu'il ne s'agissait que d'une jolie coquille vide, sans substance. Il m'expliqua bien candidement qu'il se trouvait trop jeune et pas assez mûr pour s'engager dans une relation sérieuse et que les filles de son âge cherchaient toutes à l'enchaîner, à en faire le géniteur de leur enfant, surtout celles qui approchaient la trentaine et sentaient leur horloge biologique s'affoler. J'eus envie de lui dire que ces filles, à cause de gars comme lui, se voyaient obligées d'aller piquer les conjoints plus âgés de femmes comme moi, mais je choisis de m'abstenir, trouvant cette pensée bien peu excitante, dans ce contexte. *Don't go there*, Julie, ne va pas là.

— Et là, quand elles ont un enfant, elles changent. J'ai plein de chums qui sont passés par là, leur blonde est devenue juste une mère, s'est mise à engraisser, à se laisser aller. Non merci ! C'est pour ça que les femmes comme toi m'attirent, t'es rendue ailleurs et t'as su prendre soin de toi, ça paraît !

Là s'arrêtait sa « profondeur ». Ça m'importait peu, en toute honnêteté. En terminant mon troisième verre, il me tardait de voir s'il pouvait livrer la marchandise. Je me suis donc faite plus entreprenante.

— C'est pas le seul avantage d'une femme de mon âge, tu le sais sûrement...

— Oui, et j'adore ça aussi. Une vraie femme qui a pas peur de s'affirmer et de se laisser aller. Qu'est-ce que tu aimes le plus ?

— J'aime ça quand c'est passionné, intense. J'ai envie de te surprendre.

— J'habite à côté. On y va ?

— Oui, mais dis-moi, avant qu'on arrive dans le feu de l'action, t'as pas d'objection à porter un condom, j'espère ?

— Non. C'est pas l'idéal, mais je suis pas con.

Eh bien, ça aussi, c'était rafraîchissant ! Avec les hommes plus âgés, c'était chaque fois une bataille. Était-ce de la pensée magique ou simplement de l'inconscience ? Comme si les hommes de quarante ans et plus n'avaient jamais entendu parler du sida ou imaginaient n'avoir, au pire, qu'à se payer une ronde d'antibiotiques après coup. Leur excuse était généralement que ça les faisait bander mou. Les pauvres ! Ne comprenaient-ils pas qu'après un bon repas et une bouteille de vin, à près de cinquante ans, les risques qu'ils bandent mou sans condom étaient aussi nombreux qu'en en portant un ? J'avais constaté quelques fois cette semi-fermeté, même chez Danny. Évidemment, chez un jeune homme comme ce Maxime qui se tenait devant moi, le ramollissement n'était pas encore une menace. Ça me donna encore plus envie de le suivre. Immédiatement.

Il vivait dans un tout petit appartement, décoré sommairement, mais très propre et bien rangé. Je n'eus pas l'occasion de pousser ma visite des lieux puisque, dès notre arrivée, il m'entraîna dans sa chambre. L'urgence avec laquelle sa bouche posséda la mienne m'étonna. C'était renversant. Il y avait un côté clinique à la chose, j'étais détachée tout en étant curieuse, affamée, impatiente de découvrir son corps. Je le dévêtis hâtivement, dévoilant ses épaules puissantes, son torse imberbe mais d'une solidité délectable et, enfin, ses magnifiques fesses rondes et sculptées. Devant, c'était encore plus appétissant. Sa queue se dressait déjà, curieuse elle aussi, prête à prendre du service. J'eus une petite pensée pour Jean-Michel, le motard-éjaculateur-précoce-à-la-queue-naine. Il en aurait pâli d'envie ! Mon envie à moi était à la mesure des attributs de mon jeune partenaire. Je m'agenouillai devant lui et pris cette merveille entre mes lèvres. Je l'agaçai, taquine, glissant ma langue tout autour et sur toute son impressionnante longueur. Elle trépignait dans ma bouche et il y avait trop longtemps que j'avais goûté une telle vigueur. Puis, je l'engloutis autant que je pus, me réjouissant de l'étonnement et des râles appréciateurs de Maxime, jusqu'à ce qu'il m'interrompe.

Il me déshabilla, caressant mon corps à mesure qu'il le découvrait. C'était fantastique. Sa barbe naissante égratignait la peau de mon cou et de mes seins tandis que sa main, déjà entre mes cuisses, me caressait avec talent. Il m'allongea et écarta mes jambes avant d'y enfouir son visage gourmand. Il me léchait, me suçait, me regardait avec un désir attendrissant. Un doigt glissa en moi, vite rejoint par un deuxième et un autre, encore, écartant ma chair, fouillant mon ventre d'où s'écoulait déjà une moiteur des plus agréables. Du pouce de son autre main, il caressa mon clitoris vigoureusement. Quelques minutes de ce manège suffirent à me flanquer mon premier orgasme en plein ventre. Je ne savais pas que ce n'était que le premier d'une longue série, mais il était d'une telle intensité que je cessai de réfléchir. Enfilant un condom comme un bon petit garçon, Maxime s'enfonça enfin en moi d'un seul coup, relevant mes jambes sur sa poitrine, pénétrant au plus profond de mon ventre. Il était vraiment mignon.

Pendant ce qui me sembla des heures, différentes positions furent testées. Je le chevauchai avec enthousiasme, jusqu'à ce que mes jambes flanchent. Il me retourna, m'empoigna les hanches et s'engouffra tant et si bien que mon ventre s'en trouvait pratiquement broyé. C'était acrobatique, épuisant, merveilleux, éreintant, divin. Avec son bassin s'écrasant sur mes fesses relevées, sa main entre mes cuisses me caressant en un rythme effréné, il m'était impossible de conserver un registre de mes orgasmes. Sauf que ces orgasmes me semblaient purement physiologiques. Il n'y avait pas de séduction, entre nous, mais une succession de caresses efficaces, prodiguées dans un but précis, comme un match durant lequel plusieurs buts auraient été comptés de part et d'autre.

Maxime n'était pas très volubile et ça me plaisait. Il livrait une performance, c'était évident, et c'est moi seule qui en profitais. Il m'appartenait, le temps d'une baise. Ce jeune homme avait quelque chose à prouver et je n'allais certainement pas brimer ses beaux efforts. La seule chose qu'il me demanda, lorsque la tension devint intenable, fut :

— Je veux jouir dans ta bouche...

Il se retira, enleva le condom, et j'eus à peine le temps de l'accueillir entre mes lèvres qu'un jet puissant m'aspergeait. Un jet long, abondant. Je n'en avais pas connu d'aussi impressionnants depuis très, très longtemps.

Il s'affala près de moi pour reprendre son souffle. Nous étions en sueur, j'avais l'impression de sortir d'une séance de gym particulièrement exigeante. Mes jambes tremblaient, mes bras également. J'avais la gorge sèche, le goût du sperme m'emplissait la bouche, mon ventre palpitait. Je tentai de me blottir dans les bras de Maxime, mais il se leva aussitôt et partit à la salle de bains. Alors la sensation de vide que j'avais déjà ressentie avec Luc et qui m'avait chamboulée, m'envahit. Envahie par du vide... Faut le faire ! Je devais bien être la seule au monde à vivre ça. Et ce n'était pas seulement en contraste avec la façon dont mon corps entier s'était senti rempli quelques instants plus tôt. Non. C'était un vide profond, dans la poitrine, qui me fit mal. J'aurais eu envie de flotter béatement dans ce nuage d'après-sexe, ce bien-être primal qui aurait dû me mettre un sourire au visage, mais je sentis plutôt mes yeux s'emplir d'eau.

Merde. Je voulais partir.

Maxime me facilita la tâche en me tendant mes vêtements dès son retour. C'était fini, il était temps de passer à autre chose. Fin de l'épisode. C'était pourtant ce que j'avais voulu.

Alors pourquoi cette soudaine boule dans la gorge ?

SPM, probablement. Ou préménopause. « Pré » quelque chose, ou « post » quelque chose d'autre ? La « déprime postcoïtale » existe-t-elle vraiment ?

Merde.

— Je connais ça, moi, et c'est un bon mot, « déprime postcoïtale ». Ça m'arrivait tout le temps, avant. Mais pas avec Robert. Bizarre…

Valérie avait dit ça sur un ton songeur. Maryse, elle, ne disait rien, se contentant de nous regarder avec un énorme point d'interrogation au visage. Finalement, elle demanda :

— Ça veut dire quoi, vous pensez ? Les hormones, encore ?

— Sûrement, acquiesça Val. Moi, honnêtement, je sais plus vraiment quand je suis en SPM ou pas… par défaut, je présume que c'est ça. Dans ce temps-là, je braille pour rien, j'ai toujours été de même.

— Moi aussi… et ça arrive de plus en plus souvent, ajouta Maryse.

— Toi aussi ? J'étais étonnée. Alors, c'est le SPM ou la préménopause ? D'après toi, ça veut dire que ça a rien à voir avec le gars avec qui je viens de coucher ? Ça m'est jamais arrivé avec Danny, ni avec Simon, en fait.

— Je te ferai remarquer que ça t'est jamais arrivé de te faire un torticolis en baisant non plus ! souligna Maryse avec un clin d'œil.

— Ris donc. C'est ça, les jeunes, ça prend des positions qui ont pas d'allure ! Pis moi, étant un peu orgueilleuse… Mais évite pas le sujet, là !

— OK, je peux pas parler pour toi, expliqua Maryse, mais moi j'pense que c'est parce que c'est de moins en moins satisfaisant. Des fois, c'est carrément mécanique et c'est vraiment déprimant...

Il était inhabituel que Maryse nous fasse ce genre de confidence. Mais au-delà de ça, je constatai que rien n'était parfait. Même pas la vie – sexuelle ou pas – de mon amie, apparemment. Je m'étais souvent demandé comment il était possible d'avoir envie de faire l'amour avec le même homme pendant aussi longtemps... Je me souvenais trop bien qu'avec Danny – mon unique référence en matière de relation de longue durée –, la fréquence de nos ébats était cyclique. Nous pouvions passer de longues semaines sans nous toucher, puis, nous reprendre plusieurs fois par semaine par la suite. J'aimais croire que ce que nous avions perdu en passion avait été remplacé par autre chose, mais ce n'était pas toujours convaincant. Quoi qu'il en soit, je n'avais certainement jamais pleuré, ni eu envie de le faire, après avoir fait l'amour avec lui, ça, j'en étais certaine. Alors que s'était-il donc passé ?

Maxime m'écrivit la semaine suivante pour me proposer une autre rencontre :

«J'ai beaucoup aimé ce moment avec toi. Me semble que ça serait *l'fun* de remettre ça. Si t'en as envie, je suis partant! T'es une femme vraiment sensuelle et tellement pas compliquée, on pourrait même se voir régulièrement? C'est pas facile de trouver quelqu'un comme toi qui profites du moment présent sans te poser des milliers de questions. Je sais que t'as aussi apprécié, alors, qu'est-ce que t'en dis? Max»

Je n'avais pas vraiment envie de le revoir. Bien sûr, ça avait été très, très agréable, mais en plus du torticolis, j'avais été éreintée et endolorie pendant des jours, et j'étais épuisée rien qu'à y penser. Et… malgré la frénésie, l'efficacité de ses caresses et de tout le reste, c'était resté, comment dire… Hygiénique ? Oui, c'était ça. Je ne voulais pas davantage, mais c'était si impersonnel… Il me faudrait sans doute un peu de temps pour m'habituer à cette nouvelle réalité. Je m'étais amusée, oui. Vraiment beaucoup. Mon corps avait ressenti des choses inédites, sauf que… ça n'avait été, somme toute, que le résultat « mécanique » des caresses de Maxime. Nous avions été des acteurs dans une scène de sexe, sans plus. C'était tout de même exaltant de constater le nombre d'orgasmes que j'avais eus en un aussi court moment ! Je n'aurais jamais cru une telle chose possible. Et ça, c'était rassurant. Cependant, je craignais que d'essayer de répéter cet exploit avec Maxime soit décevant. La nouveauté ainsi que le côté étrange de la situation avaient sans doute contribué à son succès ; une répétition ne saurait jamais être à la hauteur. Sans l'exaltation de la première fois, je n'y voyais aucun intérêt.

Je chercherais donc, plutôt, un nouveau jouet.

22

Maxime n'a été que le premier. Il m'apparaît désormais clair que l'heure de repousser mes limites est venue. Ces limites, d'ailleurs, elles viennent d'où ? Qu'est-ce qui définit ce qui est acceptable ou non, à part notre propre conscience ? Et ma conscience, justement, se montre soudainement d'une souplesse insoupçonnée. Je me vois, transportée par mon cynisme et ma méfiance, emprunter des avenues que jamais je n'aurais envisagées auparavant. N'ayant que faire des belles paroles qu'on me sert en guise d'appât, je vais droit au but, choquant parfois par mon audace. Cynique et méfiante, oui, consciente que la plupart des hommes célibataires ont tout compris bien avant moi. Pour eux, il s'agit de ne rien manquer, de profiter de la grâce de leurs érections tant qu'elle dure, pour semer leur virilité dans un plus grand nombre de vagins possible. C'est si simple… Pas tous, bien sûr. Au fond, je sais bien qu'ils sont encore nombreux à continuer de croire à l'amour véritable, mais moi, comme beaucoup d'autres, j'en fais le deuil une fois pour toutes. Elle est bien loin, la Julie d'autrefois, et une part de moi s'en réjouit. Car je comprends enfin la réelle définition du mot

« sensualité », cette exaltation de tous les sens confondus, telle que Luc me l'avait décrite. Oui. Cette exaltation qui fait oublier le reste, qui épuise le corps à défaut de faire sourire le cœur.

Encore ! J'en veux encore parce que, dès que je récupère, le mur autour de ce cœur qui ne sourit plus s'effrite, laissant lentement s'exposer ma fragilité. Je refuse d'être fragile. Je serai donc… salope.

Maryse avait fini par mettre le blogue en ligne au tout début de l'année. Les abonnées se multipliaient et les témoignages continuaient d'affluer, dont ceux de Josée qui était emballée par notre idée. Depuis la mise en ligne du site, elle en était une fervente lectrice et collaboratrice. Ça lui donnait l'impression que nous étions intimes, et elle en profitait pour me raconter ses plus récentes aventures en essayant de son mieux de m'inciter à lui révéler les miennes. Elle pourrait essayer tant qu'elle le voulait, je resterais muette. Si je ne me confiais pas à mes amies, je n'allais certainement pas me confier à elle !

Quant à moi, je me sentais détachée de cette entreprise que j'avais initiée mais que Maryse menait désormais avec brio. À ma suggestion, elle avait inclus des extraits du site pour hommes dont elle m'avait fait lire les « techniques ». Ça suscitait une indignation sans bornes. Les femmes se sentaient flouées, découragées. Plusieurs avaient été tentées de suspendre leur abonnement aux sites, mais tenaient bon, se sentant désormais mieux armées. Maryse faisait presque tout le travail et s'en réjouissait. Elle m'avait confié que le climat devenait difficile à la maison, ce qu'elle attribuait partiellement à la présence d'Oli. Le blogue lui procurait un divertissement qui était le bienvenu. De mon côté, je l'aidais à répondre aux nombreux messages de toutes sortes ; des questions précises sur le fonctionnement des sites ou sur leurs membres, des conseils, et énormément de témoignages. Ça me permit un premier succès réjouissant. Une lectrice du blogue écrivit en avoir assez des hommes qui se « vendaient » en multipliant les soupers au restaurant et qui ne cherchaient qu'à l'impressionner avec leur aisance financière et leur stabilité. Sur un coup de tête, je lui conseillai de visiter la fiche de David, l'artiste sans emploi et sans voiture qui m'avait fait bonne impression lorsque je l'avais rencontré. Ce fut, selon la dame en question, le coup de foudre. Nous étions aux anges ! J'avais d'abord matché Valérie et Robert, qui filaient toujours un bonheur sans tache, et maintenant ces deux-là. J'avais envie d'additionner les bons coups de ce genre même si mon cynisme ralentissait souvent mes impulsions. Les récits de femmes aussi frustrées que moi me rassuraient. L'une d'elles voulait d'ailleurs me donner une foule de détails croustillants sur un homme marié qui lui avait caché son statut pendant plusieurs semaines. J'attendais ses confidences avec impatience.

Moins de deux semaines après ma rencontre avec Maxime, j'eus envie de tenter de nouvelles expériences. Je me demandai ce qui me plairait le plus. Un amant exotique, peut-être, à la peau couleur d'ébène ? Deux hommes à la fois ? Un couple ? Il me semblait que rien n'était rebutant, trop osé ou déplacé, à part les quelques amateurs de pratiques qui ne me disaient vraiment rien, tels les fétichistes et ceux qui cherchaient une dominatrice *hardcore*. Ce monde ne m'intéressait pas, mais je ne jugeais personne. Je préférais vivre des situations dans lesquelles je me sentirais valorisée, admirée, désirée, quitte à me réfugier aveuglément dans une frénésie sans issue. Les occasions étaient nombreuses. « Fonce Julie, fonce ! » me répétais-je souvent. Et j'étais fière d'être aussi audacieuse. Fière de faire enfin abstraction de tout ce qui ne concernait pas mon plaisir égoïste. Fière d'oser.

Comme mon expérience avec Maxime m'avait plu, je décidai de communiquer avec Xavier, le jeune athlète de vingt-trois ans qui m'avait écrit quelques semaines plus tôt. Au fond, je n'étais pas obligée de tout raconter à mes amies. Maryse, surtout, ne verrait pas cette expérience d'un œil bienveillant. Tant pis. J'avais droit, moi aussi, à mon jardin secret. Xavier se montra enchanté d'avoir de mes nouvelles ; cependant, la logistique n'allait pas de soi. Il partageait un appartement avec deux autres étudiants et l'idée de l'inviter chez moi ne me souriait pas. Je louai donc une chambre d'hôtel.

Il arriva à l'heure prévue. J'étais, contre toute attente, parfaitement détendue. Il avait plus à craindre que moi et ça me mettait en confiance. Je m'étais attendue à rencontrer un jeune intimidé, maladroit, ne sachant trop comment briser la glace. Mais Xavier était différent. Un peu timide, certes, mais joyeux et, de toute évidence, curieux. Admiratif, il me regardait de la tête aux pieds en se mordillant la lèvre de façon tout à fait charmante. Je me sentais belle à ses yeux, et j'eus envie de lui en mettre plein la vue. Ouvrant mon peignoir pour dévoiler mes sous-vêtements de dentelle, je l'embrassai, saisissant sa main et la posant sur mon sein. Nous avions à peine échangé quelques mots.

Obéissant, il me caressa la poitrine de ses grandes mains inquisitrices. Il n'osait pas trop, le pauvre, alors je pris les devants. Je retirai ses vêtements un à un, me réjouissant de ce que je découvrais. Il avait un joli corps pas trop juvénile et son sexe, quoique de taille modeste, était déjà très excité. Je l'incitai à s'allonger sur l'immense lit et, retirant mon peignoir, je me caressai devant lui, ce qui le poussa à en faire autant. Et là, je lui montrai tout ce qu'une vraie femme apprend au fil des ans, tout ce qu'elle devient quand la maladresse est remplacée par la maturité et que son corps n'a presque plus de secrets. Il était ébloui par mon abandon et ma générosité, tandis que je me nourrissais du désir et de la vénération qu'il semblait me porter. C'était… intéressant. Il était impatient, impétueux, ce garçon, et il était surtout très bon élève. Pas très « durable », mais la rapidité avec laquelle il récupérait compensait.

Pendant qu'il reprenait ses forces, nous parlions. De toutes sortes de choses le concernant. Ses copines, comment il les rencontrait. Il me renseigna sur une foule de sites, de « listes » de rencontre, d'applications pour trouver des partenaires rapidement et pour assouvir tous les fantasmes imaginables. C'était la nouvelle façon de rencontrer des filles, prétendait-il. Plus simple, rapide et efficace que les sites de rencontre, surtout quand on voulait juste une partenaire d'un soir. Me demandant à quel point ça pourrait m'être utile, je pris bonne note des applications et des listes en question et me promis de vérifier ultérieurement.

Notre plaisir mutuel se poursuivit pendant encore plusieurs heures. Xavier était infatigable. Mais vers trois heures du matin, j'en eus assez. Il eut l'air étonné quand je lui demandai de partir, mais ne protesta pas. « On va se revoir ? » me demanda-t-il, plein d'espoir. « Tu sais bien que non », lui répondis-je. Il partit. Je pleurai. Je m'assoupis, et je pleurai encore.

« Fonce, Julie, fonce ! »

Xavier et Maxime me firent du bien. Leur corps ferme, plein de force et de vigueur m'avait comblée l'espace de quelques heures, et j'avais l'impression de pouvoir tourner une page décevante de ma quête initiale. Ils avaient été sensiblement les mêmes, après tout. Fougueux, increvables, adorables, tout autant l'un que l'autre, mais je sentais confusément qu'il était temps de passer à quelque chose de radicalement différent. Alors que je parcourais mes anciens messages et testais différents critères de recherche, la réponse surgit d'elle-même. C'est en lisant la petite annonce d'un couple à la recherche d'une femme pour pimenter leurs échanges, qu'un frisson d'excitation me traversa le corps. Ça valait le coup d'étudier cela.

Alors que je croyais pénétrer dans un monde d'interdits, d'extrême audace, je me rendis vite compte que c'était ridiculement… banal. Ce genre de choses était en fait tellement courant qu'il y avait non pas une, mais plusieurs options de recherche concernant des couples sur l'un des sites auxquels j'étais toujours abonnée. En fouillant davantage, je trouvai facilement une multitude de sites Internet qui proposaient exclusivement ce genre de fantaisie, ce qui témoignait d'un engouement insoupçonné.

Pourquoi m'étais-je mis en tête d'explorer cet univers en particulier ? Je ne le savais pas. La facilité, sans doute. Car, à choisir entre plusieurs options plus « exotiques », j'aurais sûrement été davantage attirée par une aventure avec deux hommes plutôt qu'avec un couple. Pour être tout à fait honnête, il me revenait en mémoire une soirée où, étudiante, je m'étais retrouvée avec deux garçons dans une chambre des résidences universitaires. Nous avions bu et fumé, je ne savais pas s'il s'agissait d'un simple flirt ou si les gars avaient réellement l'intention de passer à l'acte. Quoi qu'il en soit, je ne les avais pas découragés, au contraire. De baisers enflammés à l'un puis à l'autre, je m'étais retrouvée presque nue entre eux deux qui me caressaient de plus en plus hardiment devant le peu de résistance que j'offrais. Je me souviens m'être dit que je devrais tout arrêter, que ma réputation allait en prendre un coup... puis avoir compris que ma réputation, justement, était déjà entachée par les nombreuses aventures qui avaient ponctué ces années d'études qui s'achevaient. Déjà à cette époque, je reconnaissais bien que mes frasques m'attiraient la médisance – que je prenais pour de l'envie – de la part de mes consœurs. Tant pis pour elles. Je savais que tout ça n'était que passager, que je trouverais éventuellement un compagnon plus « stable ». En attendant, je ne voyais aucune raison de m'empêcher de profiter d'une telle occasion.

J'avais donc laissé mes camarades me déshabiller et je les avais caressés tous les deux, alternant la bouche et les mains pour leur donner un plaisir qu'ils eurent du mal à contenir malgré notre état douteux. Je ne voulais pas qu'ils me pénètrent, il me fallait conserver ma part d'inaccessibilité. Ils m'avaient caressée, eux aussi, à tour de rôle et à quatre mains, ce qui avait été délectable. Plusieurs décennies plus tard, je revivais cette scène, sentant presque sur ma peau ces caresses multipliées et je me disais que, si ce genre d'occasion se présentait à nouveau, je ne serais pas aussi capricieuse. Dans mon état d'esprit actuel, j'exigerais plutôt qu'ils me possèdent tous les deux. Cette image me plaisait et m'excitait sans relâche, mais je ne savais pas trop comment procéder pour trouver ce type de partenaires. Maxime ou Xavier auraient sans doute pu m'accommoder en invitant un de leurs copains. Je pouvais essayer de les attirer chez moi tous les deux ? C'était une avenue prometteuse mais, en vérité, je n'avais pas tellement envie de les revoir, ni l'un ni l'autre. J'y reviendrais, au besoin. Je me souvins alors des sites de « listes » dont Xavier m'avait parlé. Curieuse, j'y jetai un coup d'œil…

La première liste que je consultai, une des plus populaires, apparemment, ne payait pourtant pas de mine. C'était un site de petites annonces de toutes sortes, voitures d'occasion, offres d'emploi, de marchandise ou de services et, enfin, de rencontre. Une section correspondait à des annonces plus classiques, mais une autre, certainement pas. Les annonces étaient affichées par ordre décroissant de date. Chaque journée comportait plusieurs dizaines d'entrées. Des messages brefs, allant droit au but, sans fioritures. *« H54 cherche F30 ou - aimant la fessée. » « F42 cherche H noir, grosse queue. » « H27 ans disponible pour massage cet après-midi, femme seulement. »* Cette liste n'était que pour Montréal, la plupart des grandes villes possédant la leur. Partout sur le continent, il était donc désormais aussi facile de commander un partenaire de sexe qu'une pizza. Tous ces gens anonymes – les photos ne représentaient que certains organes en particulier –, ne cherchaient qu'à assouvir leurs fantasmes, leurs besoins de base ou tromper leur ennui et leur solitude. C'était renversant. Au lieu de perdre un temps fou à décortiquer des fiches sur un site de rencontre, ceux qui ne cherchaient qu'à baiser disposaient là de tout un éventail de possibilités. Un simple clic, et c'était réglé. Ça me donnait le vertige.

Retournant sur les sites qui m'étaient plus familiers et dont je maîtrisais mieux les méthodes, je revins à mon idée de couple. Je n'aurais pas tenté cette expérience du temps de Danny, même si nous l'avions déjà évoquée, en jeu. À cette époque, et dans notre couple, j'aurais vu l'ajout d'une autre femme comme une menace à laquelle je n'étais pas prête à faire face. À cette époque, également, la seule évocation d'un fantasme parvenait à m'exciter, mon partenaire de vie me suffisant amplement, en pratique. Mais je n'avais plus rien à perdre, au contraire, n'est-ce pas ?

Je réfléchis un moment et tentai de m'imaginer dans une telle situation. L'image qui me vint en tête me plut. Je préférais nettement être celle qui se greffe à un couple et que les deux partenaires convoitent également, plutôt que celle qui, éventuellement, ressentirait de la jalousie. Je m'étais toujours demandé quel effet me procureraient les mains d'une femme sur mon corps, sa bouche, aussi. Aurais-je envie de la caresser ou simplement de la laisser me faire ce dont elle avait envie ? N'étant pas de nature passive, je me doutais bien que, avec une partenaire choisie soigneusement, je me laisserais aller à une exploration en profondeur de tout ce qu'une telle situation pouvait offrir. Oui. Tout compte fait, cette aventure m'attirait vraiment. Il ne me restait qu'à trouver les bons candidats.

Il me fallait un couple ni trop jeune, ni trop vieux, des gens attirants sans être parfaits. Je souhaitais être plus belle que l'autre femme, ou du moins, tout aussi attirante. Il lui fallait cependant être suffisamment invitante pour me donner envie d'explorer ce territoire inconnu. Ce serait toute une première et je n'avais aucune idée de la façon dont j'allais réagir.

Je me mis à analyser les fiches de couples potentiels. Je fus presque étonnée de constater que ces hommes et femmes avaient l'air, pour la plupart, tout à fait « normaux ». À quoi m'attendais-je ? Je ris de mes propres préjugés, mais me demandai dans quelle proportion cette initiative provenait de l'homme, plutôt que de la femme, et dans quelle mesure cette dernière s'en accommodait ? Les femmes étaient-elles aussi curieuses que moi ou avaient-elles atteint une étape, dans leur vie de couple, où ce genre de choses n'était qu'une ultime tentative pour « sauver » leur union ? Ces femmes acceptaient-elles de se soumettre aux caprices de leur homme en sachant très bien que, devant un refus, elles devraient accepter les aventures de leur mari ? Le souhaitaient-elles réellement ? Permettaient-elles en fait à leur conjoint de les tromper en toute impunité sous un prétexte d'ouverture sexuelle ? Ce serait à moi de juger, ou peut-être pas. Je ne serais pas celle qu'un mari blasé baiserait avec la bénédiction de sa femme obtenue par chantage émotif ou menace déguisée. Non, il faudrait que tout le monde y trouve son compte.

J'entrai en contact avec trois couples. Dans deux des cas, les femmes répondirent. Chaleureuses, ouvertes, elles me semblaient tout à fait enthousiastes et ne pas avoir la moindre réserve. Ces deux femmes m'avouèrent qu'elles n'en étaient pas à leurs premières expériences. L'une d'elles me confia d'ailleurs avoir même tenté l'expérience avec un autre couple ; mais son mari avait été incapable de la « partager » avec un autre homme. Je trouvais ça plutôt odieux. Elle devait accepter ce partage, mais pas lui ? Ça ne me regardait pas et la femme n'avait pas l'air d'en être offusquée non plus. Mais leurs photos ne me disaient rien. Elle était jolie, pétillante, la fin quarantaine joyeuse.

Lui ne m'attirait pas du tout. Petit, lourd, un sourire imbécile, il avait la main posée sous le sein de sa femme comme pour en souligner la valeur. Je déclinai. Le deuxième couple en était de toute évidence à sa première tentative. L'homme répondit à mon message, précisant que c'était lui qui sélectionnait d'abord les femmes qui lui plaisaient, la sienne lui laissant, supposément, carte blanche. Je n'aimais pas cette approche qui sentait la manipulation à plein nez.

Je m'attardai donc à Alain et Céline et leur écrivis un bref message. Céline me répondit le même soir, me complimentant sur mon apparence, mon audace et mon ouverture. C'était une très jolie brune, sportive, franche et directe, ce qui me plaisait. De plus, son mari était très bel homme, semblait raffiné et, selon ce que Céline me laissait entendre, la laissait choisir elle-même le genre de femme qui l'attirait car, selon lui, son plaisir à elle était aussi important que le sien. Cette approche, toute à son honneur, me plut énormément. Ils m'invitèrent à souper chez eux le vendredi suivant. Céline prit soin de préciser : « On passe la soirée ensemble, on apprend à se connaître et si on se plaît, ça se fera tout seul. Sinon, c'est pas grave, tu n'as qu'à nous le dire et on se quittera sans malaise. Tu es d'accord ? »

Je l'étais.

23

Aurais-je dû rester ? Non, j'ai bien fait de partir. La confusion dans laquelle je nageais en les quittant ne s'est pas dissipée, loin de là. J'ai l'impression d'avoir pénétré dans une bulle que bien peu de personnes ont la chance de découvrir mais, honnêtement, sur le coup, je m'en serais bien passée. Cela a fait resurgir les doutes, les espoirs brisés, la frustration et la colère. Pas que ce n'était pas agréable. Ce moment incroyable m'a révélé une partie de moi-même dont je ne soupçonnais même pas l'existence. Vais-je gratter plus fort et voir ce qui se cache derrière ces sensations ? Peut-être, car je ne crois pas qu'il me soit possible de les ignorer bien longtemps. Mais peut-être pas non plus. C'est plus facile et moins dangereux de me complaire dans la facilité et l'éphémère.

Leurs quatre mains sur moi, en moi, envahissant chaque recoin de mon corps, c'était… fantastique. Sans le sentiment que j'éprouvai étant donné leur rare complicité, la soirée aurait été parfaite, la première, sans doute, d'une série d'épisodes plus excitants les uns que les autres. Mais maintenant, je ne sais plus. Pourrai-je résister au risque de souffrir, encore? Les souvenirs seront sans doute nombreux, intenses et dérangeront mon sommeil pendant de longues nuits à venir, je le sens déjà. Quelque chose d'aussi bon peut-il représenter une menace, même pour moi qui croyais avoir tout enduré?

Est-ce que je veux vraiment le savoir?

Comme pour ma soirée avec Xavier, je ne crois pas que je pourrai raconter cet épisode à mes amies. Celui-ci, je le garde juste pour moi pour éviter de le ternir. Ai-je plutôt peur de me ternir, moi, aux yeux de mes chères amies? Est-ce que je crains leur désapprobation, leur jugement? Croiraient-elles devoir me secourir, encore?

Je ne sais plus. Je ne sais rien.

Céline et Alain habitaient une coquette maison de banlieue. Ils vinrent m'ouvrir ensemble et je fus frappée, dès le premier instant, par leur complicité amoureuse. Ils m'embrassèrent chaleureusement et m'invitèrent dans leur demeure. Il y flottait un mélange sublime d'odeurs qui me fit saliver ainsi qu'une musique aérienne et envoûtante. De mes cinq sens, trois avaient déjà été sollicités et séduits, c'était prometteur. Alain m'offrit un verre de vin que je bus trop rapidement. Céline me sourit et, s'approchant un peu de moi, me demanda :

— Tu es un peu nerveuse, hein ?

Sa franchise me fit du bien. Elle était vraiment jolie, ses beaux yeux bleus pétillaient tout en étant remplis de sollicitude.

— Oui, quand même un peu, mais ça va passer. Vous formez un très beau couple…

— Merci, c'est gentil. Nous aussi on était nerveux, les

premières fois. C'est normal. Et je dois te dire qu'on a rencontré plusieurs femmes avant de faire le saut. Maintenant, on est plus sélectifs et on arrive à mieux voir s'il y a des chances que ça marche ou pas. Faut pas se prendre trop au sérieux, hein ? On a pas signé de contrat, et c'est supposé être agréable, pas stressant !

Alain avait pris place près d'elle et approuvait ses paroles d'un sourire où se mêlaient admiration et désir. Une combinaison irrésistible qui provoqua un premier soupçon d'envie. Il ajouta :

— Allez, on va manger et apprendre à se connaître tout doucement. Après, libre à toi de voir si tu veux prolonger la soirée ou pas. En ce qui nous concerne, ça nous ferait très plaisir, sois-en assurée !

Ils s'embrassèrent et, tout à coup, j'enviai presque violemment leur bonheur si éclatant. Je voulais, moi aussi, un compagnon aussi épris de moi que je le serais de lui, un homme attentif à mes souhaits, mes désirs, mon bonheur. À qui essayais-je de faire croire le contraire ? À moi ? Quelle foutaise ! Je fis de mon mieux pour chasser ce sentiment pas très reluisant et les suivis à la salle à manger où la table débordait de toutes sortes de délices.

La conversation fut animée, joyeuse. Mes hôtes partagèrent avec moi leurs premières expériences du genre, des anecdotes parfois cocasses, et d'autres qu'ils me relataient avec une pointe de nostalgie, douce et souriante, mais bien évidente. Ils m'avouèrent qu'il ne leur arrivait pas tellement souvent de s'adonner à ces jeux ; ils craignaient l'habitude, et surtout l'escalade des *thrills* dont ils pourraient perdre le contrôle et qui menaceraient peut-être leur équilibre. Je les trouvais sains, beaux, et diablement attirants.

Alain s'était occupé de la mise en scène et le résultat était sublime. Des chandelles éclairaient doucement l'espace, une musique parfaite s'échappait de haut-parleurs stratégiquement disposés pour nous envelopper ; le vin coulait, favorisant les confidences et, sur l'immense poste de télé du salon, un film suggestif montrait deux belles femmes en train de se caresser lascivement sans la moindre vulgarité. Il n'y avait rien de précipité dans leur approche, rien de douteux ni de mauvais goût. C'était parfait.

Alain nous offrit le digestif au salon. Puis Céline et lui dansèrent devant moi. Ils se caressaient sans urgence, de manière langoureuse. Ils étaient beaux à voir et leur image, conjuguée à celle sur l'écran de télé, me confirma que j'avais réellement envie de voir la suite. Alain me tendit la main et je dansai avec lui. C'était étrange ; Céline prit ma place sur le divan et nous regardait en souriant pour m'encourager. Alain était un partenaire sublime. Il dégageait un parfum entêtant et me prenait dans ses bras sans insistance, tout en douceur. Il me regardait en souriant et caressait mon dos, sa main glissant jusqu'à mes fesses presque timidement. Il attendait sans doute une approbation de ma part et je me serrai plus près de lui. Son corps m'attirait, et l'attitude de Céline m'incita à plus de témérité. Le moment vint de me mettre à l'épreuve et j'embrassai Alain, laissant mes mains caresser ses cheveux, son cou et ses épaules avec un abandon non feint. Ses baisers se firent plus insistants, sa langue envahit ma bouche pour la conquérir, sceller une entente sans équivoque. Il s'empara de l'un de mes seins tandis que des doigts curieux remontaient ma robe sur ma cuisse. Jetant un coup d'œil à Céline, je la vis se lever et s'approcher de moi. Sa bouche dans mon cou me fit l'effet d'une décharge électrique. Plaquant sa poitrine contre mon dos, elle dansa avec nous, entremêlant nos jambes et glissant sa cuisse entre mes fesses. Sa langue s'égarait sur mon épaule, ses mains parcouraient mes hanches et mes côtes, les effleurant à peine ; tout au creux de mon ventre, une chaleur explosa. D'abord sous forme d'un léger picotement, puis comme une crampe de désir. Le brasier se transforma en une déflagration qui me prit totalement par surprise. Les lèvres d'Alain embrassaient toujours les miennes, mais c'était Céline qui, maintenant, caressait mes seins de façon beaucoup trop experte pour me laisser indifférente. Je me laissai aller à cette sensation inédite, devenant d'un coup une poupée soumise à leurs délicieux attouchements. Je n'eus pas la moindre intention de protester lorsque Céline releva ma robe et retira ma culotte. Toute réflexion avait déserté mon esprit embrumé, mon cerveau était à *off* sauf la zone cérébrale qui me permettait d'apprécier ces touchers. Je dansais toujours, comme une automate, balançant mon corps au rythme des baisers d'Alain et des doigts de Céline qui, de mes fesses à mon sexe, exploraient subtilement, m'arrachant de doux soupirs. Je savourai ce moment jusqu'à ce que Céline se redresse et retire complètement mes vêtements, massant doucement au passage mes mamelons dressés. Alain s'agenouilla devant moi et recueillit entre ses lèvres le plaisir qui s'écoulait de mon corps. Ils se regardèrent en souriant, puis, tous deux me guidèrent vers le divan et m'y installèrent confortablement. Céline écarta doucement mes cuisses et y posa la langue. Je sursautai. C'était doux, c'était chaud, c'était... féminin. Presque trop. Prenant place derrière sa femme, Alain la pénétra sans prévenir et Céline sursauta, ses dents m'écorchant savoureusement. C'était ça que je voulais. Pas que de la douceur, une urgence, une intensité qu'elle s'empressa de m'offrir. Ses doigts remplacèrent sa bouche et elle me caressa plus rudement, ses ongles me griffant au passage tandis qu'Alain, fougueux, la possédait tout en me souriant. Céline se déchaîna et inséra plusieurs doigts en moi, son étonnement devant l'épanchement qu'elle provoquait se transformant en ravissement. Elle me lécha à nouveau, se délectant de l'abondance de ma sève avant d'embrasser son mari qui apprécia le goût d'une autre femme sur ses lèvres.

Puis, tout se précipita. Se tenant à mes côtés, Céline saisit ma main et m'incita à la caresser tandis qu'Alain la remplaçait entre mes cuisses. Son membre s'enfonça en moi et je l'accueillis avec gratitude. Il était dur et imposant, c'était merveilleux, mais je me sentais maladroite ; l'envahissement pressant d'Alain me distrayait de ce que j'aurais voulu accomplir avec plus d'application. Céline ne s'en formalisa aucunement. Elle m'embrassa plutôt, bomba les fesses et se déplaça légèrement pour quémander les caresses de son homme. Je me sentais prise au piège, les seins léchés, caressés et palpés par une Céline gourmande, le ventre envahi d'une queue impétueuse... Cette sensation d'impuissance me propulsa dans un orgasme inégalé. Se faufilant derrière sa femme, Alain la posséda et je pus enfin lui rendre l'incroyable plaisir qu'elle m'avait procuré tout en donnant à mon propre sexe un ultime sursaut de plaisir. Leur rythme s'intensifiait et je les regardai jouir à l'unisson. Encore une fois, une vilaine envie me transperça le cœur. Ils n'y étaient pour rien, n'avaient rien fait d'autre pour la provoquer que d'être totalement ensemble, malgré ma présence.

Mes nouveaux « amis » s'écroulèrent à mes côtés, chacun d'eux m'enlaçant tendrement. Au bout d'un moment, ils m'invitèrent à me joindre à eux dans leur chambre, pour y passer la nuit. C'est là que je me rendis compte que je pleurais. Encore.

Je les remerciai, tentant de camoufler les larmes qui inondaient mon visage et leur dis plutôt que j'allais partir. Je m'habillai à la hâte, et les embrassai, chacun leur tour. J'étais engluée dans une épaisse et lourde confusion, et j'avais besoin d'être seule après autant de plaisir. Autant d'envie. J'étais comme assommée.

L'hiver battait son plein et, au lieu de faire du ski, de profiter de toutes les activités qui me plaisaient et qui m'auraient fait du bien, je passais mes fins de semaine, mes soirées et mes nuits à me poser des milliers de questions. Loin de se dissiper, les souvenirs de ma soirée avec Céline et Alain s'accentuaient, accaparant chacune de mes pensées, me plongeant dans une confusion extrême et désagréable. J'étais plus distraite que jamais et j'avais du mal à respecter mes échéances au travail. Seule l'idée d'être prise en défaut par ma patronne me motivait à fonctionner à peu près normalement. Josée me donnait des coups de main quand elle le pouvait, ce que j'appréciais. Je ne comprenais pas moi-même ce qui se produisait. Il me tardait de revoir Céline et Alain. J'en avais envie, eux aussi, si j'en croyais les fréquents messages envoyés par Céline sur mon téléphone ou par courriel. J'étais terrifiée. Je ne savais pas trop ce qu'ils attendaient de moi, mais je me sentais, je nous sentais, sur une pente glissante. Où cela allait-il nous mener ? Céline prétendait avoir ressenti quelque chose de différent avec moi, une aisance et une attirance qu'elle n'avait jamais connues et, selon ses dires, il en allait de même pour Alain. De mon côté, je ne pouvais qu'être d'accord, mais je n'arrivais pas à savoir si c'était grâce à elle, à son mari, ou à un mélange des deux. Jamais je n'avais ressenti la moindre attirance envers une femme. Est-ce que ça faisait de moi une lesbienne refoulée ou en devenir ? Une telle chose était-elle possible ? J'appréciais pourtant tellement le toucher d'un homme, le fait de sentir sa virilité au plus profond de mon ventre… Plusieurs de mes copines étaient mal à l'aise à l'idée de faire l'amour avec une femme. Je ne les jugeais pas, j'avais moi-même éprouvé cela, autrefois. Mais là, à ma grande surprise, je ne savais plus que penser. Quoi qu'il en fût, je ne voyais pas ce que je pourrais retirer de positif à répéter l'expérience, même une seule fois. Mon envie à leur égard ne disparaîtrait pas par enchantement, et il me semblait que je risquais de provoquer plus de problèmes entre eux que l'inverse. Ils m'étaient déjà trop précieux pour que je devienne une cause de dispute ou d'un éventuel malaise ou conflit. L'ennui, c'était que j'en avais monstrueusement envie. Chaque seconde de chaque minute de chaque heure. Ça me dévorait de l'intérieur et, même si je n'osais pas me l'avouer, ça n'était pas que charnel, ce qui était encore plus troublant. Était-ce le métier de psychologue de Céline qui la rendait aussi sensible à ce que je ressentais ? Elle avait paru me deviner, avait perçu mes incertitudes autant que mes envies. Et Alain, le photographe à l'âme d'artiste, comment avait-il pu doser aussi précisément les caresses, les approches pour me détendre le mieux possible et ouvrir mon esprit à tout ce qu'ils m'offraient ? Ça avait été effarant, cette proximité aussi instantanée. Effarant et terrifiant.

Pour demeurer en territoire moins risqué et tenter de les oublier, je multipliai les aventures. Ça tombait plutôt bien, Valérie et Robert passaient tout leur temps ensemble, et Maryse n'était pas en forme depuis la fin janvier ; elle croyait avoir attrapé un virus et restait enfermée chez elle. Je m'inquiétais, car je lui avais trouvé les traits tirés lors de ma dernière visite. J'avais d'abord mis ça sur le compte de toute la visite que sa famille avait reçue, mais les semaines passaient et son état ne s'améliorait pas. La sachant cependant bien entourée, j'avais confiance qu'elle se rétablisse vite. Même sa voisine Jessica passait chez elle régulièrement pour voir comment elle se portait. Elle qui venait de se retrouver mère célibataire devait pourtant en avoir plein les bras, mais Maryse m'avait dit qu'elle avait une énergie presque suspecte. Comme si elle était en mode adrénaline, ce qui valait sans doute mieux que l'apathie. Je la plaignais mais j'espérais qu'elle n'utilise pas Maryse pour déverser sa frustration et sa colère. En effet, mon amie si généreuse faisait toujours passer le bien-être des autres avant le sien, et là, elle avait besoin de reprendre des forces. En attendant, ça me permettait d'échapper à sa « surveillance » amicale et bien intentionnée, mais peu bienvenue dans les circonstances.

Un peu absente, je passai donc une soirée avec Francis, un employé des travaux publics de trente-six ans, mignon comme tout, sélectionné sur un de mes sites. Je l'avais choisi parce qu'il affichait clairement qu'il ne recherchait pas une « relation » mais simplement « un divertissement » pour le moment. Quelques verres dans un bar près de son quartier, puis une gentille baise chez lui. Je dis gentille, parce que c'était assez conventionnel, rien de très exotique, ni même passionné. Son corps me plaisait, son sourire aussi ; il était attentionné, prévisible, comme un homme qui n'aurait connu qu'une seule femme en plusieurs années, ce qui était son cas. Pas super imaginatif, cet amant passager m'offrit plutôt un « accouplement de soulagement ».

Puis, de la même manière, je rencontrai Denis, un infirmier esseulé qui souhaitait briser la glace puisqu'il s'était séparé six mois plus tôt. Depuis il n'avait rencontré personne, ne fût-ce que pour remettre la machine sexuelle en marche. Je me portai volontaire. Il était sympathique, doux et gentil lui aussi, mais ne put jamais assouvir son grand besoin, car la machine en question refusa catégoriquement de démarrer. Déstabilisée, au début, je ne savais que faire ni comment réagir devant cette situation inconnue. Il demeurait flasque dans ma bouche, malgré mes caresses bien intentionnées. Au bout d'un moment, honteux, il me quitta, balbutiant des excuses maladroites. Et moi, je pleurai. Pas parce que je n'étais pas arrivée à exciter un homme en manque pourtant sévère, mais juste parce que… rien.

Enfin, il y eut Vincenzo, un Italien dans la quarantaine beaucoup moins caricatural que l'était Nico, l'étalon. Lui fut nettement plus énergique que son prédécesseur. Il me caressa efficacement, usant de sa langue, de ses doigts et de son organe tout à fait admirable jusqu'à ce que je demande grâce. Puis, je lui rendis mes hommages à m'en décrocher la mâchoire. Il était solide, tenace, n'avait aucune hâte d'en finir. Avec lui, la soirée se poursuivit jusqu'aux petites heures, et les courbatures que je ressentis à mon réveil firent resurgir le flot de larmes qui m'avait accompagnée dans mon sommeil.

Ces hommes n'éclaircirent aucunement mes idées ni ne me firent oublier mon incartade de ménage à trois. Chaque fois, l'horrible sentiment de vide s'emparait de moi et j'avais tout juste le temps de m'enfuir avant le déluge de larmes. Je me revois, à l'aube, dans ma voiture, pleurant à torrents. Je quittais ces hommes sans avoir l'intention de les revoir, froide et apparemment sans émotion, puis le masque tombait et tout s'écroulait. Je me trouvais pathétique. Au moins, je constatais que j'arrivais désormais à retenir mes sanglots jusqu'à ce que je sois seule, ça devait être positif.

Depuis ma première rencontre avec Céline et Alain, il y a déjà plus d'un mois, je combats des flashes *encore plus perturbants que tous ceux que j'ai eus avec Fernando, et même avec Simon. Je ne suis pas stupide. Je sais que ce qui me ronge, c'est leur proximité, leur façon de partager tout en étant encore plus près l'un de l'autre. J'envie Céline, car Alain représente tout ce que je recherche chez un homme. Et j'envie Alain, parce que sa femme, belle, généreuse, sensuelle, dégage une assurance que jamais je ne pourrais connaître. Parce qu'elle lui appartient, aussi, et parce que je la désire. Avec elle, je voudrais explorer tous les plaisirs, toutes les possibilités. Avec lui, je voudrais vivre la presque adoration, l'amour total et si acquis qu'il en est indestructible, du moins tel que je le perçois. Une telle connexion entre deux êtres ne devrait pas être permise… C'est presque indécent. Je ne les reverrai plus.*

Alors je cumule les expériences. Certaines exaltantes, d'autres moins. En plus de Francis, Denis et Vincenzo, j'ai joui dans la voiture d'un serveur jamaïcain, fait éjaculer, beaucoup trop rapidement, un jeune coursier dans mon lit, et baisé un bellâtre dans les toilettes d'un bar. Moi, j'ai fait tout ça, en moins de trois semaines. C'est moi, ça ? C'est devenu presque un jeu. Un passe-temps comme un autre, ou presque. Ils ne me plaisaient pas réellement, ces hommes. Mais moi, je leur plaisais, et je voulais voir à quel point c'était facile de les avoir à mes pieds. Facile ? Trop.

Je n'ai rien raconté à Maryse ni à Val. Elles ne pourraient pas comprendre et me serviraient des leçons de morale dont je n'ai que faire. J'ai faim. Faim de sensations qui me repaissent le temps d'une nuit ou d'une heure. Le désir que ces hommes me témoignent me rassasie au moins quelques instants. Il me faut combler ce vide qui atteint l'entièreté de mes entrailles, qui me ronge maintenant de l'intérieur. Que le vide puisse étouffer est déjà étrange en soi, mais qu'il me ronge comme il le fait est insoutenable. Je ne peux que passer d'une jouissance à l'autre pour nourrir cette bête. Mes amies me manquent, mais, en même temps, je les évite. Je sais qu'elles me diraient que je peux tout leur confier, qu'elles tenteraient de m'aider à y voir plus clair, mais la simple idée de leur jugement m'horrifie. Ça ne fait qu'empirer puisque mon comportement me semble de plus en plus condamnable. Je sais pourtant que j'aurais besoin de leur raconter, ça mettrait une touche de réalité à ce que je semble refuser de voir et me ferait le plus grand bien. Qu'est-ce qui me retient, au juste ? La honte ? Mais alors, si j'ai honte de moi-même, pourquoi je continue ?

Mystère…

Je ne pouvais plus continuer comme ça. Mes pensées s'envolaient beaucoup trop souvent vers Céline, ça me bouleversait. Son regard, sa façon de me scruter pour déceler mes hésitations, mes états d'âme. Quelle était donc son emprise sur moi ? Je ne voyais qu'une façon d'en avoir le cœur net : en répétant l'expérience de me retrouver dans les bras et le lit d'une femme, aurais-je enfin l'impression de plénitude plutôt que ce vide abject qui m'étouffait sans relâche ? Le souvenir de Céline me hantait, il me fallait comprendre ce qui en était. Après de soigneuses recherches, j'acceptai de rencontrer Mélanie, une femme qui, dans son annonce, se prétendait bisexuelle. Elle m'expliqua qu'en fait, elle papillonnait d'un sexe à l'autre sans savoir où se poser. Pour ne pas avoir à décider, elle préférait demeurer seule, ayant quitté son conjoint l'année précédente. Elle était clairement nostalgique en me racontant son aventure :

— Quand je le lui ai annoncé, Patrick a d'abord été fou comme un balai. On le sait bien, tous les hommes rêvent de voir leur femme avec une autre, hein ? Sont tellement prévisibles... Mais au bout d'un moment, il est devenu jaloux. Il trouvait que je le délaissais et disait que si, au moins, j'étais attirée par d'autres hommes, il saurait comment *dealer* avec ça. Mais une femme ? Il ne pouvait pas entrer en compétition avec ça. Il se sentait démuni et diminué. Blessé dans son orgueil de mâle pas capable de satisfaire sa blonde, t'sais ?

Elle avait la conversation facile et agréable. Je la trouvais drôle et son humour était le bienvenu car je n'en menais pas large, malgré l'assurance que je tentais d'afficher. Je m'étonnais de l'étrange camaraderie qui nous rapprochait. Il ne s'agissait pas du genre de séduction à laquelle j'étais habituée et j'en perdais mes repères. Mélanie était belle, désirable, mais je ne savais pas trop comment m'y prendre et je n'étais pas très téméraire. C'était cependant facile de le lui expliquer, et elle prit les devants.

Son premier baiser me ramena immédiatement à Céline. Une indéfinissable douceur, à la fois patiente et exigeante, un toucher curieux, avide, sans la rudesse que j'appréciais chez mes amants. Elle me manquait, cette rudesse, mais j'étais là pour avoir certaines réponses et je me concentrai sur ce besoin. Fermant les yeux, je laissai Mélanie me prodiguer des caresses d'une saveur particulière. Elle faisait tout pour me plaire, s'assurant de mon confort, me servant du vin régulièrement pour me détendre et ça fonctionna. Peu à peu, mes réserves fondirent et je me laissai faire, me régalant de ses lèvres si douces sur mon corps. Elle était habile et possédait quelques accessoires qui me permirent de sentir tour à tour son toucher voluptueux et l'envahissement plus masculin qui me faisait envie. Ce mélange d'intensité me rappela également Céline et Alain, et les images qui se projetèrent dans ma petite tête contribuèrent largement à l'intensité de mes orgasmes.

Mélanie était flattée et je lui rendis volontiers la pareille. Mais je sentais que je procédais de façon mécanique, sans réel désir de lui plaire. Encore une fois, comme si j'avais été l'actrice, plutôt mauvaise, d'un film porno. Je connaissais les gestes à faire, mais le cœur n'y était pas. Au bout d'un moment, elle m'embrassa et me dit :

— Arrête, c'est pas grave. Je vois bien que ça te tente pas tant que ça. Tu m'avais prévenue de ne pas avoir d'attentes, et je pense que tu te sens pas à ta place.

Je m'écroulai. Cette fois, le barrage céda avant que j'aie le temps de m'enfuir. Mélanie me prit dans ses bras et me consola, comme une mère l'aurait fait avec une petite fille qui s'est écorché le genou. Je me trouvais ridicule, mais rien ne pouvait tarir les larmes qui coulaient à flot. Je ne savais pas quoi dire et me contentai de recueillir les petits mots qu'elle me chuchotait à l'oreille. Elle semblait croire que d'être avec elle ravivait une blessure, un douloureux souvenir, et elle faisait de son mieux pour me consoler. Je n'avais même pas envie de rectifier le tir. Ce n'était pas grave, au fond. Je ne pouvais que me laisser réconforter par cette étrangère à qui je venais de livrer mon corps sans la moindre pudeur et cette pensée me fit pleurer davantage.

— Pauvre toi ! Allez, pleure, ça va te faire du bien. Tu peux te laisser aller, y'a pas de problème. Ça arrive à tout le monde que ça déborde, t'sais…

Et là, j'eus envie de lui dire ce que je ne pouvais dire à mes amies, justement parce qu'elle n'en était pas une.

— C'est juste que… J'en peux plus de baiser sans que ça veuille dire quoi que ce soit ! J'étouffe en dedans… c'est juste quand je baise que je me sens relativement mieux, mais ça dure pas. C'est toujours pareil, je me dis toujours que la prochaine fois va peut-être être différente, mais non, ça arrive jamais. Et crois-moi, j'ai pas laissé passer beaucoup d'occasions dernièrement. J'ai fait des choses que j'aurais jamais faites avant, dont je me croyais même pas capable. J'ai eu plus de partenaires dans les derniers mois que j'en ai eu de toute ma vie et, chaque fois, c'est le vide, le mal, les larmes… j'en peux plus !

— C'est clair que t'en peux plus. Tu utilises le sexe pour remplir un vide, mais le sexe fait juste le grossir, le vide. Du sexe sans rien d'autre, ça fait juste étourdir, ça comble rien pantoute comme besoin. C'est évident que tu pensais que le sexe pourrait remplacer l'amour… T'es pas la première à penser ça, t'sais. On est presque toutes de même. On donne du cul, mais au fond, c'est autre chose qu'on veut, mais qu'on peut pas avoir. Alors, on se fait croire que, dans les bras de quelqu'un, au moins le temps d'une baise, ça va faire du bien. Mais c'est pire. Sauf que c'est tellement facile de trouver quelqu'un avec qui coucher qu'on se dit que si on peut pas être amoureuse, on va être cochonne. D'abord, ça pogne, les gars aiment ça et en redemandent, et comme ça, en prime, on sera pas obligée de s'exposer le cœur.

— Ça sonne tellement con, quand tu le dis de même…

Et pourtant, j'avais moi-même utilisé la même formule récemment, à peu de choses près.

— Peut-être, mais c'est vrai pareil.

— Depuis un an, presque chaque fois que je baise, je pleure ! C'est pas ce que c'est supposé faire, me semble…

— Non, pis c'est pas ce que ça ferait si t'étais avec quelqu'un qui te fait du bien avant et après le sexe. C'est le côté superficiel, le bout « qui veut rien dire », comme tu dis, qui fait ça. C'est pas normal que le cul soit devenu moins intime que, genre, embrasser ou t'endormir dans les bras de quelqu'un.

— Non, c'est pas normal. Mais c'est exactement ce que c'est… et j'en peux plus.

— Alors, ma belle, il est peut-être temps que t'ailles au *sex-shop,* que tu t'achètes quelques jouets et que tu attendes d'être avec quelqu'un avec qui ça voudra dire quelque chose. Donne-toi un *break* au lieu de penser trouver ce que tu veux dans le lit de n'importe quel gars – ou fille – qui croise ton chemin.

Je ne trouvai rien à ajouter. Elle avait raison. Je m'étais enlisée dans une spirale qui pourrait continuer pendant de longs mois sans but, sans issue. Il fallait que je me secoue. Elle reprit :

— T'as l'air d'avoir pas mal fait le tour. Et y'a personne, pas une seule fois, où t'as senti que, peut-être, juste peut-être, y'avait un petit quelque chose de plus ? Une étincelle, une p'tite complicité, quelque chose, même si tu peux pas mettre le doigt dessus ? Ça se pourrait pas que tu sois rendue à te fermer les yeux parce que tu veux même plus essayer de voir plus loin ? Quelqu'un de trop différent de ce à quoi t'es habituée, ou quelqu'une, même ?

Je me demandais si elle me tendait une perche. Mais il me fallait être honnête avec elle.

— Non, personne.

Je n'osai pas lui parler de Céline et Alain. Non. Même avec elle, c'était trop troublant pour que j'y arrive. Pourtant, elle avait touché une corde sensible, puisqu'avec eux, effectivement, il y avait eu « quelque chose ». Quoi, au juste ? Je n'en savais strictement rien.

— T'sais, on a juste une vie à vivre. Ça serait con de t'empêcher de vivre quelque chose de potentiellement tripant juste parce que c'était pas prévu ou surprenant. Il devrait pas y avoir de moules, dans la vie, y'a pas juste une façon d'être heureux et faut garder l'esprit ouvert. On devrait pouvoir vivre comme on veut sans se mettre des barrières là où c'est pas nécessaire. C'est assez compliqué de même sans qu'on en rajoute !

Quelle sagesse, vraiment. Ça sonnait cliché, ce qu'elle disait, mais c'était tout de même vrai et, encore une fois, je dus admettre que j'avais eu souvent ce genre de réflexion.

Je me ressaisis et lui fis un faible sourire. Je devais faire peur à voir mais, dans son regard, je ne vis qu'une amicale indulgence. Blottie contre elle de longs moments, je me sentis mieux. Puis, je la quittai en la serrant tendrement dans mes bras.

— Merci, Mélanie. T'as pas idée combien tu m'as fait du bien…

— C'est rien. Tu connais mon numéro, si t'as envie d'aller prendre un verre, hésite pas à m'appeler, OK ?

Allais-je la revoir ? Peut-être, mais comme copine, pas comme amante. Du moins, j'en doutais. Je ne pleurais plus, c'était déjà ça. Je me sentais en fait toute légère, soulagée. Comme si un poids venait de se soulever et que le soleil pointait enfin à l'horizon. Était-ce vraiment possible ?

24

Les paroles de Mélanie me reviennent en tête comme un ver d'oreille. « On a juste une vie à vivre. » « Ça serait con de t'empêcher de vivre quelque chose de potentiellement tripant juste parce que c'était pas prévu ou surprenant. » « Dans la vie, y'a pas juste une façon d'être heureux. » « On devrait pouvoir vivre comme on veut sans se mettre des barrières. » Ces paroles m'atteignent au plus profond de moi-même. Pas seulement parce que j'y adhère totalement, en pensée du moins, mais parce qu'il s'y cache quelque chose que je ne suis peut-être pas encore prête à affronter. J'ai d'ailleurs déjà dit quelque chose de semblable à Simon. Ma soirée avec Céline et Alain ne m'a pas que procuré des plaisirs charnels. La fusion de ces deux êtres, troublante et fascinante, n'a fait qu'enfoncer le couteau dans la plaie de ma frustration ; je ne me suis jamais même approchée d'un tel état de grâce, ni avec Danny, ni avec quiconque. Ça, c'est une chose. Mais l'autre, c'est que le couple semble vouloir m'ouvrir davantage que sa porte et son lit. Je n'ai pas encore osé imaginer ce qui peut se cacher derrière cette porte, mais je sens maintenant que ce serait peut-être une erreur que de la refermer avant même de savoir. « Fonce, Julie, fonce ! » Je fonce, moi ? Pfff ! Il le faudrait, et pas seulement par orgueil. Qui sait si je ne passe pas justement à côté de quelque chose de spécial simplement parce que c'est différent ? Suis-je en train de dresser des barricades et de rejeter d'emblée une relation hors norme justement à cause de cette caractéristique précise ?

Qu'en penseraient mes amies ? Il faut que j'apprenne à me foutre de ça. Il ne s'agit pas de leur bonheur à elles, mais du mien. L'esprit ouvert, oui. Alors, je saute, ou je saute pas ?

L'état de Maryse ne s'améliorait pas. Ça devenait inquiétant. Au téléphone, elle m'avait semblé faible, sa voix éteinte. Pas enrhumée, mais certainement enrouée. Pneumonie, m'avait-elle dit.

— Je tousse à m'en faire craquer les côtes. C'est l'enfer…

— Gilles s'occupe bien de toi, au moins ?

Silence. Puis :

— Oui, oui. Oli aussi. Mais ils peuvent rien faire, juste s'occuper d'eux-mêmes, c'est déjà pas pire. Gilles en a déjà assez fait…

Un autre silence que je n'osai interrompre. Elle ajouta, dans un souffle :

— Je suis vidée, crevée, Julie…

J'eus l'étrange impression qu'elle ne me disait pas tout. La fatigue, sans doute. Mais pourquoi avais-je soudainement un malaise ? J'entendais plus que de l'épuisement. Cette lassitude lui ressemblait si peu, un profond découragement, même…

— Tu te rends compte que ça fait des mois que tu te

traînes ? Ça n'a aucun sens ! Est-ce que je peux faire quelque chose, Maryse ? T'as vraiment pas l'air dans ton assiette…

— Pas maintenant. Bientôt, peut-être. On verra comment ça se passe. T'es fine, Ju, merci. J'vais te laisser, là. Je vais faire une sieste.

— Je vais m'occuper des messages du blogue, t'inquiète pas. Repose-toi.

— Ah oui, le blogue. OK, vas-y fort, je suis vraiment pas dans le *mood*, là.

Je raccrochai à contrecœur, mon malaise s'intensifiant. Quelque chose n'allait pas. Le blogue la stimulait, elle adorait s'en occuper. Je comprenais très bien qu'elle ne pouvait s'en soucier dans son état, mais elle semblait l'avoir complètement oublié, et c'était pour le moins étrange, après toutes les heures qu'elle y avait consacrées. Cependant, je connaissais suffisamment mon amie pour savoir que je n'en tirerais rien de plus que ce qu'elle voulait bien me dire.

Je m'installai donc à mon ordinateur et récupérai les messages qui s'étaient accumulés. Je constatai que Maryse avait trouvé le moyen de répondre à tous les courriels reçus en janvier et en février mais que, depuis le début de mars, plusieurs étaient en attente. Une certaine France demandait s'il existait un détecteur de mensonges ; Sonia, elle, voulait savoir s'il était « normal » de ne pas vouloir coucher avec un homme qu'elle rencontrait la première fois, la plupart de ses *dates* semblant croire que ça allait de soi. Deux femmes demandaient accès à notre banque de « critiques » qui contenait maintenant une bonne soixantaine de pseudos provenant de différents sites. Je compris que beaucoup de ces femmes cherchaient des conseils, voulaient apprendre à remplir leur fiche à leur avantage, à choisir le lieu d'une première rencontre et à savoir quoi faire avec un homme qui n'arrivait pas à « choisir » entre plusieurs candidates. Je pris le temps de répondre à environ la moitié des messages, puis j'en eus assez. Ça m'ennuyait. J'aurais voulu dire à chacune d'elle d'arrêter de perdre son temps, que l'amour ne se trouvait pas dans un catalogue, mais je savais que mon opinion était biaisée. Il existait une foule de « bons gars » sur les sites. Malheureusement, quelques imbéciles rendaient les femmes tellement méfiantes qu'elles ne savaient plus s'y retrouver. Quel fouillis !

Un nouveau message de Céline aboutit dans ma boîte personnelle. Je retins mon souffle sans m'en rendre compte avant de me décider à le lire :

« Allô Julie. Je tiens à m'excuser. Je pense que j'ai été trop insistante, ces dernières semaines. Alain et moi en avons beaucoup parlé et reconnaissons que nous aurions dû te laisser un peu de temps avant de te proposer de nous revoir. Pardonne-nous... C'est que nous avons vraiment apprécié notre soirée ensemble et, dans notre enthousiasme, nous nous sommes mis à imaginer toutes sortes de choses. Tu nous plais vraiment et nous n'arrivons pas à t'oublier. Autant Alain que moi, je dois le préciser, et ça me rassure au lieu de m'inquiéter, sois bien certaine de ça. Sinon, ce serait moins, disons... intéressant. C'est la première fois que ça nous arrive et ça nous a pris par surprise. Vois-tu, malgré le mode de vie que nos avons choisi, nous nous aimons profondément, intensément, tous les deux. C'est peut-être difficile à croire ou à comprendre, mais c'est bien le cas. Nous ne sommes pas des *swingers* en quête de sensations, mais seulement des amoureux sûrs de nous et de notre relation. Nous avons envie d'inclure quelqu'un dans notre bulle de bonheur. Autrefois, il ne s'agissait que d'une inclusion, disons, occasionnelle, le temps d'une nuit, mais avec toi, c'est différent. Tu nous donnes l'envie de tenter de vivre quelque chose de spécial, tous les trois. Ça doit te sembler fou, bizarre ou même tordu, mais je ne fais que te dire ce que nous pensons. Peut-être qu'elle n'est pas partagée, mais nous avons vraiment ressenti une complicité particulière avec toi, un lien que je ne peux pas te décrire mais qui nous a surpris, Alain et moi. Pas d'ambiguïté entre nous, sinon nous ne serions plus ensemble, alors je me permets de faire la même chose avec toi.

Tout ça pour te dire que si tu as envie de nous revoir, sache que ce n'est pas qu'un «trip de sexe» pour nous. Ce que nous t'offrons, c'est quelque chose de différent, de rafraîchissant, quelque chose qui pourrait nous apporter, à tous les trois, beaucoup de plaisir (et je ne parle pas, encore une fois, que de sexe). Si ça t'intéresse, tu sais comment nous joindre...
Et sois certaine qu'on serait très heureux d'avoir de tes nouvelles!
Céline xx»

Y a-t-il des hasards, dans la vie? Je ne crois pas. Enfin, pas tellement. Ceci n'en était pas un. Après les paroles de Mélanie, ma dérape des derniers mois et tout ce que j'avais ressenti auprès d'eux, le message de Céline était la seule chose qu'il fallait pour me convaincre.

C'est le cœur battant que je lui téléphonai. Je la remerciai de son courriel, l'assurant que je ne trouvais pas leur choix de vie bizarre, encore moins tordu. Il fallait qu'elle sache que j'étais flattée de leur intérêt et que j'avais ressenti la même chose qu'eux, en ce qui avait trait à la complicité, un lien étrange. Que même si je ne connaissais pas trop les implications de ce qu'elle suggérait, j'avais envie de voir où ça pouvait mener. Sa voix chaude et douce, dans laquelle il était facile de percevoir un sourire, me répondit :

— Si tu es libre demain soir, on t'attend…

Je raccrochai et poussai un long soupir, mais nullement de déception ni de dépit, pour faire changement. C'en était un de soulagement, d'excitation, de toutes sortes d'émotions entremêlées. La dernière chose que je ressentais était le vide. Au contraire. J'étais remplie… que dis-je, je débordais de fébrilité et d'anticipation. Dieu que ça faisait du bien !

Ma deuxième soirée avec Céline et Alain se déroula comme dans un rêve. Ils m'accueillirent comme si j'étais une amie chère qu'ils n'avaient pas vue depuis longtemps. Chaleureusement, presque amoureusement. Après une longue étreinte faite de douces, subtiles et sages caresses, nous nous étourdîmes de champagne en préparant le repas ensemble. Un véritable festin : moules, huîtres, sushis, bouchées exquises. Alain apporta le tout dans la chambre, posa les assiettes sur l'immense lit et nous aida à nous dévêtir tout en savourant les délices que nous avions préparées. Lentement, nous renouâmes de la plus merveilleuse façon. Confidences, sensations, expériences, déceptions et bonheurs, il était tellement facile de me confier à eux et d'apprendre à les connaître que j'avais l'impression qu'une vie entière nous unissait. Puis, de touchers en baisers, d'effleurements en attouchements, Céline et Alain explorèrent mon corps, après avoir découvert une partie de mon âme. Ensemble, ils me couvrirent d'attentions plus délicates et délectables les unes que les autres, et moi, je les recueillis. C'était ma façon de les découvrir également, de m'incorporer à leur intimité sans forcer, et avec leur plus bienveillante invitation. Ils me nourrirent comme une enfant, m'abreuvèrent de vin autant que de baisers, se régalèrent de mon corps comme deux gamins gourmands. Alain était doué pour nous gâter toutes les deux sans que l'une ou l'autre ne se sente délaissée. Mais il se contentait souvent du rôle d'observateur, pâmé comme un amateur devant une œuvre d'art. Il s'extasiait du contraste de nos peaux, de nos cheveux qui s'emmêlaient, de nos bouches qui s'unissaient et changeait de point de vue pour obtenir le meilleur des scènes qui s'offraient à lui. Céline me prodiguait des soins d'une incroyable sensualité, glissant son corps contre le mien, sa langue s'égarant sur ma peau sans insister davantage, ce qui me comblait et m'impatientait à la fois. Je répondais à ses caresses de la même façon, mêlant mes ondulations aux siennes dans un ballet sensuel et fascinant.

Puis, Alain nous offrit son corps en pâture et, partageant ses soupirs, les accueillant également, les yeux dans les yeux et sans le moindre inconfort, Céline et moi établîmes une douce complicité que je n'aurais jamais crue possible. Goûter, chevaucher, lécher à tour de rôle, parfois ensemble, chaque délicieux centimètre de son corps, était sublime tandis qu'Alain nous comblait en nous possédant tour à tour.

Le meilleur restait toutefois à venir. C'était magique, ces ébats confondus. C'était excitant, fabuleux, même. Mais la détente qui vint par la suite fut pour moi une nouvelle révélation. Toutes les deux blotties contre Alain, Céline et moi nous tenions la main et nous caressions délicatement les bras, avec des gestes empreints d'une tendresse qu'il ne m'avait pas été donné de ressentir depuis des lustres. Les doigts d'Alain s'emmêlaient dans nos cheveux et les doux baisers s'échangeaient avec une simplicité déconcertante. Après de nouvelles confidences, de nouveaux échanges qui nous rapprochèrent davantage à chaque instant, je m'endormis, béate et satisfaite, baignant dans un bien-être presque insoutenable.

Au matin, Céline était lovée contre moi et nos caresses s'intensifièrent avec un naturel désarmant tandis qu'Alain se frayait un chemin entre les cuisses de sa femme. Il eut la délicatesse de ne pas me priver de sa vigueur matinale, ce qui nous permit, à tous les trois, de nous envoler de nouveau vers des jouissances incomparables.

Tendresse. Douceur. Désir. Passion. Complicité.

Et moi qui croyais qu'il ne me serait jamais plus possible de connaître de tels bonheurs…

Pour soulager mon inquiétude envers Maryse, je demandai à Valérie de m'accompagner chez la malade. Sachant que Gilles était parti pendant quelques jours, j'en profitai pour lui apporter des provisions. Elle n'était pas suffisamment en forme pour un de nos traditionnels soupers fondue-vin-dessert décadents du samedi soir, loin de là, mais nous ferions une entorse au rituel en lui apportant de la soupe, des fruits frais et des brioches, ainsi qu'une bonne dose d'amour. Nous sentions qu'elle en avait bien besoin. Valérie trouvait qu'au téléphone, Maryse semblait plus déprimée que malade, alors nous avions l'intention de la faire rire. À cet effet, j'imprimai les messages les plus savoureux de nos correspondantes du blogue, ceux que j'avais l'intention de proposer à Maryse d'inclure dans une nouvelle catégorie nommée « *weirdos* ». Oli et sa copine étaient sortis et je m'en réjouissais. Ils étaient adultes, majeurs et vaccinés, mais les comptes rendus que je m'apprêtais à faire ne convenaient tout simplement pas à la progéniture de ma meilleure amie. Ça n'aurait pas été convenable.

Maryse était installée sur le divan, avec une boîte de mouchoirs, et la moitié de son contenu en tas sur le sol. Elle était dans un état pitoyable.

— Mon Dieu, Maryse, tu fais peur, ma belle !

Valérie n'avait pas été tellement délicate, mais c'était la vérité. Notre amie avait le nez à vif de s'être trop mouchée, les yeux bouffis et rougis, les cheveux en bataille, le teint verdâtre. Elle nous confia qu'elle n'avait à peu près rien mangé depuis trois jours et qu'elle se sentait tellement faible qu'elle en avait la nausée. Elle pleurait et nous étions médusées.

— Je sais même pas pourquoi je pleure ! Je suis tellement pas habituée à me sentir de même, je dois être juste trop fatiguée... J'ai mal partout, c'est fou, j'ai l'impression d'être en train de mourir !

— Seigneur, Maryse ! On va t'emmener à la clinique.

J'avais été catégorique, mais elle hocha la tête, résignée. Elle ajouta :

— Ben non. C'est juste une mauvaise grippe. La fièvre a baissé aujourd'hui. J'ai téléphoné à Info-Santé, on m'a dit que si ça s'améliore pas d'ici lundi ou mardi, je devrai consulter. On verra à ce moment-là.

Quelque chose me disait qu'elle mentait, et ça m'inquiéta davantage. Elle évitait notre regard et parlait du bout des lèvres.

— Faites-moi juste rire comme t'as dit, Julie, ça va me faire du bien.

— OK, mais avant, mange de la soupe.

Je lui préparai une collation qu'elle avala lentement. Au moins, elle mangeait, c'était encourageant. Je racontai alors à mes amies, dans mes propres mots, les témoignages que j'avais soigneusement choisis.

— Alors, je vais vous garder le meilleur pour la fin. On va commencer par Hélène. Elle a rencontré un gars d'allure vraiment « ordinaire ». T'sais le genre petit, chauve, lunettes. Mais super gentil, apparemment. Généreux, doux, romantique, tout le kit.

— Mais laid, commenta Maryse.

— Oui, mais Hélène, ça la dérangeait pas. Ils sont sortis ensemble quatre fois avant d'en arriver aux choses sérieuses. Finalement, il l'a invitée chez elle et, comme de raison, ils se sont embrassés, tripotés, la température montait, et ils étaient contents tous les deux. Ils ont fait ce qu'ils avaient à faire et Hélène était aux oiseaux. Plus tard dans la soirée, elle s'est levée pour aller aux toilettes. Le gars l'a suivie. Elle était pas trop sûre quand il est entré dans la toilette avec elle. Elle a dit : « Vas-y avant, si tu veux... » Mais il lui a répondu : « Non, je voudrais juste te regarder faire, ça m'excite. J'aimerais ça que tu fasses ça sur moi, quand on va mieux se connaître... »

— Ouache ! ! ! !

Valérie était outrée.

— Dégueulasse !

Maryse, elle, était dégoûtée.

— Oui, et oui, mais vrai. Une autre ?

— Pas si c'est du même genre ! Je recommence à avoir la nausée...

— Tous les goûts sont dans la nature, Maryse, t'es donc ben *straight* !

— J'suis pas *straight*, j'suis malade !

— Ouain, mettons. Y'a Jacinthe qui est tombée sur un fétichiste. Après une *date*, il lui a demandé de voir ses pieds. Au restaurant. On est en hiver, là. Elle savait pas trop quoi faire, mais comme le gars l'intéressait, elle a enlevé ses bottes. Il lui a demandé d'ôter ses bas, ce qu'elle a fait. Et là il lui a dit : « Ah. Excuse-moi, mais ça marchera pas. T'as juste pas mon genre de pied. »

— OK, parce qu'en plus de trouver un gars fin, intelligent, pas courailleux, qui est prêt à s'investir et qui veut pas juste baiser, faut avoir le bon « genre » de pied ?

Valérie était complètement éberluée. J'expliquai :

— Ben supposément que Monsieur préférait les petits pieds, manucurés et aux ongles vernis.

— Dans quel monde de *fuckés* on est ?

Maryse s'était rembrunie en disant ça. Elle ne riait pas, comme je l'avais escompté, mais avait plutôt l'air de déprimer davantage. Je passai donc au plat de résistance.

— J'avoue. Mais comme je disais, je vous ai gardé le meilleur. Dans la catégorie *weirdos*, j'pense qu'on a ici un gagnant. C'est un peu long, j'vous avertis, mais ça vaut la peine. Faut que je vous lise le début du message, pour vous mettre en contexte. « Pendant une fellation, la seule chose plus embarrassante que de s'étouffer, c'est d'éclater de rire. Quand on s'étouffe, au moins, les gars s'imaginent que c'est parce qu'ils sont trop gros. Ils aiment tous ça, penser qu'ils ont une grosse queue. Mais quand on part à rire, c'est plus difficile à expliquer… »

— Ça commence bien ! s'exclama Valérie, exagérant quelque peu sa joie pour créer l'ambiance.

— Donc, cette fille, Chantal, a rencontré un gars, euh… oui, Éric. Donc, le gars a l'air parfait. Trop, probablement, mais la fille veut quand même voir ce qu'un homme comme lui a à dire ou à offrir. Ils se sont écrit tous les jours, matin et soir, pendant une semaine. Un médecin de quarante-cinq ans, chirurgien cardiaque, s'il vous plaît, qui vit à Outremont. Il a de grands enfants qui sont à l'université et qui vivent avec leur mère. Éric, donc. Il est intelligent, cultivé, galant et son portefeuille est bien garni. Il donne des conférences partout dans le monde, il est très respecté dans son milieu parce qu'il a mis au point une technique de chirurgie-machin qui a fait de lui une sommité.

— OK, on a le portrait, intéressant !

Maryse était attentive, c'était bon signe. Je poursuivis, encouragée.

— En tout cas. Ils se sont donné rendez-vous au centre-ville, dans un resto branché de la rue de la Montagne. Et quand elle l'a vu, elle l'a trouvé aussi parfait qu'elle l'avait imaginé. Il la regardait avec des étincelles dans les yeux, c'était clair qu'elle lui plaisait autant qu'il l'attirait. Elle a écrit : « Vous auriez dû le voir ! Des beaux yeux verts, des cheveux noirs bien coupés, un veston chic porté avec des jeans juste assez ajustés, il me faisait un peu penser à Pierce Brosnan dans James Bond, il y a quelques années. »

Maryse soupira.

— Oh *boy* ! Mon genre, ça… Mais c'est quoi la pogne ?

— Crois-moi, tu peux même essayer de la voir venir. Il arrêtait pas de la complimenter et elle adorait ça ! Il disait qu'il avait choisi d'être chirurgien cardiaque pour pouvoir sauver des vies et elle trouvait ça bien noble. Ça lui procurait un sentiment de puissance, qu'il disait. Chantal, elle, espérait juste que sa puissance se ferait ressentir jusqu'où elle imaginait…

— Ça, c'est toi qui ajoutes ça, hein ? La fille a pas mis ce genre de détail, j'en suis sûre !

Valérie avait raison et j'acquiesçai d'un clin d'œil.

— Y'a pas de mal à enjoliver, me semble ! Bref, il disait aussi que c'était important pour lui de sentir qu'il pouvait être totalement transparent avec une femme, qu'il n'avait rien à prouver et qu'il se sentait bien avec lui-même. Elle trouvait ça *cute*. Ensuite, il lui a parlé de sa passion, les vieilles bandes dessinées de superhéros. Elle a trouvé ça *cute*, aussi, attendrissant, même. T'sais, le côté p'tit gars chez un vrai homme ? Sont tous des grands enfants, on le sait, mais au moins, pour ça, il s'assumait. Elle a compris plus tard qu'il s'assumait peut-être un peu trop, justement, mais bon. Chantal était sous son charme, avec son sourire Pepsodent, son odeur incroyablement *sexy,* ses belles fossettes et son veston Armani. La grande classe.

— Ça s'en vient-tu, le croustillant ? demanda Maryse, impatiente.

— Oui, oui. On dirait que la malade reprend des forces, hein ? OK. Rendus au dessert, il y avait tellement de flammèches autour de leur table qu'elle s'attendait à ce que les serveurs arrivent avec un extincteur. Elle voulait juste sortir de là et aller chez lui le plus vite possible. Il a payé, et elle a suivi sa Mercedes jusque chez lui. Au condo, bang ! Ça y va à fond la caisse. Il l'entraîne dans la chambre, elle tripe, c'est passionné rare. Là, il a baissé son pantalon et lui a dit : « Tu veux goûter ? » Elle était un peu étonnée de son approche directe, mais s'est agenouillée devant lui pour le prendre dans sa bouche. Déception. Petit. Minuscule, même.

— Tiens, ça me fait penser à ton motard, ça !

Valérie se trouvait drôle. Le souvenir ne l'était pas. Pas grave. Je poursuivis en haussant les épaules.

— Il avait le souffle court et ça l'encourageait. Son petit gabarit n'incommodait pas Chantal tant que ça ; même si elle était un peu déçue, elle allait faire avec.

Valérie nous surprit en disant :

— Ah, sérieux, ça doit être poche, quand même, une p'tite queue…

Je regardai Maryse avant de fixer le visage de notre amie, qui avait l'air aussi étonné que nous. Elle continua :

— Ben quoi, c'est vrai ! Celles qui disent que la grosseur c'est pas important sont menteuses ou ont jamais connu autre chose que des miniquéquettes.

— Aurais-tu quelque chose à nous confier au sujet du beau Robert, toi, là ?

Ce fut au tour de Maryse de m'étonner. Enfoncée dans sa pile de coussins, elle ajouta, d'une voix beaucoup plus ferme que ce que nous avions entendu jusqu'à présent :

— Ouain, peut-être, mais trop gros, c'est pas nécessairement mieux tout le temps ! Pis après ça, ben…

— Ben quoi ?

— Rien.

Elle se renfrogna, annonçant ainsi qu'elle ne dirait rien de plus. C'était d'ailleurs plus d'information que je voulais en avoir. Je ne pourrais plus jamais regarder son mari de la même façon. Valérie me fit une grimace et je continuai mon récit puisqu'on arrivait au punch.

— En tout cas. Il avait vraiment l'air d'apprécier, mais tout à coup, il s'est mis à lui dire, et je cite : « Ah, tu l'aimes, ma grosse queue, hein, ma cochonne ? » Elle a trouvé ça assez ordinaire. Première fois avec quelqu'un, quand même, on se garde une p'tite gêne, non ? Et grosse, euh… c'était assez discutable. Mais Chantal a pris ça en se disant qu'il était déjà à l'aise avec elle, ce qui était bien. Mais là, il a continué : « Dis-le, ma salope que tu l'aimes ! Tu la veux plus loin, hein ? Tu veux qu'il te défonce, mon engin nucléaire, hein ? »

Maryse pouffa de rire, ce qui la fit s'étouffer. Valérie s'exclama :

— Tu me niaises ! Il a pas dit ça ? Qui dit une affaire de même ? Pis le premier soir, en plus ?

— Je te le jure. C'est pas tout. Écoutez bien la suite. Il s'est mis à grogner « comme un cochonnet pris dans une porte de grange ». Elle pensait vraiment qu'il niaisait. Mais non. Il a continué : « Tu sais que je pourrais me faire toutes les salopes de la Terre si je voulais. Tu réalises combien t'es chanceuse d'avoir ma grosse bitte dans ta petite bouche, là ? Attends, faut que je voie ça. » Là, il a allumé la lumière. C'était assez brutal comme éclairage et elle a d'abord fermé les yeux. Mais après quelques secondes, elle les a ouverts et… croyez-le ou non, sur les murs de sa chambre, il avait des posters de Superman, de Batman et de Spiderman. Des meubles hyper modernes, luxueux, mais sur lesquels il avait des figurines de ses héros préférés en pleine action. Et le gars, lui, il se bombait le torse et levait les bras comme s'il avait soulevé un poids herculéen en bandant les muscles. Il y avait un grand miroir derrière lui et un autre devant et il s'admirait, un air d'extrême concentration au visage pendant que Chantal était à genoux devant lui, complètement hébétée. C'est à ce moment-là qu'elle a vu ses *boxers* de Superman entortillés autour de ses chevilles. Elle a pas pu se retenir : elle a éclaté de rire sans pouvoir s'arrêter. La miniqueue du beau Éric a ramolli d'un seul coup. Il est devenu furieux et elle, elle riait.

Valérie était tordue de rire, Maryse souriait, tentant d'imaginer la scène. Reprenant péniblement son souffle, Valérie demanda :

— Puis, comment ça s'est terminé ? Il a dû être insulté, qu'elle rie de même ?

— Insulté ? Fou furieux. Quand il l'a vue se relever et prendre son manteau, il l'a engueulée : « Tu t'en vas ? ? ? ! Ah, t'es pas capable de me prendre, hein ? T'as jamais eu un vrai homme comme moi, c'est ça ? Finalement tu me mérites pas ! Va-t'en, et essaie pas de me téléphoner, je répondrai pas ! » Chantal a terminé son message en disant : « Dans mon auto, je riais encore. J'ai ri jusque chez moi. Au fond, c'est pas drôle… »

— Pas drôle certain ! J'me retiens de rire pour pas m'étouffer, mais quel débile ! dit Maryse en rigolant.

Valérie hésitait entre le rire et la perplexité. Maryse, malgré ce qu'elle venait de dire, n'avait qu'un petit sourire triste aux lèvres. Elle faisait pitié. Je continuai à bavarder du blogue et d'autres sujets variés pendant un moment. Mes amies, qui me trouvaient rayonnante, me demandèrent s'il y avait du nouveau de mon côté. J'eus du mal à leur cacher mes nouveaux émois mais je trouvais le moment mal choisi pour leur dévoiler les derniers dénouements de ma vie sentimentale. Elles me supplièrent tant et si bien que je décidai de leur raconter l'histoire de Denis, enjolivant le récit pour le rendre plus cocasse. Il serait toujours temps de leur parler de Céline et Alain une fois que Maryse serait rétablie.

Je leur racontai donc brièvement l'épisode, inventant des échanges beaucoup plus élaborés qu'ils ne l'avaient été. Puis, la déconfiture.

Valérie réagit la première :

— Ouain, ça doit pas être drôle pour un gars de pas bander quand ça y tente, hein ?

— Ben, c'était pas drôle pour moi non plus !

— Y'a jamais entendu parler de Viagra ? ajouta Maryse.

— Ben là ! C'était notre première fois, je suis sûre qu'il pensait pas que ça se passerait de même… Peut-être qu'il pensait encore trop à son ex, finalement…

— Ben moi, me semble qu'un homme qui bande normalement d'habitude, avec une belle fille comme toi, ça en prend pas mal pour que ça lève pas, surtout si y'avait hâte. Les gars sont bons pour compartimenter, crois-moi ! Même dans les pires moments, sont capables de penser juste à leur queue et d'oublier le reste ! J'dis pas si vous aviez bu deux bouteilles de vin et mangé comme des cochons avant…

Maryse était presque hargneuse, ce qui ne lui ressemblait pas. Son attitude ne pouvait pas être attribuée à son état.

— OK, on dirait une fille qui parle en connaissance de cause ! dis-je avec un clin d'œil pour tenter d'alléger l'atmosphère tout à coup tendue.

— Ben oui, Gilles a cinquante-deux ans. C'est ben sûr que ça se passe pas toujours comme il voudrait. Mais quand il boit et mange trop, c'est quasiment automatique. C'est son excuse, en tout cas.

C'était la deuxième fois que Maryse nous dévoilait autant de détails décevants sur sa vie sexuelle et le malaise s'intensifia.

— C'est devenu tellement fréquent que j'me suis même renseignée. La plus grosse erreur que tu peux faire, c'est de penser que c'est de ta faute. À moins d'être une bitch castratrice, ce que je suis pas et toi non plus, Julie, surtout pas toi, c'est soit un problème de plomberie ou c'est entre les deux oreilles que ça se passe. C'est pour ça que la p'tite pilule bleue existe !

Je ne pus retenir mon élan de curiosité :

— Il en prend, Gilles ? T'es pas obligée de répondre, là...

Maryse demeura silencieuse, semblant perdue dans un souvenir pas tellement agréable.

Sans grande surprise, elle déclara finalement que les heures de visites étaient terminées. Laissant notre aînée se reposer, Valérie et moi la quittâmes chacune de notre côté, pas du tout rassurées par l'état de notre malade. En plus de sa faiblesse, son amertume évidente m'avait bouleversée. Maryse n'allait pas bien du tout.

Et ça, c'était avant même de savoir ce qui allait lui tomber dessus.

25

Ce n'était absolument pas le bon moment pour leur parler de Céline et Alain. Pas le bon moment de parler de quoi que ce soit, je pense. Maryse m'inquiète. Je ne l'ai jamais vue comme ça. S'il le faut, je lui rendrai visite tous les jours pour voir comment elle va et je la traînerai de force chez le médecin. Pas facile pour elle de se laisser faire, Madame Superwoman, *toujours forte, d'attaque, d'action. Et je veux bien croire qu'elle se gave de toutes les petites granules homéopathiques appropriées, mais à un moment donné, faut ce qui faut! Pas grave, je suis aussi têtue qu'elle, elle s'en rendra bien compte.*

Je ne sais pas comment j'ai fait pour les distraire alors que je ne faisais que penser à notre nuit, à la folle aventure qui nous attend. Car c'est bien de ça qu'il s'agit. J'ai peur de me laisser aller, peur de mettre mon cœur entre leurs mains, même si j'en ai terriblement envie. Une quantité de détails, de balises sont à éclaircir, mais comme l'a bien dit Alain, on va voir ça au fur et à mesure, tant qu'on se dit les vraies choses... C'est ce qu'on s'est promis, tous les trois. Ils sont un peu nerveux, eux aussi. Après tout, ils ont beaucoup plus à perdre que moi. Mais c'est tellement excitant... Comment expliquer que je retire autant de bien-être dans les bras d'Alain que dans ceux de Céline? Que je ressente autant d'affection pour l'un comme pour l'autre, mais de manière totalement différente? Que j'aie envie de tout leur dire sur moi et de tout savoir d'eux, comme si j'étais amoureuse des deux à la fois? C'est un peu ça, au fond. Ils sont un, mais ils sont aussi individuels. Ça demandera certainement des ajustements de part et d'autre, mais si nous arrivons, comme nous le souhaitons, à être honnêtes, tout devrait bien se passer. J'ai peur. J'ai hâte de les revoir. Je suis terrorisée. Je compte les heures.

Ils me manquent déjà tant que je lâcherais tout pour aller les retrouver. Tous les deux. Qui aurait cru?

En rentrant chez moi, après cette soirée au chevet de notre Maryse malade, une bombe m'attendait. Je n'aurais jamais pu m'en douter, même si je n'avais pas eu la tête aussi loin dans les nuages, les nuages sur lesquels flottaient mes nouveaux « amis », plus précisément.

Je n'étais vraiment pas dans un état pour faire autre chose que me coucher. Je pensais à Maryse, puis à Alain et Céline. À Céline et Alain, puis à Maryse. Cette soirée m'avait épuisée.

Pour me détendre un peu, je consultai la boîte de messages du blogue en quête d'autres anecdotes cocasses. Une quinzaine de messages, dont plusieurs de remerciements, me firent plaisir. Elles étaient en effet de plus en plus nombreuses, nos lectrices, à nous remercier. Soit parce que la banque de « critiques » leur avait évité des pièges, soit parce que, au contraire, elles y avaient trouvé des renseignements encourageants qui avaient mené à d'agréables rencontres. Le nombre de pseudos « recensés » avait dépassé le cap de la centaine et j'en étais très heureuse. J'y jetais un coup d'œil régulièrement, et m'amusais à jouer les entremetteuses. Car les femmes se livraient avec plaisir à ce petit jeu, nous confiant des détails qu'elles n'auraient jamais confiés à quiconque, telles que certaines préférences sexuelles ou d'autres particularités personnelles.

Je lus et souris à plusieurs reprises devant telle ou telle confidence. Puis, j'arrivai au message d'une certaine Lyne dont l'en-tête piqua ma curiosité : « Pour le meilleur et pour le pire. Vraiment ? » Il s'agissait d'une autre femme qui avait vécu une aventure avec un homme marié sans le savoir et qui voulait partager son histoire dans le but, disait-elle, de le faire payer d'une manière ou d'une autre. Je me demandai si c'était la même dont j'avais déjà lu un message précédent, mais il s'agissait bien d'une nouvelle correspondante. Les cas de ce genre devenaient vraiment beaucoup trop communs. La curiosité l'emporta sur ma fatigue et je lus son long message :

«Je l'ai rencontré sur le site à l'automne. Il m'a écrit et j'ai consulté sa fiche. Il n'y avait pas de photos à son profil, j'aurais dû me méfier, mais ce qu'il racontait me plaisait réellement et je lui ai répondu, précisant quand même que j'aimerais voir une photo. Il m'a répondu le lendemain, joignant à son message une photo de lui prise d'assez loin pour que je puisse constater qu'il paraissait bien, selon ce que je pouvais en juger, mais sans que je puisse distinguer ses traits. Nous avons continué de nous écrire. Il m'a raconté qu'il avait été marié avec sa blonde d'université, qu'il avait été très heureux avec elle et avait eu deux beaux enfants mais que l'amour s'était évanoui malgré tous ses efforts. Il vivait seul, désormais, mais conservait une excellente relation avec son ex-femme et ses enfants devenus adultes. Il me charma par sa gentillesse, sa curiosité et son intérêt à mon égard, son engagement auprès de ses enfants et bien d'autres choses encore. Puis, nous nous sommes rencontrés et avons cliqué. Il avait prétendu ne pas avoir de compte Facebook, je trouvais ça dommage parce que c'est pratique quand on veut en savoir un peu plus sur quelqu'un, et la curiosité me tenaillait. Mais il était vraiment charmant et je lui ai fait confiance. Nous avons fait des escapades ici et là, du ski, des sorties, ce genre de choses. Il était extrêmement généreux et me gâtait comme une reine. Et nous avons fait l'amour, souvent. Je trouvais étrange qu'il ne m'invite jamais chez lui, mais il répondait toujours qu'il était entre deux logements, n'aimait pas tellement l'endroit où il habitait alors que chez moi c'est super confortable, etc. Je n'y ai vu que du feu.

Ce n'est que deux mois plus tard, lorsque j'ai commencé à vouloir le présenter à mes amis et l'inviter à notre fête de Noël que j'ai compris que nous ne sortions jamais en ville, toujours à l'extérieur, et seulement en tête à tête. Il était plutôt discret sur sa vie personnelle. De même, il ne m'avait jamais dit précisément où il travaillait, seulement que c'était dans le domaine de la vente d'équipement de bureau. Or, un bon soir, alors que je gaspillais du temps sur Facebook, ma curiosité refit surface. J'ai tapé son nom dans la fenêtre de recherche et je l'ai trouvé. Non seulement avait-il un compte, mais il y était inscrit qu'il était marié. Il y avait, à l'appui, quelques photos de lui, avec et sans sa femme.

Plusieurs commentaires de cette dernière, aussi, sur tel ou tel sujet, leurs enfants notamment.

Je lui en ai parlé et il a avoué. Il m'a ensuite fait une scène – larmes, excuses et tout – en me suppliant de ne rien dire à sa femme. Quand je lui ai répondu que je ne voyais aucune raison de m'en empêcher, il m'a dit qu'elle était atteinte d'une maladie incurable et que ça l'achèverait. Que c'était justement sa maladie qui l'empêchait d'avoir une vie de couple normale depuis des années. Pourtant, je n'avais rien lu ou vu qui permettait de croire que c'était le cas. Je ne sais plus que penser. Dites-moi, je le dis à sa femme ou non ? Elle a le droit de savoir. Par contre, par compassion pour elle, je préférerais ne pas avoir à lui annoncer une telle chose. Je ne crois plus rien de ce qu'il m'a dit, mais si elle est réellement aussi malade qu'il le prétend, ce serait épouvantable de la faire souffrir davantage, non ? Évidemment, j'ai coupé les ponts avec lui, mais j'ai vu qu'il était toujours sur le site et ça me rend malade de savoir qu'il va faire subir à d'autres ce que j'ai enduré. Que faire ? »

Cette situation me mit hors de moi. Quel genre de monstre pouvait faire une telle chose ? Comment le faire payer ? C'était délicat. Lyne aurait certainement pu tout déballer à sa femme. Mais elle se mettait sans doute à sa place et ne voulait pas imaginer la douleur que la pauvre épouse ressentirait, si elle était malade, de surcroît. J'étais soulagée que la compassion la retienne de tout dire, mais, en même temps, ce con ne méritait que ça. C'était vraiment compliqué. Je choisis donc de lui demander de me donner les détails de l'homme en question, promettant que nous trouverions ensuite la meilleure chose à faire.

À ma grande surprise et malgré l'heure tardive, elle me répondit à peine quelques minutes plus tard. Le message était beaucoup plus court, mais destructeur.

Allôlavie64: Prénom: Gilles (Provost). Style conventionnel mais décontracté. Menteur sur toute la ligne.

Je retins mon souffle. Non, c'était impossible ! Je refusais de croire ce que je lisais, mais la photo ne laissait plus aucun doute. Le con dont il était question, ce monstre de Gilles Provost, n'était nul autre que le Gilles de Maryse.

Salaud.

Qu'est-ce que je suis censée faire, maintenant? Il est de ces secrets trop lourds à porter dont on ne devrait jamais être responsable. Je ne peux pas révéler l'horrible réalité à Maryse. Mais comment lui cacher une chose aussi épouvantable? Ma haine envers Gilles est plus ardente que tout ce que j'ai pu ressentir jusqu'à présent. Je lui arracherais les yeux. Lui ferais avaler ses couilles. Je le forcerais à tout avouer, si je ne savais pas à quel point Maryse en souffrirait. Comment a-t-il pu? Et par-dessus tout, comment a-t-il osé prétendre qu'elle souffrait d'une maladie incurable depuis des années et que leur échec était sa faute à elle? Évidemment, j'ai un parti pris, il est inadmissible que Maryse soit en cause. Elle a donné plus de la moitié de sa vie à cet homme, lui a fait deux merveilleux enfants, a sacrifié sa jeunesse à les élever, à donner à ce monstre ignoble qui paraissait si

parfait un foyer, une famille, une femme dévouée et aimante. Bien sûr, je ne connais pas tous leurs secrets, et c'est bien ainsi, mais rien ne peut justifier qu'il ait agi de la sorte. J'ai envie de communiquer avec lui sur le site. Le faire marcher longtemps avant de révéler mon identité. J'ai envie de l'éviscérer, de le détruire, de l'anéantir. Mais pour qui se prend-il ? Je suis bouleversée et je ne sais plus quoi faire. Je ne dors plus depuis avant-hier soir et je déteste cette Lyne d'avoir fait la lumière sur cette horreur. Devrais-je consulter Valérie ? Non, je le ferais juste pour me soulager, pour ne plus être seule à porter ce fardeau de merde. Maryse m'a téléphoné hier, je n'ai même pas été capable de répondre. Comment aurais-je pu ? Je ne peux pas lui mentir, elle me connaît trop bien. Ah, le salaud. Il est dans la merde. Je suis dans la merde. On est tous dans la merde jusqu'au cou.

Je me couchai sans, évidemment, trouver le sommeil. N'y tenant plus, je me relevai pour aller voir le profil d'*Allôlavie64*. Gilles avait mis son âge réel, mais changé sa ville de résidence. Son statut le présentait comme « séparé ». Le reste faisait état d'un homme chaleureux, aimant rire et discuter de sujets de toutes sortes. Il disait avoir dû surmonter de nombreuses épreuves à coup de persévérance et d'optimisme, ce qui faisait de lui un homme courageux, intègre et tenace. Il prétendait être pleinement conscient de la fragilité de la vie et souhaitait en profiter au maximum.

Ah. Le coup de l'homme blessé qui se relève, ça plaît, ça. Habile, le salopard. Intègre ? J'allais lui montrer, moi, ce que signifiait ce mot. Je ne savais pas du tout quand, encore moins comment, mais il allait comprendre ce que c'était que surmonter des épreuves, et pour vrai, cette fois. Il me tardait de le lui montrer.

Je ne voulais pas agir de façon impulsive. L'important était de penser à Maryse, comment elle réagirait en apprenant la trahison de son cher mari. Y avait-il une façon d'adoucir le choc ? Je ne croyais pas. Peut-être valait-il mieux simplement lui dire sans passer par quatre chemins ? Maryse était forte, rationnelle, généreuse. Ces qualités l'aideraient sûrement à se relever mais rendaient encore plus dégueulasses les gestes de son tendre époux.

Il faisait toujours nuit et je m'installai sur mon divan, espérant somnoler mais ne faisant qu'échafauder différents scénarios d'une violence étonnante pour punir celui qui blesserait si profondément ma douce amie.

Vers midi, je n'en pouvais plus. Je tournais en rond, changeais d'idée toutes les cinq minutes. J'aurais voulu parler à quelqu'un, mais je ne savais pas à qui. Hors de question de solliciter Valérie ; avec sa tendance à dramatiser et à s'inquiéter, elle ne ferait qu'empirer les choses. Qui alors ? Alain et Céline, évidemment.

Je leur téléphonai et demandai s'ils étaient libres pour m'aider à voir clair dans une situation qui me bouleversait. Inquiète, Céline me dit de venir sur-le-champ.

Prenant place de chaque côté de mon corps tendu, Céline et Alain écoutèrent mon histoire. Leur attention, à elle seule, me soulagea. Ils ne connaissaient pas Maryse, mais savaient à quel point elle était importante dans ma vie, aussi se montrèrent-ils outrés des agissements de Gilles. Alain réagit le premier :

— Je comprends que tu n'aies pas envie d'annoncer ça à ton amie. Si ça venait de lui, au moins, il faudrait qu'il mette ses culottes et agisse en homme, même si j'ai honte de faire partie de la même race que lui !

Céline n'était pas tout à fait d'accord :

— Encore faudrait-il qu'il lui dise la vérité. C'est impossible de faire confiance à quelqu'un comme lui. Qui te dit qu'il essaiera pas de minimiser l'affaire ou, pire, faire porter le blâme à Maryse ? Par contre, s'il l'avoue, ça épargnera au moins à ton amie le sentiment dégueulasse d'avoir été la dernière à le savoir, alors que si c'est toi qui lui dis, elle va s'imaginer que tout le monde savait et qu'elle a été vraiment stupide de ne rien voir… Y'a rien de pire, je pense, que de croire que la Terre entière se moquait ou nous plaignait dans notre dos…

Céline parlait comme si elle avait connu cette douleur, mais je ne posai pas de questions. Plus tard. Pour le moment, seule Maryse comptait. Leurs deux points de vue étaient justes, mais ne m'aidaient pas tellement. La voix chevrotante, je leur répondis :

— Vous avez tous les deux raison, c'est frustrant ! Mais je pense qu'en tant qu'amie, j'ai pas le choix d'intervenir d'une manière ou d'une autre. Si elle doit souffrir, elle a le droit de savoir tout ce qu'il lui faudra pour traverser ça. Je lui expliquerai que je l'ai appris par hasard à cause du blogue, et que c'est pas la Terre entière qui était au courant.

Je continuai avec eux de peser le pour et le contre de telle ou telle approche pendant une bonne partie de l'après-midi. Je les sentais sincèrement troublés et les en remerciai. Céline conclut :

— Je suis vraiment contente que tu sois venue nous parler, ça me touche que tu nous inclues dans ta vie, comme ça. On est là pour les moments difficiles autant que pour les autres…

Les larmes me montèrent aux yeux et ils m'enlacèrent en m'embrassant. Leur tendresse me prouvait bien plus que ce que j'aurais pu espérer : une solidarité, une amitié, une franche affection. Oui, c'était tellement plus qu'une aventure sexuelle, ça me sautait aux yeux. Comme il était bon de me blottir contre eux et laisser les larmes couler en toute confiance ! Je ferais la même chose pour Maryse le temps venu. Je serais pour elle une véritable amie, peu importait combien ce serait douloureux.

Nos caresses devinrent plus langoureuses. C'était prévisible. J'avais besoin de ce contact chaleureux, de ce délicieux réconfort. L'alerte de texto retentit sur mon téléphone, mais je l'ignorai, préférant de loin me laisser aller au moment présent. Je n'en eus pas la chance.

L'alerte se fit insistante, puis, ce fut au tour de la sonnerie du téléphone.

Poussant un soupir, je me dégageai des bras si accueillants de mes amants et répondis. C'était Maryse, elle était quasiment hystérique :

— Julie ! C'est Gilles… Il est à l'hôpital, je euh… je ne sais pas ce qui s'est passé, je m'en vais, mais ils m'ont juste dit que son état était critique. J'arrive pas à rejoindre Oli, ni Fanny. Julie, je… Peux-tu venir, s'il te plaît ?

Elle sanglotait, incapable d'en dire davantage.

— Bouge pas, Maryse, conduis pas, là, t'es pas en état. Je vais être là dans dix minutes.

Sur un baiser affolé, j'attrapai mon manteau me rendis le plus vite possible chez Maryse.

En chemin, je téléphonai à Valérie pour lui dire le peu que je savais et lui demander de tenter de joindre Olivier et Fanny.

Mes mains étaient tellement crispées sur mon volant

que mes jointures étaient blanches. Je tentai de me calmer, essayant de me convaincre que ce n'était pas si grave, mais j'avais un nœud épouvantable dans l'estomac. Un mauvais pressentiment. Comme dans un film, lorsque la caméra s'attarde sur le visage du héros, je vis en mémoire un gros plan de Gilles tel qu'il était la dernière fois que je l'avais vu. C'était à Noël, alors que tout paraissait normal, que je ne savais pas qu'il était un salaud de la pire espèce et que Maryse semblait heureuse.

Je voulais que mon amie soit heureuse. Elle devait pourtant se rendre au chevet d'un homme qu'elle croyait loyal, le père de ses enfants, blessé, peut-être mourant.

Je n'arrivais pas à m'inquiéter pour lui.

Qu'il crève, le salaud.

26

Ces dernières heures me paraissent complètement surréelles. Moi qui ai tant voulu épargner Maryse, je n'ai pu qu'être un témoin impuissant de sa douleur. Je n'ai pas eu à intervenir et, malgré tout ce qui s'est passé, j'en veux à Gilles de ne pas avoir eu à le faire non plus. C'est probablement d'une méchanceté atroce, dans les circonstances, mais je trouve qu'il s'en tire à trop bon compte. Demain, je penserai peut-être autrement, quand je me rendrai compte de l'ampleur de la tragédie, mais là, à chaud, je n'y peux rien.

Maryse est effondrée, on le serait à moins. En arrivant à l'hôpital, elle est devenue, l'espace d'un moment, celle qui prend le contrôle, celle qui mène et veut tout régler, la Maryse que je connais et qui se distingue par son sang-froid et son pragmatisme. Mais ça n'a pas duré. Maintenant, elle me fait penser à un ballon dégonflé, comme si elle n'avait plus d'air, plus de substance. Je la regarde dormir et je voudrais pouvoir lui faire oublier. Elle dort, mais à son réveil, toute cette merde la rattrapera, et elle devra y faire face.

Je serai là, Valérie aussi.

Gilles, lui, non.

Ça vaut sans doute mieux pour lui, et où qu'il soit, il doit être soulagé.

Trou de cul.

En arrivant à l'hôpital, je stationnai la voiture le plus près possible de l'entrée des urgences, sans me soucier d'en avoir le droit. Je n'allais pas laisser Maryse affronter seule cette situation inquiétante, ne serait-ce qu'un instant. Elle était déjà affaiblie et malade. Or, cette nouvelle inquiétude avait déclenché en elle une décharge d'adrénaline qui la rendait fébrile. En route, elle me relata tant bien que mal l'appel reçu qui, par sa brièveté, ne laissait rien présager de bon. On lui avait simplement dit que Gilles avait eu un malaise, qu'il avait été transporté d'urgence de l'hôtel où il logeait, et que ça semblait grave. Je ne comprenais rien. Maryse m'avait dit qu'il était en formation à Québec ; or, l'hôtel en question était situé au centre-ville de Montréal. Je n'eus pas à lui poser de question, elle s'interrogeait elle-même :

— Mais qu'est-ce qu'il fabriquait là ? Je comprends pas, Julie, je comprends rien !

Moi, je croyais trop bien comprendre, mais il n'était pas question d'ajouter quoi que ce soit. Elle continua :

— C'est vrai qu'il part tellement souvent que j'ai peut-être mélangé les dates. Québec c'était la semaine passée, oui, ça doit être ça. Mais si c'était à Montréal, pourquoi il dormait à l'hôtel ? Oh, Julie, on arrive-tu, là ? J'en peux plus !

Elle faisait pitié à voir. Et je me jurai que si l'état de Gilles le permettait, je le frapperais de toutes mes forces.

Une infirmière du triage nous dirigea vers une pièce attenante. Deux médecins, des internes, que sais-je, discutaient avec une femme qui avait l'air bouleversée. Maryse se précipita vers l'infirmière en poste, précisant qu'elle était la femme de Gilles Provost et qu'elle voulait voir son mari. Je perçus à cet instant des bribes de la conversation entre les deux médecins qui discutaient avec la femme éplorée. « Désolé, Madame, nous attendons des membres de la famille immédiate de Monsieur Provost… » Je m'approchai d'eux et leur dis, en désignant Maryse :

— C'est sa femme, Maryse. Qu'est-ce qui se passe ?

L'autre femme ouvrit la bouche sans rien dire, comme un poisson cherchant de l'eau. Elle avait l'air pétrifiée. Le médecin s'éloigna d'elle, la laissant plantée là. Il s'adressa enfin à nous et nous attira un peu plus loin, prenant doucement le bras de Maryse :

— Madame Provost, je suis vraiment désolé. Votre mari a été transporté il y a moins d'une heure. Il a souffert d'une rupture d'anévrisme de l'aorte, ce qui a causé une hémorragie importante.

Maryse l'interrompit :

— Je veux le voir ! Maintenant. Amenez-moi le voir.

Le médecin poursuivit :

— Madame, nous avons vraiment fait tout ce que nous avons pu, mais votre mari est décédé. Je suis vraiment, vraiment désolé. Nous ne pouvions déjà plus rien faire quand il est arrivé.

À son tour, Maryse se transforma en statue. Moi, je ne parvenais pas à saisir ce que ce médecin venait de nous annoncer. Il demanda à Maryse si elle voulait toujours voir Gilles et, hagarde, elle hocha la tête presque imperceptiblement. Puis, elle me regarda et la douleur et l'incompréhension que je pus lire dans ses yeux me transpercèrent le cœur. Elle voulut se rendre seule voir

Gilles, mais j'étais incapable de la laisser partir. Pas tout de suite, c'était trop vite. Beaucoup trop vite.

— Attends un peu, Maryse, viens t'asseoir, OK ? On pourra y aller dans quelques minutes, mais là, suis-moi.

Je l'entraînai vers une rangée de fauteuils et elle s'y laissa tomber. Je la pris dans mes bras et elle se laissa faire, comme une automate. Elle ne faisait que répéter :

— Ça se peut pas, Julie, hein ? Ils se sont trompés. Ils ont peut-être mal compris mon nom ? Peut-être qu'ils parlaient de quelqu'un d'autre, là...

Je savais bien que non. J'aurais voulu qu'ils annoncent cette nouvelle à l'autre femme, celle qui était là, celle qui nous regardait sans bouger, comme si elle avait été frappée par la foudre, mais c'était bien sur la tête de Maryse que le ciel venait de tomber. Finalement, la femme en question sembla sortir de sa bulle. Elle regarda Maryse d'abord, puis son regard glissa vers moi. Elle ne savait visiblement pas où se mettre. Elle s'avança timidement vers nous. Je me raidis. Peu importait ce que cette femme avait à dire, ce n'était pas le moment. Je lâchai Maryse et m'approchai d'elle avant qu'elle puisse nous rejoindre. Je l'interrogeai du regard et vis ses yeux se remplir de larmes fraîches. Mal à l'aise, elle dit enfin :

— Ça s'est passé tellement vite... Un instant, il était en pleine forme, et la minute suivante... Les ambulanciers sont arrivés aussitôt, ils m'ont dit que j'aurais rien pu faire, il était déjà trop tard... Je...

Elle n'avait parlé que d'une toute petite voix, mais Maryse l'entendit. Elle se leva, s'avança lentement vers nous avec une lueur horrible dans les yeux. Elle était beaucoup trop près de la femme quand elle lui demanda :

— Et, t'es qui, toi ?

— Euh… juste une amie, on se fréquentait depuis seulement trois semaines…

— Vous vous QUOI ?

Je dus retenir Maryse, car je craignais vraiment qu'elle saute à la gorge de l'inconnue. Je tentai de la calmer :

— Maryse, viens t'asseoir, là. C'est pas sa faute, elle savait pas…

Maryse s'éloigna un peu mais refusa de s'asseoir. La femme me dévisagea, un point d'interrogation au visage et dit :

— Je savais pas quoi ? Il était malade, c'est ça ? Lui aussi ? Il m'avait pourtant dit que c'était vous, son ex-femme, qui étiez malade…

Maryse bondit, tendue comme un arc :

— Son EX-femme ? Pis comment ça, malade ? ? ? ?

La femme sembla comprendre d'un seul coup. Elle me regarda, détailla Maryse, et ses yeux gonflés se fermèrent lentement avant de s'ouvrir à nouveau. Dans un souffle, elle ajouta :

— Je… je suis désolée, vraiment. Je l'ai cru. Quel gâchis…

Puis, elle partit, aussi vite que ses talons aiguilles le lui permettaient.

Je voulus reprendre Maryse dans mes bras, mais elle me repoussa. Elle se dirigea vers le poste d'infirmière et dit à la jeune femme :

— Je voudrais voir mon mari, s'il vous plaît.

Puis, se tournant vers moi :

— Tu peux venir si tu veux. Oui, en fait, j'aimerais ça que tu viennes.

Suivant l'infirmière jusqu'à une salle vide, j'accompagnai Maryse à l'endroit où Gilles, le corps de Gilles, plutôt, gisait sur une civière. Je ne voulus pas faire un pas de plus, ce n'était pas ma place. J'avais peur que Maryse s'effondre mais elle s'approcha avec fermeté et regarda l'homme avec qui elle avait passé tant d'années. Je voyais le visage de mon amie, dans lequel la douleur, la tristesse, la colère et l'amertume se disputaient. J'essayais d'imaginer tout ce qui lui passait par la tête; ça devait être épouvantable. Trop de chocs en même temps. Comment arriverait-elle à digérer tout ça? Je la savais forte, et elle passerait sans doute par toute une série d'émotions, des montagnes russes vertigineuses, et je ne pourrais rien faire d'autre qu'être là pour elle.

Des larmes silencieuses coulaient sur les joues de Maryse et elle ferma les yeux. Puis, elle prit une profonde inspiration et m'entraîna vers la sortie.

Valérie et Robert étaient là. Je fis asseoir Maryse qui, étrangement, se laissa faire. Elle semblait d'un calme louche. J'expliquai à Val ce qui s'était produit sans toutefois lui parler de la révélation involontaire de l'étrangère. Bouleversée, elle courut prendre Maryse dans ses bras pour lui faire un câlin monumental auquel notre amie ne répondit que mollement. Puis, Valérie lui chuchota, assez fort pour que je l'entende:

— On est là, ma belle. Et on va tout faire pour t'aider à traverser ça. Tu peux compter sur nous.

Je l'adorai pour ça et elle disait vrai. Valérie partit dire quelques mots à Robert qui nous salua de loin, nous laissant entre nous pour soutenir notre amie. Il y avait des choses à régler. Aidant Maryse à remplir les formulaires, nous prîmes les dispositions nécessaires avec le personnel de l'hôpital qui fit preuve d'une humanité et d'une gentillesse admirables. La solidité de notre amie était impressionnante. Elle prenait la situation en main comme elle savait si bien le faire, gérait ce qui devait être fait sans attendre avec une maîtrise étonnante.

Enfin, il fut temps de partir. Valérie prit place avec Maryse sur la banquette arrière et l'enlaça. Alors elle s'effondra. Vidée, finie, le choc l'atteignant enfin de plein fouet. Elle pleurait, elle pestait sans que Valérie en comprenne la cause étant donné qu'il lui manquait un morceau capital du casse-tête. Pour Val, Maryse semblait divaguer et elle se contenta de la consoler, de lui parler doucement et de lui caresser les cheveux.

La maison de Maryse était vide. Valérie nous apprit qu'elle avait réussi à rejoindre Fanny. Celle-ci attendait que nous lui donnions des nouvelles avant de revenir de Québec puisqu'elle avait d'importants examens le lendemain. Olivier, quant à lui, n'avait pas répondu aux nombreux appels de Valérie. Maryse commenta d'une voix sans intonation :

— Il est au chalet d'un ami, il doit pas avoir de signal sur son cellulaire. Il revient demain… pauvres choux, ils savent même pas !

— Je vais appeler Fanny tout de suite, si tu veux… Tu vas lui parler ?

Pendant que Maryse racontait les horribles événements à sa fille en pleurant, j'eus envie de dire à Valérie ce qui s'était produit à l'hôpital, mais la conversation avec Fanny était pénible, comme on pouvait s'y attendre. Maryse raccrocha, en larmes, nous disant entre deux sanglots que sa fille reviendrait par le premier autobus le lendemain.

Valérie partit chez elle se changer, promettant de revenir le plus vite possible. Elle réapparut moins d'une heure plus tard ; j'avais installé Maryse sur le divan et lui avais servi un verre de vin. Elle était dans un sale état, oscillant entre l'incrédulité, le chagrin et la colère. Elle aurait tout un mélange d'émotions à décortiquer. Il lui faudrait du temps, la patience de surmonter chaque étape de son deuil en plus de sa colère. Encore une fois, je jurai d'être une amie digne de ce nom.

J'eus envie d'embrasser Valérie lorsqu'elle offrit un somnifère à Maryse. Elle en avait absolument besoin et je félicitai Val d'avoir eu la présence d'esprit d'apporter les comprimés de chez elle. Il fallait que Maryse se repose.

Le lendemain ne serait pas facile. Les jours suivants non plus, mais nous allions tenter de les vivre un à la fois.

Je m'installai temporairement chez Maryse et Valérie en fit autant. J'avais prévenu Jessica, la voisine de Maryse, et elle vint réconforter la nouvelle veuve. Je la trouvai, comme chaque fois que je l'avais vue, sympathique, sincère. Mais je décelai aussi une force, une détermination et une solidité qui me rassurèrent. Elle ne pouvait passer de longs moments avec nous, car ses deux enfants avaient besoin d'elle pour la routine quotidienne devoirs-souper-bain-dodo, mais elle faisait de son mieux pour venir le plus souvent possible. Sa sollicitude montrait bien l'amitié qui la liait à Maryse.

Fanny arriva la première, suivie d'Olivier; Maryse leur raconta les événements d'une voix étrangement calme. Sa soudaine absence d'émotions m'étonnait et m'inquiétait.

— Les enfants viennent de perdre leur père. C'est pas le temps que je m'écrase, ils ont besoin de moi.

Maman un jour, maman toujours. Je l'admirais, mais il me semblait que Maryse pouvait se permettre de montrer à ses enfants, au moins en partie, que le choc était aussi fort pour elle. C'était leur père, mais aussi son mari, qui était mort subitement à seulement cinquante-deux ans, et cela devait être difficile à supporter. Sans compter le reste dont elle ne souffla mot à quiconque, pas même à Valérie. Je respectai son silence, ce n'était pas à moi de lui révéler quoi que ce soit d'aussi personnel. Je me contentai d'être complice avec Maryse de ce répugnant secret, puisque, de toute évidence, tel était son souhait.

Les enfants étaient effondrés comme il fallait s'y attendre. Mais la semaine passa, ponctuée des témoignages d'amis, de membres de la parenté et de collègues. Soutenant la famille de notre mieux, Val et moi nous rendions aussi utiles que possible pour accompagner Maryse et les enfants au salon funéraire, finaliser les différentes dispositions et nous occuper des repas et de toutes les autres tâches qui avaient été reléguées au second plan.

La cérémonie fut sobre, empreinte de tristesse et d'émotion. Les visiteurs, très nombreux, apportèrent un réconfort supplémentaire à mon amie qui continuait de m'étonner. Maryse était calme, souriante même, à l'occasion d'une commémoration ou d'une autre. Elle tint remarquablement son rôle d'épouse éplorée, accueillant chaque personne et remerciant pour les fleurs, la présence et le soutien, mais je la sentais fragile. Nous réussissions à la faire manger, à lui faire avaler gentiment son somnifère et elle arrivait à se reposer. La maladie dont elle avait souffert au moment des tristes événements semblait chose du passé. Quand je lui en fis la remarque, elle me répondit, un peu énigmatique: « Je pense que c'était dans ma tête, le problème... » Étrange, comme réplique.

Alain et Céline me téléphonaient presque chaque jour,

prenant des nouvelles et, même s'ils me manquaient, ils comprenaient très bien la place que je devais tenir près de mon amie. Ils me témoignaient cependant une chaleur et une affection des plus précieuses. Il me tardait de parler d'eux à mes amies. Je le ferais, et avec soulagement, dès que le calme serait revenu.

Ce n'est que lorsque tout fut terminé, soit presque deux semaines après le décès de Gilles, que Maryse révéla à Valérie ce qu'elle avait appris à l'hôpital. Nous aidions Maryse à rédiger les cartes de remerciements pour les nombreux témoignages de sympathie reçus. J'avais été tiraillée à savoir si je devais faire part à Val de ce que je savais, de ce que j'avais appris la veille de la mort de Gilles, ou me taire à tout jamais. J'avais choisi de m'abstenir. Après tout, ça ne changerait absolument rien et ne ferait qu'accabler Maryse davantage. Je compris le bien-fondé de cette décision ce jour-là. Comme elle le faisait souvent, Valérie demanda à Maryse comment elle se sentait. Mais cette fois, elle la regarda dans les yeux et ajouta :

— Pour vrai. Comment tu te sens *pour vrai*, Maryse ? montrant ainsi qu'elle voyait clair dans le jeu de notre amie qui nous cachait souvent son état réel.

Maryse l'observa un moment et finit par répondre, après une lente expiration :

— Gilles était un salaud. Je savais depuis un bon moment qu'il me trompait. Depuis janvier, en fait. Je n'étais pas malade, cet hiver, j'étais en peine d'amour. J'ai déjà fait une partie du deuil de l'homme que je pensais aimer. Plusieurs indices subtils m'avaient fait douter depuis plusieurs mois. Je lui ai craché mes soupçons au visage et il a avoué. Tout, je pense, ou presque. Il a eu plusieurs aventures au cours de la dernière année, peut-être d'autres avant, mais j'ai pas besoin de le savoir. C'est bien assez. Il m'avait dit que c'était terminé, qu'il ne le referait plus jamais... J'ai eu droit aux larmes, aux excuses, j'y ai presque cru !

J'étais soulagée qu'elle sache, mais triste qu'elle ait vécu ça toute seule. Je lui demandai, sans lui faire de reproche :

— Et tu nous as rien dit ?

— Non, j'avais trop honte. Gênée d'être une femme trompée comme toutes les autres dont on entend parler à cause du blogue. Honte de penser qu'il m'a peut-être même trompée avec une des femmes qui nous ont écrit pour nous parler d'un salaud marié. C'était peut-être lui, le salaud marié, en tout cas, il en était un. Je me suis trouvée tellement idiote que je ne voulais que personne le sache. Même pas vous autres et surtout pas Jessica puisqu'elle venait de se faire faire la même chose. J'ai eu de la misère à me retenir, avec elle qui venait me voir tous les deux jours, tout inquiète. Elle aurait trop bien compris comment je me sentais, mais elle avait bien assez de ses problèmes. Aujourd'hui, je comprends que j'aurais dû vous en parler, vous m'auriez pas jugée, mais sur le coup... Et toi, Julie, qui avais toutes les peines du monde à réussir à croire à l'amour ! Ça t'aurait juste convaincue que c'est pas réel, pas possible. Vous avez pensé pendant tellement longtemps que j'avais le mariage parfait...

J'étais mal à l'aise qu'elle ait gardé cet affreux secret en partie par ma faute, pour me préserver d'une vérité trop accablante alors que c'était elle qui souffrait le plus. Et je ne pouvais même pas la contredire, elle avait vu juste. Et il y avait tant de choses que je ne lui avais pas dites, je ne pouvais pas la blâmer. Je lui donnai plutôt raison sur le dernier point :

— Oui, c'est vrai. Je te l'ai déjà dit, je t'ai souvent enviée. J'aurais voulu avoir ce que tu avais…

— C'est ma faute, je vous ai toujours laissées croire que tout était beau, idyllique, sauf quelques fois, ces derniers temps. Ça l'était pas, ça l'était plus depuis des années.

— Mais tu dois quand même être triste, c'est pas rien, toutes ces années que vous avez passées ensemble ? m'enquis-je.

— C'est sûr, j'ai quand même aimé Gilles et il m'a donné deux enfants que j'aime plus que tout au monde. Mais je vais vous dire, maintenant que je le peux… Qu'il me trompe, c'est juste la pointe de l'iceberg. Pour être totalement honnête avec vous autres, les filles, j'envisageais de quitter Gilles depuis des années. J'en pouvais plus de sa façon d'être, de son arrogance, de ses manipulations. J'ai trop attendu, j'avais peur et il me faisait des menaces déguisées, me disait que je perdrais tout, qu'il me laisserait rien si je partais. Je pense que j'étais juste pas prête, pas assez solide pour l'affronter. Mais maintenant, je peux regarder en avant. Là, je me sens enfin… libre. Voilà, les filles, maintenant vous savez tout, et de vous l'avoir dit, je me sens soulagée comme vous pouvez pas imaginer.

C'était à notre tour d'être sous le choc.

Ainsi donc, même si je m'étais doutée que ce n'était pas aussi rose que nous l'avions cru, les apparences avaient été plus que trompeuses. C'était après tout la même chose pour moi qui projetais l'image de la fonceuse, sûre d'elle et sans peur. Qu'en était-il de Valérie, tant qu'à y être ? Avait-elle aussi des secrets, des douleurs qu'elle gardait bien enfouis et auxquels même nous, amies fidèles, n'avions pas accès ? Sans doute. Elle avait été énigmatique, quelque peu distante ces derniers temps, et je ne pouvais pas attribuer ça qu'au fait qu'elle passe autant de temps avec Robert. Nous avait-elle exclues de sa bulle de bonheur ou était-elle réellement aussi sereine qu'elle voulait bien nous le laisser croire ? J'étais loin d'en être certaine. Mais seul l'avenir me le dirait. Pour la première fois depuis longtemps, je vis Maryse sourire d'un vrai, d'un très grand, sourire. C'est ce soir-là qu'elle nous chassa, disant qu'elle avait envie d'être chez elle, puisque c'était véritablement le cas, maintenant. Elle avait envie de s'approprier cette maison qui, selon ses dires, avait été le théâtre de bien des joies, mais aussi de beaucoup de chagrin et de douleur.

Fanny reprit le chemin de l'université pour terminer ses examens et reprendre ceux qu'elle avait manqués ; Oli se trouva un emploi. Lui et sa copine remballeraient leurs choses incessamment. Maryse allait, elle, commencer sa nouvelle vie. Elle m'annonça qu'elle voulait faire du blogue la pierre angulaire d'une entreprise à laquelle elle allait désormais se consacrer. Elle avait envie de bâtir quelque chose de concret dont le succès dépendrait d'elle seule. Elle accepterait volontiers notre aide, précisa même que notre amitié lui était plus précieuse que jamais, mais elle souhaitait, sans savoir précisément quelle forme elle allait lui donner, relever ce défi toute seule. Je lui donnai ma bénédiction puisque j'avais, de toute manière, perdu ma motivation depuis le message de la fameuse Lyne. Cette Lyne à qui, d'ailleurs, j'avais écrit ce qui s'était passé avant de détruire son message.

Nous qui avions été si inquiètes de notre amie, avions désormais devant nous une entrepreneure et une veuve.

Quand je demandai à Maryse ce que ce nouveau statut représentait pour elle, elle se contenta de répondre :

— Oui, je suis veuve. Une veuve joyeuse.

Épilogue

Je ne sais pas si je vais continuer de tenir ce journal. Probablement. Il m'a tellement aidée à y voir clair. Je n'ai pas grand-chose à y écrire, ces jours-ci, cependant. Quoique... ah oui. Je n'ai pas vécu de « déprime postcoïtale » depuis ma soirée avec Mélanie. Je lui dois d'ailleurs une fière chandelle, à cette femme. Je compte bien, d'ailleurs, la remercier en personne et lui présenter mes amis, tant Alain et Céline que Maryse et Valérie. Elle doit savoir quel effet elle a eu sur ma vie, sur mon avenir.

Je ne ressens plus cet épouvantable vide, non plus. Au contraire. Je me sens débordante de vie, de joie, d'amour, de bonheur, c'en est presque digne des contes de fées dont je me suis tant moquée. En fait, c'est la légèreté qui l'emporte sur tout. La soif et la faim de vivre pleinement. Et surtout, le bonheur de ne plus pleurer, sauf de joie parce que oui, ça m'arrive régulièrement.

Dans quelques mois à peine, j'aurai quarante-huit ans. Ce n'est qu'un chiffre comme un autre, tout compte fait. Mais alors que je craignais devoir le passer en noyant mon désarroi dans quelques bouteilles, je le célébrerai en Grèce, avec Céline et

Alain. Il est même possible que Val et Maryse se joignent à nous. Ce serait merveilleux...

À suivre ☺

Je me suis remise à croire. La quête que je jugeais autrefois frivole me semble désormais vitale. L'amour nous transporte, nous réjouit, oui. Mais il nous incite aussi à devenir meilleurs, teinte chaque aspect de notre vie d'une lumière particulière, nous rend invincibles.

Je ne sais pas comment ma relation avec Céline et Alain évoluera. C'est sans importance.

Maintenant, j'y crois à nouveau. Et c'est tout ce qui compte.

Vraiment.

L'été s'installa sans que nous l'ayons vu arriver. Maryse redessinait les plans de sa vie ; elle avait une tonne d'idées pour le blogue et avait l'intention d'en faire quelque chose d'important. Reprenant le flambeau, elle trouva même un compagnon à ma collègue Josée et cherchait maintenant à faire la même chose pour sa voisine-devenue-copine Jessica. Des liens se créaient, le blogue gagnait en popularité, une belle réussite s'annonçait. La motivation de Maryse était frappante. Je la trouvais sereine, elle se prétendait libérée d'un poids immense depuis qu'elle vivait seule. Le fait que Gilles lui ait légué, ainsi qu'aux enfants, une somme d'argent importante la mettait à l'abri de tout souci, et ça contribuait sans doute à son bien-être. Mais je m'inquiétais ; il y avait dans ses yeux une lueur étrange que je n'avais jamais perçue auparavant. Une froideur, presque. Je me demandai si elle utiliserait le blogue pour se venger de l'infidélité de Gilles sur le dos des autres imbéciles qui croiseraient le chemin des femmes qui se confieraient à elles.

Je savais que l'affront lui était intolérable, et ce, depuis ma propre mésaventure avec Stéphane, le cuisinier. Si moi, je l'avais oublié, je craignais que Maryse, elle, ne s'en nourrisse. Malgré sa prétendue libération, elle avait un deuil à vivre et j'espérais vraiment que chaque étape franchie la mènerait doucement vers la paix intérieure. Valérie, quant à elle, filait toujours le parfait bonheur avec Robert. Parfait en apparence, me sentais-je désormais obligée d'ajouter malgré moi. Je voulais y croire, mais l'explosion du mariage de Maryse avait été si étonnante que je ne tenais plus ce genre de choses pour acquis.

Robert et Val fêtèrent le premier anniversaire de leurs fréquentations au printemps, peu après les quarante-deux ans de Val, heureuse comme jamais je ne l'avais vue. Trop ? Malgré son apparente béatitude, je la sentais nerveuse. Elle nous avait confié que Sabrina s'entendait plutôt bien avec lui, c'était bon signe, mais l'emploi du mot « plutôt » me fit douter. La phase trouble de sa fille semblait se calmer, ça aussi c'était encourageant, mais quelque chose m'agaçait sans que je puisse mettre le doigt dessus. J'aurais tant voulu la protéger de toute éventuelle déception ! Tout comme elle avait été ma protectrice, en un funeste soir d'octobre, presque vingt-quatre ans plus tôt, je voulais être son ange gardien. Je ne savais pourquoi je pressentais un obstacle à son bonheur, mais l'intuition était bien réelle. Je la chassai du mieux que je pus.

Les révélations de Maryse sur son mariage avaient bouleversé toutes mes croyances, et la mort subite d'un homme aussi jeune, chamboulé ma perception de la vie. Ma perspective s'en était trouvée radicalement changée. Je m'en rendis compte graduellement, même si le changement dut intervenir assez subitement.

Je voulais mordre dans chaque journée, désormais. Je chérissais chaque moment passé avec mes amies, et ceux partagés avec Céline et Alain. Je pense que Maryse et Valérie tournèrent aussi une page très importante; je leur sentais un appétit vorace pour la vie et elles semblaient apprécier davantage les petites choses qui la rendent si belle.

Ma relation avec Céline et Alain se transformait également. À leur manière, ils utilisèrent cette tragédie pour se rapprocher, même si cela m'avait semblé impossible, mais également pour se rapprocher de moi. Nous faisions une foule d'activités ensemble, du plein air aux escapades, en passant par des sorties de toutes sortes. Notre trio ne soulevait aucune interrogation. Un couple d'amis, c'est courant pour une femme seule, non ? Les marques d'affection entre Céline et moi pouvaient facilement témoigner d'une profonde amitié, tandis qu'Alain s'amusait à jouer le conjoint de l'une et de l'autre à tour de rôle. Les règles s'établissaient toutes seules, avec simplicité. Céline et Alain constituaient sans conteste un noyau indivisible. Ça n'empêchait pas Céline et moi de passer du temps ensemble, entre copines ou amantes, selon les circonstances, mais les ébats exclusifs entre Alain et moi étaient rares. Céline et lui tenaient toujours à leur vie de couple et ça me convenait puisque je n'avais pas l'intention de m'installer chez eux, du moins pour le moment. Leur intimité était protégée et sauve, ce qui leur permettait sans doute encore plus facilement de me faire une place aussi douillette à leurs côtés. C'était fascinant et exaltant.

Je finis par expliquer, d'abord à Maryse, la vraie nature de ma relation avec ces amis particuliers qu'elle avait eu l'occasion de rencontrer quelques fois depuis les événements du printemps. J'étais intimidée, pas très certaine de la façon dont elle allait réagir à cette configuration si peu orthodoxe. Elle me regarda et me dit :

— Ju, ils ont l'air super. Ils t'adorent, tous les deux, ça crève les yeux. N'importe qui d'autre pourrait penser que vous êtes juste des amis, mais moi, j'ai tout vu. J'attendais juste que tu me le confirmes. T'es heureuse ?

— Je l'ai jamais été autant. C'est comme le meilleur de deux mondes, t'sais ?

— Non, c'est effectivement deux mondes, et tu les as tous les deux, c'est encore mieux !

La façon dont elle m'embrassa me prouva sa sincérité. Elle voulut tout savoir de l'évolution de cette relation, s'excusant de n'avoir pas été disponible pour moi au moment où celle-ci prenait naissance. Je ne voulus pas lui raconter les détours douteux que j'avais pris avant de m'ouvrir à leur offre ; Maryse n'avait pas besoin de savoir combien j'avais pleuré et à quel point je m'étais égarée à cette époque où sa propre vie dérapait.

Val, par contre, nageait en pleine confusion.

— Hein ? Ben voyons ! Comment ça marche ? Tu vas me dire que vous êtes jamais jaloux les uns des autres ? Tu peux quand même pas être amoureuse de deux personnes en même temps ?

— Jamais jalouse, non, et amoureuse d'Alain autant que de Céline, oui. Sinon ça pourrait pas fonctionner.

— Es-tu lesbienne, coudon ? T'as jamais parlé de ça ! ! !

— Oui, mais non, je sais pas. J'imagine que je suis bi... Seigneur, Val, pas besoin d'avoir une étiquette particulière, c'est juste de même, c'est tout !

— Fâche-toi pas ! J'essaie juste de comprendre, avoue que c'est pas évident !

Je ris, et elle prit un petit air gêné. Il était clair qu'elle faisait un gros effort pour tenter de comprendre et accepter une situation qui ne lui aurait jamais paru concevable auparavant. Elle me posa des tonnes de questions, certaines plutôt indiscrètes.

— Après tout ce que tu nous as raconté, tu vas pas me faire croire que t'as de la misère à parler de ta relation avec eux autres ! Pas toi !

— Touché. Mais c'est différent, là. Je t'ai jamais raconté tous les détails avec Simon, non plus, parce que... probablement parce qu'il y avait des sentiments, t'sais ? En tout cas...

Elle me laissa finalement tranquille, sans doute pour digérer toute cette information. Je ne savais toujours pas ce qu'elle en pensait, mais je lui faisais confiance. Elle avait bien changé dernièrement, et n'était plus la femme timide et réservée qu'elle avait si longtemps été. Ce ne fut qu'à l'anniversaire de Maryse, alors que nous étions tous réunis dans une superbe auberge des Laurentides, qu'elle me fit comprendre, à la toute fin de la soirée, qu'elle approuvait enfin ma réalité. En nous quittant au bras de Robert, elle me serra d'abord. Puis, elle embrassa Céline et Alain et leur dit :

— Je vous ai regardés toute la soirée. Vous êtes beaux. C'est évident que c'est sain, votre affaire, même si je comprends pas trop comment ça marche et que je tiens pas à connaître tous les détails. Tout ce que je vois, c'est du monde qui s'aime et plein de bonheur, et c'est ça qu'on veut, hein ? Julie, dis-moi... tu les as enfin, tes papillons, là hein ?

— Plus que j'aurais jamais cru possible, ma belle...

Là-dessus, elle partit avec Robert, sourire aux lèvres et yeux humides.

J'étais heureuse. Comblée. Je repensai aux moments de

découragement qui avaient ponctué tous ces mois depuis ma rupture avec Danny, et je sus que j'avais enfin toutes les raisons de me réjouir. Cette quête n'avait pas été vaine, après tout. J'avais trouvé ce que je cherchais, même si c'était complètement différent de ce que j'avais anticipé. Je ne savais pas où ça allait me mener ; je n'avais aucune idée non plus de la façon dont mes parents et ma sœur réagiraient à mon choix de vie pour le moins inattendu. Mais comme l'avait dit Mélanie, cette femme devenue mon amie, je n'avais que faire des moules, des idées préconçues et des jugements. Ça, c'était la Julie d'avant.

La nouvelle Julie, heureuse, amoureuse et si bien entourée, me plaisait bien davantage.

Je souris.

Ça valait nettement mieux que pleurer.

FIN

Note de l'auteure

Chères coquines, chers coquins,

Alors que vous vous apprêtez à refermer ce livre, moi, je continue d'écrire. Ce ne sont pas les idées qui manquent et j'ai trop hâte de vous retrouver!

Dans *Baiser: La vengeance de la veuve joyeuse,* c'est Maryse qui, cette fois, prendra la vedette. Mais la douce et généreuse Maryse dévoilera un tout nouveau visage… Très bien remise du décès de son époux-pas-chéri-du-tout, elle fonce vers sa nouvelle vie avec une voracité et une énergie dont Julie et Valérie n'auraient jamais pu se douter. Qui aurait cru que cette mère de famille parfaite avait un côté aussi cynique, presque machiavélique ?

Entourée de ses fidèles amies et de sa jeune voisine monoparentale, Maryse s'offrira, à l'aide du blogue devenu très populaire, quelques plaisirs bien mérités, quoique parfois discutables. À coup de crêpage de chignon, de désirs, de cochonneries et de quelques bitcheries, Maryse démontrera de manière étonnante à quel point les apparences peuvent être trompeuses…

Je m'amuse déjà ! Tellement que, tout comme Julie, je crois bien que j'vais aller m'en déboucher une, moi aussi.

À la vôtre ! ☺

Marie